南懷瑾先生講述

金剛經說甚麼

老古文化事業公司

國際標準書號：ISBN:957-8984-63-4

金剛經説甚麼

南懷瑾先生 講述

壬申 1992(81)年八月臺灣初版
甲申 2004(93)年五月臺灣二版十二刷

●局版臺業字第一五九五號●

發行人：南懷瑾
出版者：老古文化事業股份有限公司
地　址：台北市106信義路三段二十一號（一樓附設門市）
郵政信箱：台北郵政一一七—六一二號信箱
電　話：（〇二）二七〇三—五五九二　傳真：（〇二）二七〇七—八二一七
郵政劃撥：〇一五九四二六—一　帳戶名稱：老古文化事業股份有限公司
香港出版：經世學庫發展有限公司
地　址：香港中環都爹利街八號鑽石會大廈十樓
電　話：（八五二）二八四五—五五五五　傳真：（八五二）二五二五—一二〇一
網　址：http://www.laoku.com.tw
電子郵件：laoku@ms31.hinet.net

定價：新臺幣三〇〇元整

出版說明

編輯室

南懷瑾教授在台的數十年教化歲月中，曾經多次講解金剛經；因時代不同，對象不同，講解的方式和重點也各次不同。

現在的這一本書，是一九八〇年的講記。當時十方書院甫自成立，金剛經這一門課程，是為書院的學員及研究生而開，其他院校哲學系的同學，以及許多老修行們，常隨眾等，亦聞風而來，聽講者共約一百餘人。每逢上課時間，復青大廈的十一樓，擠得水泄不通。

由於這次的聽眾，對佛學都有相當基礎，對金剛經尤不陌生，故此，懷師的講法深入骨髓，可說是嘆未曾有！真正是：為上乘者說，為最上乘者說！

一九七八年懷師講了「如何修證佛法」，兩年後再講金剛經；因機緣特殊，對經中的疑問及似解難解之處，剖析得淋漓盡致；讀後雖不悟，亦得其門矣！

感謝永會師及圓觀師先行錄音記錄，再由劉雨虹女士整理并加標小題；宏忍師及李素美小姐等多人幫忙校對，在此一併致謝。

由於金剛經的超越哲學及宗教的特性，懷師定了一個平凡的書名《金剛經說甚麼》。

師曰平凡，即非平凡，是名平凡。

再版說明

這本書在初版時，有些急就章，以致版面、字體等，多處都不盡理想，雖計劃重新校編，卻未料七年後始克如願。

在這七年中，這本書得到讀者們的巨大共鳴，不但在台港暢銷，更在大陸暢銷，由此可見《金剛經》千餘年來在中國文化上的重要地位。

經文中有一句說：

「云何應住？云何降伏其心？」這句話通達儒家以及任何學派的修養教化。類此的還很多，所以說《金剛經》是超越宗教的，也是最上乘的。

又因《金剛經》的經文難懂，而南老師的講解出神入化，淺顯易明，所以受到讀者們的歡迎。

有讀者曾對經文提出異議，《金剛經》的譯文版本有好幾種，大同小異，這本書所採用的，是鳩摩羅什的譯本。

本書再版過程中，李淑君細心校正，使書中微末細節處，更加清晰明瞭，功不可沒。其他幫忙的人也很多，在此一併向他們致謝。

劉雨虹　記

一九九九年十一月台北

目錄

超越宗教的大智慧

今天要講的是金剛經，在中國文化中，金剛經是影響非常大的一部佛經。千餘年來，不曉得有多少人研究金剛經，念誦金剛經，因金剛經而得到感應，因金剛經而悟道成道。金剛經是佛經典中很特殊的一部，他最偉大之處，是超越了一切宗教性，但也包含了一切宗教性。我們研究金剛經時，不能將它局限於佛教的範圍，佛在金剛經裡說：「一切賢聖，皆以無爲法而有差別」，這就是說，佛認爲古往今來一切聖賢，一切宗教成就的教主，都是得道成道的；只因個人程度深淺不同，因時、地的不同，所傳化的方式有所不同而已。

金剛經的這一個重點，徹底破除了一切宗教的界限，它與佛教一部大經—華嚴經的宗旨一樣，承認一個眞理、一個至道，并不認爲一切宗教的教化僅限於勸人爲善而已。在座的諸位先生女士們，大概也各有不同宗教的信仰，我們今日研究金剛經，先把自己觀念意識裡宗教的界限和形式放在一旁，然後再來研究金剛經的要點與精神，這樣才會得益。

在所有的佛經，以及後世菩薩高僧大德們的著作中，金剛經在學術的分類上，歸入般若部。什麼叫般若呢？大致上說，大智慧就叫做般若。因為過去翻譯佛經的原則是觀念不完全相同的字不翻，寧可譯音再加以註解。就像現在中西文化交流，遇到翻譯氣字（氣功的氣，修道的氣）就不能翻，因為不能譯成瓦斯，也不能譯成空氣，或其他的氣。由於外文每一個氣都有一個專有的字，而中國字卻不同，氣字上面多加一個字意思就不同了。空氣、煤氣、電氣，就是人發脾氣，都是氣字上面加字不同而有異，所以單獨一個氣字只好翻音，然後再加註解。當時般若不譯成大智慧，也是這個原因。

所謂般若智慧不是普通的智慧，是指能夠瞭解道、悟道、修證、了脫生死、超凡入聖的這個智慧。這不是普通的聰明，這是屬於道體上根本的智慧。所謂根本的智慧，也是一個名稱，拿現在觀念來講，就是超越一般聰明與普通的智慧，而瞭解到形而上生命的本源、本性。這不是用思想得到的，而是身心兩方面整個投入求證到的智慧。這個智慧才是般若。所以「智慧」兩個字，不能代表般若的整個含義。

般若這個智慧包含五種，就是所謂的五般若，第一種是實相般若，第二種是境界般若，第三種是文字般若，第四種方便般若，第五種眷屬般若。五種的內涵就是金剛般若。

實相般若

實相般若就是形而上的道體，是宇宙萬有的本源，也就是悟道、明心見性所悟的那個道體。在佛學的文字上，悟道就是見到那個道體的空性，叫做實相般若，屬於智慧的部分。我們的聰明只是意識部分，局限於現有的知識範圍，以及現有的經驗與感覺想像的範圍。眞正的道體是不可思議的，是不可以用我們普通的知識意識去思想、討論、研究的。大家要注意！他並沒有說不能思議啊！

「不可」是遮法，遮住，擋住，不准看，不可以用普通的知識、意識去推測、去思想道是什麼。假如實相道體能夠用思想得到的話，那還是屬於妄想意識的範圍。所以說不可思議，並不是說不能思議；因爲這是修持求證的境界，不是思議的境界。

到了後世禪宗，講一個道字，無所在，無所不在，很難表達。如果講一個佛字，又帶了一個佛的觀念。雖然有時候佛法裡頭，佛字就代表了這個道體，但是一般人一聽到佛，腦子裡馬上想到大殿上那個塑得發亮發光的佛像，不免又著相了。所以，唐宋以後，禪宗乾脆不用道，也不用佛，就是這個，這個就是那個，那個就是這個，反正都是代名辭而已。華嚴經上說：叫它道也可以，天地也可以，上帝也可以，神也可以，主也可以，佛也可以，眞如也可以，涅槃也可以，說了一大堆，一百多個名辭，反正這些都是代號，代表實相般若道體。世界上很多人都追求這個東西，找到了這個東西才認識了自己生命的本源，所以，實相般若是屬於般若中最根本的。

境界般若

這些年來，有許多外國同學研究如何翻譯境界兩個字，我說假使翻成外文的話，勉勉強強可翻譯成現象，但是那仍屬於自然界的觀念。境界就是境界，只能加註解，很難翻譯。譬如修道見道的境界，藥山禪師就講：「雲在青天水在瓶」，這是很自然的，天上的雲在飄，水在瓶子裡，擺在桌上，一個那麼高遠，一個那麼淺近，這就是個境界。又譬如唐人詩說：「千江有水千江月，萬里無雲萬里天」。

我們常在講悟道，或者般若的部分時，就會引用到這兩句話。天上的月亮只有一個，照到地上的千萬條江河，每條河裡都有一個月亮的影子，就是千江有水千江月。萬里的晴空，如果沒有一點雲的話，整個的天空，處處都是無際的晴天，所以萬里無雲萬里天。這是一個很好的境界，很多禪師們因這些境界而悟道。

有一個和尚住茅蓬的時候，就寫了一副很好的對子：「萬里青天開笑口，三間白屋豎拳頭」。

像彌勒菩薩一樣，哈哈大笑，就是我們喜歡塑的一個咧嘴笑，大肚子的和尚，悟了道，什麼都空掉，什麼都喜歡。三間白屋就是三間空空洞洞的白屋，自己在那裡海闊天空。像這一類的文字，就描寫一種境界，但也並不足以代表悟道那個境界。我們的人生隨時有境界，痛苦的時候想到那些痛苦，痛苦還沒有來的時候，腦海中又隨時出現痛苦的威脅，這是苦惱的境界。高興的時候，又越想越得意。尤其年紀大的人，不大喜歡想未來，因爲前面的路程太遠了，沒有力氣走了，專門回頭想少年時代的事。有時候自己坐在那裡想起來，還搖個頭笑一下，回味那個境界。這些都屬於境界，所以境界可以意會，不可以言傳。

此外，一個人修道，或者讀書，一步有一步的不同境界。像一個學藝術的人，今天有了一個新的靈感，或者畫一張畫，特別有一種心得，就是有它的境界。一個做水泥工的，今天突然一磚頭下去，用水泥一抹，特別平，心裡頭很舒服，原來這樣砌才好，這是他做水泥工時候的境界。所以，境界包含一切境界，修道人有一分的成就，境界就有一分的不同，有兩分的成就，就有兩分的不同。換句話說，人修持到了某一種境界，人生的境界就開朗到某一種程度。

至於我們沒有修道的人，有什麼境界呢？也有境界，就是一切衆生所有的苦惱境界。如古人詩中所講的：「百年三萬六千日，不在愁中即病中」。這是普通人生的境界，不是煩惱，就是病痛，或者是衰老了，眼花了，頭髮白了，這就是人生苦惱境界。所以古人說：「學佛乃大丈夫事，非帝王將相所能爲。」因爲他的境界、氣派、胸襟與衆不同。這種不同的境界從那裡來呢？從實相般若而來，是道體上所產生的，自然而來的。因此，眞悟道的人，智慧開發是無窮盡的，佛學的名辭叫做無師智，也叫做自然智。自己本有的智慧倉庫打開了，不是老師傳授給你的，是你自己固有的智慧爆發了，天上天下，無所不知。這就是境界般若。

文字般若

我們曉得，文字本身就具備了智慧，文字也就是言語；因爲把我們言語記錄下來，就變成了文字。中國人的言語思想符號就叫做中文，英語系統人的言語思想符號就是英文，其它法文、德文、俄文，都是代表他們的思想、言語的記號。文字有它的境界，我們大家都讀過書，都認得字，可是很少有人變成眞正的文學家；因爲優美的句子出不來，沒有文字的般若。有的人出語成章，話一講出來就是文章，每一句話都很優美，很漂亮，因爲他有文學的境界，有文字般若。

金剛經在中國，爲什麼那麼吃得開呢？是鳩摩羅什的文字般若所造成。他翻譯了很多經典，其中金剛經以及法華經，影響中國文化極大。尤其它文字的格調，形成了中國文學史上一種特殊優美、感人的佛教文學。此外還有維摩經的文字，也都很特別，是另創一格的文字意境。後來玄奘法師等人的翻譯，在文學境界上，始終沒有辦法超過鳩摩羅什，這就是文字般若不同的原故。

所以同樣的讀書學文字，並不一定能夠成為一個文學家。同樣的修道，有些只能夠成為修行人，而不能夠成佛，這與文字般若是絕對相關的。清朝有位歷史學家趙翼，也是大詩人，大文豪，他晚年寫了三首有名的詩，其中有一首說：

少時學語苦難圓　祇道功夫半未全

到老方知非力取　三分人事七分天

他說，年輕的時候學講話，講不圓滿，自己以為學問功夫還沒有到家。到年紀老了才知道，學死了也沒有用，因為努力只有三分，天才就要七分。不過這是指普通人而言，據我所知所見，有幾位大和尚，並沒有讀過書，也沒有上過一天學，一個字也不認識，悟道以後，詩好、文好，樣樣都好，那眞是不可想像。

八十年前我的老師見過一個和尚，本來是一個剃頭師傅，挑個擔子在鄉下到處走，在滿清的時候，剃頭的孩子不准參加考試，限制極嚴。可是這位剃頭的大禪師悟了道，什麼都懂，無所不知。他也有一個廟子，是方丈圓寂時候，護法給他的。有人叫他楊和尚，有人叫他楊剃頭。一般讀書人去考他：楊和尚，我有句話忘掉了，你看是出在那本書裡？他說：這在第幾頁那一本書嘛！我老師年輕的時候很調皮，故意去問他紅樓夢上一句話，他都能回答得不錯，那怪極了。有一個很有錢的人抽鴉片，想戒也戒不掉，後來只有去求這個楊和尚，楊師父啊，你來幫我剃個頭。剃頭的時候鴉片煙癮發了，鼻涕、眼淚直流，很痛苦，這位楊剃頭在他背上拍了一下說：「脫了！」就是解脫，頭也幫他剃好了。從此以後，這個人再也不抽鴉片了。

這些是講文字般若，在悟道以後自然發生，不是憑我們的聰明來的。聰明是想出來的，想出來的沒有用。悟了道的人，他的記憶力也特別高，不光是年輕的事想得起來，前一輩子讀的書都知道。這個話，你們諸位聽了，大概覺得很稀奇，的確有這麼一回事。所以蘇東坡有一首詩說：「書到今生讀已遲」。要讀書要早讀，這一輩子的書是爲來生讀的。悟道的時候，過去千萬生讀的書都會搬出來，就是因爲般若智慧都出來了。學問好的人記憶力強，一目十行；不會讀書的人，一個字一個字摳。有人看書，眼睛一瞄，這一頁就過去了，一目十行，日記千言，到老而不衰，甚至老了記憶力更強。當然，這必須要定力，要般若的智慧才行，這就是文字般若。

方便般若

佛經上經常講方便，假使我手裡沒有紙，請你給我一張方便方便，這可不是佛學的方便。東漢的霍光大將軍，是大元帥，也是大宰相，東漢一代的天下，是他扶正的。可是歷史批評他四個字：「不學無術」，說他讀書太少，處理國家大事，在知識見解上，沒有恰當的方法，所以是「不學無術」。術，不是手段，一個有學問有道德的人，要教化別人，自然有他無師自通的方法；做人做事，也自然有他高度的藝術。譬如說看佛經，他能夠用特殊的一種方法，把難懂的立刻就懂進去，最難表達的東西，他用一種方式表達出來，別人一聽就懂了，這就屬於方便般若。

我們都看到過千手千眼觀世音菩薩，一千隻手，每一隻手中有一隻眼睛，頭上有三隻眼睛。這位菩薩代表什麼呢？一個人有一千隻手，一千隻眼睛，你說這個人辦法多不多？當然很多。所以要眞正做到大慈大悲，要具備有千手千眼那麼多的方便方法才行。像一個會魔術的人，隨手抓一個東西，都可以變一個魔術，這就是方便般若。

眷屬般若

眷屬般若是跟著悟道的智慧而來的，佛學名辭叫行願，用我們現在的觀念來說，是屬於行爲方面的。也就是說，自然發起道德行爲，一個人自然就成爲至善的人。所謂眷屬就是親戚、朋友、家人等親眷。

般若的眷屬又是什麼呢？我們都曉得佛學講的六度，就是布施、持戒、忍辱、精進、禪定、般若。一個修持的人，如何布施，如何守戒，如何忍辱，如何做到禪定的修證功夫，然後才能大徹大悟而成佛。所以在般若的前面，就有這五個相關的眷屬，也就是五個行願，稱爲眷屬般若。關於這方面，我暫時不作詳細的報告，因爲金剛經的本身內容，就提到了這五樣事。

現在我們已經曉得般若所包涵的內容這樣多，沒有適當的字可以翻譯，所以只能譯音了。般若的內容，包含了悟道之願，換句話說，這個修道的道願，本身就具備了這麼多的內容。

無堅不摧

現在我們手裡的這本金剛般若波羅密經，爲什麼在般若上面加了金剛兩個字呢？金剛，在金屬之中最堅固，就像金剛鑽一樣，能破一切法。也可以說，能建一切法，而且無堅不摧，所以叫金剛般若波羅密。金剛經有五六種不同的翻譯，我們慣用的是鳩摩羅什翻譯的這一種。有人的翻譯，上面加「能斷」兩個字，意思是能斷世間一切苦痛、一切煩惱，而成聖成佛。所以稱爲「能斷金剛般若波羅密」。可能鳩摩羅什認爲，這種能斷的精神，已經包含在經文裡了，所以經名不需要特別再加上去。

所謂「波羅密」，一般的翻譯就是到彼岸，有些最後加一個多字，成爲般若波羅密「多」。這個「多」字是尾音，現在的音來唸，就是摩訶般若波羅密多，拿古代的梵音唸，就是摩訶般若波羅密「達」。「多」就是「達」的音。我們大家慣唸的二百六十個字的摩訶般若波羅密多心經，常常有人把它稱爲「多心經」，因爲西遊記上，把這兩個字與上面切斷了，變成多心經。

現在我們講的這一本經，如果照含意來說明經名，就是：能斷一切法，能破一切煩惱，能成就佛道的般若大智慧，脫離苦海而登彼岸成就的經典。如果我們照舊式廟子裡的講經方法，這個經的題目，一天講兩個鐘頭，連續講一個月也講不完。事實上，那一種講經的方法非常好，解釋得非常詳盡，由文字教育開始，什麼叫經？這個經字就可以講一個禮拜。什麼叫金剛？又可以講上一個禮拜，因此一個題目講完了，個把月過了，金剛經的邊在那裡啊？那叫做無量無邊。現在我們不採用那個辦法，我個人的個性，也是不大適合那種講法，所以我們採取簡單明瞭的解釋。

鳩摩羅什和武則天

現在說到翻譯的人，姚秦三藏法師鳩摩羅什。他的父親是印度一位宰相，出家當和尚了，他的媽媽是一位公主，逼著這位宰相還俗，跟她結婚，後來生了這個兒子。以後這位公主自己卻要出家，宰相丈夫不答應，我好好的出家當和尚，你逼著我還俗結婚，現在你卻要出家。所以這個故事眞可以編寫成一部小說。

鳩摩羅什十一、二歲的時候，已經可以說悟道了，三十多歲就到了中國大陸。當時是南北朝時代，爲了請這位學者來，消滅了三個國家，這在古今中外歷史上，都是樁震撼的事件。研究當時的歷史很有意思，鳩摩羅什這樣一位大法師，這麼有學問的一個人，各國都在爭取他，什麼經濟、政治，一概都擺在後頭不管，因爲爭請鳩摩羅什，一國消滅了另一國，第三個國家又消滅了第二個國家，這個故事講起來話長，可以講上一兩個禮拜，現在簡單說明，向諸位報告到這裡爲止。

金剛經前面的發願文等，我們都不加介紹了，由於在坐的女性道友很多，特別要向女性道友介紹一下開經偈。

無上甚深微妙法　百千萬劫難遭遇

我今見聞得受持　願解如來真實義

這是武則天這位女皇帝所作。武則天自己也是研究金剛經的，有人說，云何梵偈子也是她作的：

云何得長壽　金剛不壞身

復以何因緣　得大堅固力

云何於此經　究竟到彼岸
願佛開微密　廣為眾生說

關於這個偈子，在佛教文學方面，稱得上是一個大手筆。寫這種大文章不能夠寫得輕佻，也不能夠寫得幽默，要很嚴謹才行。

「云何得長壽，金剛不壞身。」如何可以得到清淨、長壽，永生不死呢？

大家都希望活得長，究竟怎麼樣才能眞正活得長？長到什麼程度呢？這裡是提問題，換句話說，這個經典本身就是告訴我們，怎麼樣得到生命永恆不滅的那個本來。

「復以何因緣，得大堅固力。」大堅固力也是我們人類所希望得到的；但是我們要用什麼辦法，那一種因緣，才可以得到堅固的力量？人世間的一切都不牢靠、不堅固。壽命也是不堅固的，頂多活一百年兩百年就要走了。家庭、父母、子女、夫婦相聚都不堅固，終歸要分散的。佛經上經常有一句話：聚會必有消散。聚攏的因緣完了，統統要分散。發了財，鈔票來了，終歸有不發財的一天，錢也有消散的一天。權利拿到手，總會有失掉的一天。房子建築起來，總會有毀壞的一天。世界上有沒有一個東西是堅固不破的？這個大堅固力，倒底有沒有？你們要去找。

「云何於此經，究竟到彼岸。」我們研究金剛經以後，如何瞭解其中的方法，如何能夠脫離三界苦海，而到達常樂我淨的極樂世界；這些等等的問題，希望佛能打開最微妙祕密的法門，統統告訴我們。

現在我們看的金剛經，只分爲三十二章，金剛經原始翻譯的時候，根本沒有分章分品。原始的佛經是一篇連下來的文章，沒有段落，分章分段是後世所作。金剛經分成三十二章，是梁武帝時代編輯而成的。這個編輯人是誰呢？就是梁武帝的昭明太子。我們研究中國文學，有一部非讀不可的書，就是「昭明文選」，這也是國文系必讀之書，就是梁昭明太子所編輯的各種名文。

金剛經三十二品的分法，品目的分類，以及標題，都是昭明太子的傑作。標得的確很好，每一節裡的重點，都用標題說明。譬如第一章法會因由，就是說爲什麼有佛講金剛經這件事。譬如今天我們講這本經，也有一個因由，因爲蕭先生、崔先生他們這五、六位發起的，我是受聲不能不來講了，這也就是我們這一次的法會因由。

金剛經的感應力量非常大，我給大家講一個我的祕密，我在讀中學階段，每天早晨四點鐘就起，練拳運動以後，首先唸金剛經。爲什麼唸呢？我一點都不懂；反正人家告訴我唸金剛經很好，我就唸金剛經。因爲在學校裡，也不敢敲木魚，怕被人家說神經病，偷偷的弄一本金剛經，到會客室去唸。前怕狼，後怕虎，一下子就唸完了。有一次我唸到，無我相，無人相，無衆生相，無壽者相，忽然覺得我沒有了，我到那裡去了？

不知道啊！以後我就不唸了，後來才明瞭其中的道理。此經對我的經驗，有這樣奇妙。在歷史記載中，更有非常多的感應。抗戰八年，出門在外，跟家裡父母分離，生死不可知，那時我只有一個願力，每天晚上睡覺以前，一定要給我父母唸金剛經、心經。這是我的祕密，我心中自己的願力，外面不知道，可是我的經驗上知道，感應力量非常大，非常大，我只能向諸位報告到這裡。至於說，你們要做科學的研究，感應是個什麼道理，我可以跟你講科學的理由一大堆，但是今天是講佛學的課，不是講科學的課，暫時就不討論了。

第一品　法會因由分

如是我聞。一時佛在舍衛國。祇樹給孤獨園。與大比丘衆。千二百五十人俱。爾時世尊。食時。著衣持缽。入舍衛大城乞食。於其城中。次第乞已。還至本處。飯食訖。收衣缽。洗足已。敷座而坐。

照中國人讀書，就是這樣唸，如果照唸經的方法，要敲個木魚，嘟嘟嘟嘟……一路唸下去。爲什麼敲木魚呢？魚是晝夜瞪著眼睛的，魚睡覺就是停在那裡不動了，休息一下就算睡覺了。所以我們廟裡敲這個木魚，是要我們精進，修道要效法魚的精神，晝夜努力不停。本經第一章，是說明一切各有因緣不同，佛講楞嚴經時，開頭另有不同；說佛有一天剛吃飽飯，他的兄弟阿難在城裡頭出事了，佛就馬上顯神通，頭頂放光，那光可大了，化身一出來，傳一個咒子，叫文殊菩薩趕快去把阿難救回來。經典的開始雖都不同，但是只有金剛經特別，沒有什麼頭頂放光、眉毛放光、胸口卍字放光等等。金剛經只是從吃飯開始，吃飯可不是一件容易的事，在北平白雲觀有副名對，從明朝開始的一副對子：「世間莫若修行好，天下無如吃飯難」。

在我們平常的觀念裡，總認爲佛走起路來一定是離地三寸，腳踩蓮花，騰空而去。這本經記載的佛，卻同我們一樣，照樣要吃飯，照樣要化緣，照樣光著腳走路，腳底心照樣踩到泥巴。所以回來還是一樣要洗腳，還是要吃飯，還是要打坐，就是那麼平常。平常就是道，最平凡的時候是最高的，眞正的眞理是在最平凡之間；眞正仙佛的境界，是在最平常的事物上。所以眞正的人道完成，也就是出世、聖人之道的完成。希望青年同學千萬記住金剛經開頭佛的這個榜樣，這個精神。

佛這樣說

如是我聞。一時佛在舍衛國。祇樹給孤獨園。

每一本佛經開頭都是四個字：「如是我聞」。涅槃經上說，佛在涅槃的時候，阿難問他：你要走了，將來我要記錄你的言語，別人怎會相信呢？還以為我是假造的。佛就告訴阿難，在一本經開始時，加上「如是」二字，「我聞」的我是指阿難自己。「如是我聞」就是我聽到佛這樣說。

阿難的頭腦，像錄音機一樣，佛所講的東西，他一字不漏記得。為表示負責，他特別說明是「我聞」，是當時聽到佛說的。「如是」兩個字是古文，照我們中國文字的寫法，應該是「我聞如是」，佛經翻成中文，產生了另外一種文學，用倒裝的文法。「如是我聞」成為中國佛教文學的一種體裁，優美而有文藝氣息，鳩摩羅什譯經加上「如是我聞」，味道就不同了。

如果照舊式的講經方法，「如是我聞」這四個字，又可以講上兩個月。怎麼樣叫做如？如者，如如不動之如也，然後怎麼樣叫如如不動？如如不動者佛法之境界也……這麼講起來就沒完沒了，現在我們就不講得離題太遠了。

那個時候

「一時」這兩個字，倒是一個大問題，沒有一本佛經記載時間、年齡；佛經都是「一時」這兩個字。拿白話文來解釋，「一時」就是「那個時候」。那個時候就是那個時候，那個時候也就是這個時候，所以這個「一時」很妙。

我們研究印度的文化及歷史，知道印度人不太注重時間，所以印度人沒有歷史觀念。十七世紀以後，靠著英國以及東西方一批學者的整理，才有了印度史。不像中國的歷史，是從古老開始五千年一直下來的。所以有些人要學梵文來研究佛學，那就是一個非常滑稽的事。尤其是現在的梵文，是十七世紀以後的梵文，唐宋以前的梵文，連一本原經都找不到了。而且唐宋以後的梵文，有南印、北印、東印、西印、中印，五方梵文各自不同。我們當時翻譯過來的梵文也有不同，咒語的發音也有不同，這些舊的梵文，現在影子都找不到了。所以說，一般研究梵文的佛學家，用十七世紀以後，歐洲人整理出來的梵文，追究少數留下來南傳佛教的本子，想探討整個的佛法，拿孟子一句話來說：「緣木而求魚」。

當然，這個事情我也很少提到，嚴格的來說，眞正的佛法，全部都在中國大藏經裡。這一兩百年來，西方人似乎有意否定東方的佛學，日本人也跟著亂叫。所以說，花很大的精神學梵文，爲了研究佛學，眞是浪費光陰，誤人子弟。你慢慢三大阿僧祇劫去找吧！當然，梵文也是一種文字語言，可以去學，但是它同眞正佛法是毫不相干的。

再說，印度人除了沒有時間觀念而沒有歷史外，數字觀念也非常差，所以佛經上這裡八萬四千，那裡八萬四千，等於杭州人說：「木老老」，多得不可數的意思。印度人說多得很就是八萬四千。

「一時」意思非常好，眞正悟了道，就沒有時間觀念。金剛經告訴我們，「過去心不可得，現在心不可得，未來心不可得」。時間是相對的，眞正的時間，萬年一念，一念萬年，沒有古今，沒有去來，等於一首古詩：「風月無今古，情懷自淺深」。

月亮、太陽、風、山河，它們永遠如此，古人看到的那個天，那個雲，也就是我們現在看到的這個天和雲，是一樣的世界。未來人看到的也是。風月雖是一樣，但是情懷有淺深。有些人看到風景很高興，痛苦人看到一樣的風景，卻悲哀得要想死，都是個人自己唯心所造。

在科學上的瞭解，時間是相對的，在佛法上時間是唯心，不是絕對的。痛苦的時候，雖一分一秒卻有一萬年那麼長，幸福快樂的時候，一萬年一百年，也不過一刹那就過去了。因此佛法已經點題了，「一時」，就是無古今，也無未來。

舍衛國的講堂

「一時佛在舍衛國。祇樹給孤獨園。」佛由三十一歲開始說法，直到八十歲，在四十九年之間，他的教化工作，大部分都在舍衛國。舍衛國在中印度，經濟文化發達，財富很多。舍衛國的國王，就是楞嚴經上那位波斯匿王，也是佛的弟子。那裡有位長者，年高有道德，是舍衛國一個大財主，名叫「給孤獨」長者。有一天他到波斯匿城去給兒子相親，遇到了佛，對佛產生了信仰。他請求佛到波斯匿城去說法，而且要給佛蓋一個講堂。佛說：有因緣，你蓋好講堂我就來。他回到波斯匿城，找了一個最好的場地，但是卻屬於祇陀太子所有。太子提出來一個條件，如果長者能把黃金打成的葉子，一片片舖滿了八十頃的地，就把這地賣給他。

給孤獨長者愛布施，孤苦伶仃的人找他，他一概都幫忙，專門做好事，所以叫做「給孤獨」。他眞的把金葉子一片片去舖那八十頃地，舖了一半的時候，有人報告了太子，太子問他爲什麼這樣作？長者說：「那眞是佛啊！是眞的聖人。」太子說：「我相信你的話，你不要舖了，我們兩個人共同建造吧！」所以這個講堂就是祇樹，祇陀太子、給孤獨長者兩人合力所蓋，稱爲「祇樹給孤獨園」。楞嚴經也是在這個地方講的，這個園林是佛的大講堂，經常在這裡說法。

千二百五十人

與大比丘眾。千二百五十人俱。

每一本佛經，都提到這兩句話，不論佛在那裡說法，都是與大比丘衆，千二百五十人俱。佛說法的時候，難道都是出家和尙聽嗎？它這裡只講和尙，沒有講居士多少人，男人多少，女人多少。有些佛經記載佛說法的時候，天龍八部億萬，不可知，不可數，不可說，那就很多了，那就是「木老老」。普通說法都是千二百五十人，這一千二百五十個佛弟子，叫做常隨衆，佛走到那裡跟到那裡。拿我們現在的名辭來說，這是基本的學生，基本的隊伍，都是出家人。

爲什麼只提千二百五十人？佛出來傳法以後，第一批招收的學生，拿我們現在的話講，最難降伏的學生，就是這一千二百五十人。其中的舍利子，在佛沒有出來說法之前，他已經是大老師了。跟他的有一百個學生。還有三迦葉兄弟（不是拈花微笑那個迦葉），其中兩人各有二百五十個學生，另一位有五百個，合起來一千個學生，他們都是影響當時社會宗教的大學者。另外有神通的目連尊者也在那裡，年齡也比佛大幾歲，也在傳教，他也有一百個基本的徒弟。還有耶舍長者子，朋黨五十個。所以佛有這六個徒弟皈依了以後，他們帶領出家修道的學生，一起皈依佛，才變成了一千二百五十個常隨衆，就是經常跟著佛的；每次說法，他們都是聽衆。

不過千萬記住啊！其中有些人年齡都比佛大幾十歲，佛是三十一、二歲就開始說法，舍利子年紀較佛大二、三十歲，目連也比佛大。所謂比丘是出家人，翻譯成中文的意思就是「乞士」。乞士是一個好聽的名辭，意思是討飯的，討什麼飯呢？不是討一口飯吃的飯，是討一個永遠不生不滅的精神食糧。所以，上乞法於佛，下乞食於一切衆生，稱爲成佛比丘。比丘的道理，也含有破除一切煩惱，了一切生死，而能有所成就，能證果的意思。

世間與大千世界

爾時世尊。食時。著衣持鉢。入舍衛大城乞食。

爾時，這個時候。世尊，是佛的另外一個代號，佛經裡所稱世尊，是指世界上最值得尊敬的人。不過我們要注意，所謂這個世界，不是只講這個人世間；佛學裡所謂世間，有三世間與四世間兩種概念。所謂三世間是：器世間、國土世間、有情世間。

器世間：就是國土世界，用現在的觀念，就是物質世界，是這個地球上，有人類、生物存在的世界。

國土世間：就是地球上各個分別的國土，中國、美國、歐洲等，是這個世間觀念裡的一個範圍。

有情世間：有情就是一切衆生，有生命有靈知性的存在，這是一個世間的觀念，等於我們現在講社會、人類等觀念差不多。

所謂四世間，除了前三種之外，另外第四種就是聖賢世間，也就是得道的聖賢所成就的另外一個範圍。拿佛教來講，阿彌陀佛西方極樂世界，就是有道之士所居住的聖賢世界。其它宗教所講的天堂，是另外一種聖賢、善人所居住的世間。

佛學裡有淨土，有穢土，我們這個娑婆世界算穢土，阿彌陀佛西方極樂世界是淨土。所謂土，有兩種觀念，一種是常寂光土，這個土已經不是土地，不是物質，而是說，在那個境界裡，永遠都是快樂的、清淨的、寂滅的。另外一種觀念是指我們這個世間，是凡聖同居土，聖人與凡夫共同居住的地方。這個世界也可以說同時包括了四世間，與各個國土的觀念。所以說佛經裡所稱的世界，是包括我們這個世界，以及超過這個地球範圍所有世間的世界。

另外一個觀念是說，釋迦牟尼佛是我們這個三千大千世界的佛，爲了我們初學同學們的研究，我們再說明一下三千大千世界在佛學上的概念。

在我小的時候，有一位老前輩就問我，你曉不曉得世界上有一個吹大牛講大話的人是誰？我說不知道。他說：是釋迦牟尼佛！他所說三千大千世界這個數字，無量無邊，誰能夠把它對立破得了？那眞是摸不到邊，大極了。當時年輕，聽了也是笑笑而已；但是時代到了現在，更加證明佛的說法眞實，他的神通智慧，更是了不起。他對於世界的看法，認爲一個太陽系統是一個世界，這個是普通觀念的世界，一個太陽，一個月亮，帶領了九大行星，中間有個地球，就是一個太陽系。

過去物理學天文學稱太陽爲恆星，現在有人反對，不一定叫它恆星，這個是科學上沒有定論的。在這一個太陽系中，地球是面積很小的，與其它行星的壽命來比較，也是很短的。可是在我們看來已經是不得了啦！這算是一個世界。

佛說，這個地球上的人，以六十歲或者以一百歲爲一壽命。這個世界上的人，認爲一晝夜很了不起，而在月球上是半個月白天，半個月黑夜。現在人到了太空，發現果然與佛兩千多年前說的一樣。佛告訴弟子們說，這個虛空中，像這樣的太陽系統，帶領很多星球構成的世界，是無量數、不可知，如恆河沙一樣多；也像中國的大黃河裡頭的沙子一樣的多，數不清的。

一千個太陽系統這樣的世界，叫做一個小千世界，一千個小千世界，叫做一個中千世界，再把一千個中千世界加起來，叫做一個大千世界。他說這個虛空中，有三千個大千世界，實際上不止三千大千世界，而是不可知、不可數、不可量那樣多。這個說法以前是沒有人相信的。

吃飯穿衣

佛的戒律，規定弟子們喝一杯水，必須先用一塊布濾了以後，才可以喝。爲什麼呢？「佛觀一缽水，八萬四千蟲」。佛的眼睛，看這一碗水，有八萬四千個生命。幾千年前他這樣說，也沒有人相信，覺得他很瑣碎，現在科學進步了，都相信了。還有佛的戒律，規定弟子們每餐飯後都要刷牙，沒有牙刷，用楊柳枝。所以觀世音菩薩淨瓶裡泡的有楊柳枝，大概一方面灑水用，一方面刷牙用。把楊柳枝剪下，放在水裡泡，然後拿石頭把根根這一節一敲就散開了，用來刷牙齒。這些生活的規律，都屬於佛戒律的範圍，禮儀都是非常嚴格的。拿現在的觀念來講，各種的衛生常識，他早就有了。佛經上所說一個成佛、得大成就的人，在一個佛國裡教化衆生，是師道的第一位，所以稱爲世尊。

「爾時世尊食時」，吃飯時候到了，這個吃飯的事我們須要說明一下。佛的戒律是日中一食，每天中午吃一餐。普通佛學把我們人類吃飯，叫做段食，分段的在吃飯，一天吃三餐，叫做段食，也叫做摶食。印度人吃飯用手抓，中國人用筷子，外國人用叉子，反正都是用手，所以也叫做摶食。早晨是天人吃飯的時間，中午人道吃飯，晚上鬼道吃飯。佛採用的制度，以人道爲中心，日中一食；後世弟子們，過了中午一點鐘就不吃飯了，這個是佛的制度。

關於這個吃飯的問題，世界上各個地區不同，習慣不同。有的民族注重早餐，有些注重午餐或注重晚餐，每個人不同，叫做段食。除了吃飯，還有思食，是指精神食糧，當一個人苦悶到極點，灰心到極點時，如沒有精神食糧也會死掉。另外還有觸食，觸食就是感受，譬如我們在一個房間，衣服穿得不對，悶得非常難過；或者被埋在土裡，感覺氣不通了，就是感覺沒有氣可吃了。更有識食，阿賴耶識的功能，支持生命的不死。所以段食、觸食、思食、識食，也可說都是人的食糧。

現在本經所講吃飯的時候，是佛自己所規定的日中一餐。佛雖然是太子出家，但是他以身作則，吃飯時間到了，著衣，穿好他的法衣，就是那件袈裟。其實佛的衣服就是那一件袈裟，我們現在出家人所穿的這個衣服，是明朝老百姓的便服，所不同的是出家人的顏色樸素而已。分別身分就在頭髮，出家人是光頭，在家人有頭髮，衣服都是一樣的。佛的衣服是一件袈裟，又稱爲福田衣，袈裟的橫條、直條，依照受戒的情形都有規定。條紋像一塊田一樣，是爲衆生培福的標記，所以叫做福田衣。

由本文可以看到平常佛也穿便衣，尤其印度人，天熱的時候，膀子統統露出來。我們讀禮記也可以看到：「仲尼閒居」這一句，仲尼就是孔子，孔子平常不講學的時候，閒居的情形，禮記中有描述。我們現在看到釋迦牟尼佛的閒居，是比較自由一點，可是到了吃飯的時候，著衣，仍要穿好他的袈裟，「持鉢」，拿著飯碗。這個鉢傳到中國來有瓦鉢，也有銅鉢，反正是一個吃飯用的器具，不過是湯啊、飯啊，放在一起的一個鉢。現在看來兩千多年前，佛已經發明了自助餐的方式，每人端著自己的鉢吃自助餐。

衣服穿好了，端了吃飯的鉢，「入舍衛大城」，到這個首都。「乞食」，討飯，土話叫做化緣。佛的戒律規定，佛弟子們不但不做飯，連種田也是犯戒的，一鋤頭下去，泥土裡不曉得死多少生命，所以不准種田。夏天則結夏，弟子們集中在一起修行、打坐，不准出來。因為印度是熱帶，夏天蟲蟻特別多，隨便走路踩死了很多生命，故不准許。在夏天以前先把糧食集中好了應用，到秋涼以後才開始化緣。這是當時的制度，時代不同，慢慢就有所改變了。

乞士生活威儀

化緣，規定弟子們不要起分別心，窮人富人一樣，挨次去化，不可以專向窮人化緣，或專向富人化。譬如迦葉尊者，是印度的首富出身，但是他特別同情下層的貧苦社會，所以他都到貧民區去化緣，同時收些弟子也都是窮苦的人。另外一個弟子須菩提尊者則相反，喜歡到富貴人家乞食化緣，佛曾把他們兩人叫來說：你們這個心不平，不管有錢沒錢，有地位沒地位，化緣的時候，平等而去，此心無分別，而且人家給你多少就是多少，這一家不夠，再走一家。我們現在看到出家人站在門口拿個引磬叮叮，那個就是釋迦牟尼佛留下來的風範。

說到乞食的制度，泰國還保存著。泰國信佛教的家庭，中午飯做好了，出家人沒有來化緣以前，鍋蓋也不敢開；出家人來了，鍋蓋趕快打開，用勺子在飯鍋中心挖起裝上一碗，再把很好的菜給他裝滿。化緣的走了，自己才吃飯，這是佛教所遺留的制度。

入舍衛大城乞食。於其城中。次第乞已。還至本處。飯食訖。收衣鉢。洗足已。敷座而坐。

這一段是講化緣吃午飯的事。我們研究佛經，會發現所謂夜裡到白天，晝夜二六時中，佛都在禪定中，在如來大定中；只有中午吃了飯，打坐休息一下。大概從下午一兩點到五六點鐘說法，等到天快要黑了，大家閉起眼睛又入定去了。

在舍衛國首都的大城，他挨門挨戶的化緣。化好了以後，「還至本處」，沒有說在路上就吃起來了，不像我們買一根香蕉，一邊走就咬了一口，很沒有威儀的。佛把飯碗端回自己的講堂，「還至本處」，在規定的地方吃飯，「飯食訖」，飯吃完了。「收衣缽」，再把衣服及碗都收起來。然後有一個動作，「洗足已」，還打水洗腳。

所以我說這一本經是最平實的經典，佛像普通印度人一樣，光腳走路，踩了泥巴還要洗腳，非常平凡，也非常平淡，老老實實的就是一個人。

「敷座而坐」。洗完了腳把自己打坐的位置鋪一鋪，抖一抖，弄得整整齊齊，也沒有叫學生服侍他，更沒有叫個傭人來打掃打掃，都是自己做。生活是那麼嚴謹，那麼平淡，而且那麼有次序。由這一段看來，金剛經會使人覺得學佛要設法做到佛的樣子才好，不像其它經典那樣，把佛塑造得高不可攀，只能想像、膜拜。

但是看了金剛經，佛原來同我們一樣的平常，雖是太子出家，但是他過的生活同平民一樣。當時印度的階級森嚴，他卻指定一個最低貧民出身的弟子優波離尊者，執法管紀律，任何人犯了法都一樣處理。所以在現實的生活裡，在最平凡中，建立了一個非凡神聖的境界，也就是佛的境界。

第二品 善現啓請分

時長老須菩提。在大衆中。即從座起。偏袒右肩。右膝著地。合掌恭敬。而白佛言。希有世尊。如來善護念諸菩薩。善付囑諸菩薩。世尊。善男子。善女人。發阿耨多羅三藐三菩提心。云何應住。云何降伏其心。佛言。善哉善哉。須菩提。如汝所說。如來善護念諸菩薩。善付囑諸菩薩。汝今諦聽。當為汝說。善男子。善女人。發阿耨多羅三藐三菩提心。應如是住。如是降伏其心。唯然。世尊。願樂欲聞。

善現就是「須菩提」，是中文的意譯，意思是他的人生境界，是道德的至善。須菩提表現出來的是長壽，另有舍利子這些人也比佛的年齡大。所以，有些經典把「須菩提」翻譯為「具壽」就是長壽的意思。等於我們中國人所稱鶴髮童顏，南極仙翁，老壽星。不過須菩提不僅是老壽星，他的道德修持，他的智慧，以及他生活的儀軌，都足以領導當時佛的弟子們。他年高德劭，威儀氣度在佛的十大弟子之中，是非常有名的。

佛教一般知道須菩提談空第一，這一本經就是空和有的研究。後世佛教，稱須菩提為尊者，連中國民間對他也非常熟悉。怎麼熟悉呢？大家都看過西遊記，孫悟空大鬧天宮及七十二變的本事，都是從須菩提那裡學的，這是小說上寫的。孫悟空找到尊者，小說上把六祖見五祖那個故事，影射孫悟空訪道訪到了須菩提。西遊記中這一段，描寫得非常有趣，因此，須菩提尊者的名字，就在中國的民間十分流傳了。

善現須菩提

時長老須菩提。在大眾中。即從座起。偏袒右肩。右膝著地。合掌恭敬。而白佛言。希有世尊。如來善護念諸菩薩。善付囑諸菩薩。

這一段文字，好像給我們寫了一段劇本，描寫當時的現場。「時」就是當時，就是佛把飯也吃好了，腳洗好了，打坐位置也鋪好了，兩腿也盤好了，準備休息。可是我們這一位須菩提老學長，不放過他，意思是你老人家慢一點休息吧！我還有問題，代表大家提出來問。「時長老須菩提」，所謂長老，照佛學來解釋「長老」的內涵，還有許多意思。總而言之，就是中文的年高德劭。前面我們提到過二百六十個字的心經，在心經裡，向佛提問題的主角是舍利子，也是佛的十大弟子之一。金剛經的主角則是須菩提，另如楞嚴經的主角是阿難，每人的問題不同，所以佛的答覆方式也不同。本經是從須菩提問問題開始的，因爲他談空第一，在大衆中，在所有同學裡，他要起立發言。我們現在發言要舉個手，佛時代的規矩，是從座位上站起來。當時，大家都在坐著，須菩提站起來，「偏袒右肩」，這也是印度規矩，披著袈裟，一邊膀子露出來。

關於偏袒右肩有很多說法，一種說法是右手空著好做事，在跟佛走路時，可以用這個手膀，把年紀大的扶持過去。另有說法，認爲右手是吉祥的手，左手不是吉祥的手，所以用袈裟蓋著。還有一種說法，認爲殺人等壞事，都是這右手去做，所以，在佛前上香時，要左手去插，不許右手近佛。但是也有一說，插香要用右手，因爲右手是吉祥之手，總之，這些都是後人的解釋。上古的許多禮節，有時代及地區的意義，後世把那些習慣又加上各種解釋，有花招之嫌，我們姑且不管。

現在，須菩提「偏袒右肩」，披好袈裟，「右膝著地」，就跪下了。單跪右腿，

「合掌恭敬」，合掌是印度當時的禮貌，中國也有合掌，也有作揖。印度是伸開十指合掌，有空心的合法，有實心的合法。順便給青年同學們講一聲，有許多人寫信給我，有的稱我「南法師」，我不是法師啊！我沒有出家。許多人寫信用佛家的規矩「合十」，合十就是兩個手合攏來，合十問訊，也是一種禮貌。還有些同學來信問「和南」是什麼意思？和南是譯音，意思就是跪拜頂禮，五體投地跪拜，叫做和南。結果有一位同學就對我說：老師，你也姓南，南無阿彌陀佛也姓南，拜拜也和南，好像你投胎的時候，是選一個南字來的。我說那我不知道，我當時也許選錯了呢！這是有關與年輕同學們的趣味對話，由合掌順便提到。

現在須菩提合掌，就是向老師先行個禮，「而白佛言」。白就是說話，古文叫道白，是南北朝時候的說法，後來唱戲的也有道白，唱的時候是唱，不唱的時候說幾句話，就是道白。「希有世尊」，佛經上記載印度的禮貌，向長輩請示以前，要先來一套讚嘆之辭。等於我們中國人看到老前輩就說：「唉呀，你老人家真好啊，上一次蒙你老人家照顧，你老人家給我啓發太多了！」我也經常碰到年輕人對我這樣說。金剛經已經把讚嘆的話濃縮成四個字了，其它的經典中，弟子們起來問佛，都是先說一大堆恭維話。佛是很有定力的，等你恭維完了，然後才張開眼睛說：你說吧！這裡的濃縮就是鳩摩羅什翻譯的手筆，只用四字：希有世尊，世間少有，少見不可得的世尊。前面提到玄奘法師也翻譯過金剛經，還有其他人的翻譯，我個人的觀點和研究，鳩摩羅什翻譯的這一本，扼要簡單，妙不可言。

古代翻譯的規定是信、達、雅，我們看到很多佛經的翻譯，信則有之，很忠實原典；達，表達的清楚也有，但文字卻不大雅。像鳩摩羅什的翻譯，信、達、雅，皆兼而有之，非常難得。所以，我個人是非常喜歡這個譯本。

須菩提接著說：「如來善護念諸菩薩。善付囑諸菩薩。」現在我們先來解釋兩個佛學名辭，一個是如來，一個是菩薩。

如來　菩薩

我們曉得「如來」也是「佛」的代號，實際上佛有十種不同名稱，如來是一種，佛是一種，世尊也是一種。不過，中國人搞慣了，經常聽到如來佛的稱法，把它連起來也蠻好。現在我們先說「如來」，這是對成道、成佛者的通稱。釋迦牟尼就稱釋迦如來，或者稱釋迦如來佛，阿彌陀佛又稱阿彌陀如來。

阿彌陀、釋迦牟尼，那是個人的名字，就是特稱。如來及佛是通稱，等於我們中國稱聖人，孔子也是聖人，周公也是聖人，文王、堯舜都是聖人。聖人就是通稱，而孔子、周公就是特稱。「如來」二字翻譯得很高明，所以，我經常對其他宗教的朋友說：

你們想個辦法把經典再翻一翻好不好？你們要弘揚一個宗教文化，那是離不開文學的啊！文學的境界不好是吃不開的。

佛經翻譯的文學境界太高明了，它贏得了一切。譬如「如來」這個翻法，眞是非常高明。我們注意啊！來的相對就是去，他沒有翻「如去」，如果翻成如去，大家也不想學了，一學就跑掉了。翻譯成「如來」，永遠是來的；來，終歸是好的。佛已成了道，所以就叫如來。金剛經上有句話，是佛自己下的註解：「無所從來，亦無所去，故名如來。」無來也無去，換句話說，不生也不滅，不動也不靜，當然無喜亦無憂，不高也不矮，都是平等，永遠存在，這個道理就是如來。用現在的觀念說，他永遠在你這裡，永遠在你的前面，只要有人一念虔信佛，佛就在這裡。所以後世我們中國有一首詩，描寫得非常好：

佛在心中莫浪求　靈山只在汝心頭
人人有個靈山塔　只向靈山塔下修

浪字是古文的說法，就是亂，浪求就是亂求。不必到靈鷲山求佛，不要跑那麼遠了，因爲靈山只在你的心頭。每一個人自己的本身，就有一個靈山塔，只向靈山塔下修就行了。也有人另外一種說法：「不向靈山塔下求」。總之，這只是說明佛、道都在每一個人自己的心中，個個心中有佛，照後世禪宗所講：心即是佛，佛即是心，不是心外求法。以佛法來講，心外求法都屬於外道。

另外一個佛學的名辭是「菩薩」，這也是梵文的翻譯，它的全稱是菩提薩埵。菩提的意思就是覺悟，薩埵是有情。如果當時翻譯成覺悟有情，那就一點味道都沒有了。採用梵文的音，簡譯成菩薩，現在我們都知道菩薩啦！如果當時翻譯成覺悟有情，年輕人會以爲是戀愛經典了，那不是佛法，所以不能照意思翻譯。

所謂的覺悟，覺悟什麼呢？就是佛的境界，也就是所謂自利利他，自覺覺他的這個覺悟。借用孟子的話：「以先知覺後知」，就是先知先覺的人，教導後知後覺的人。一個人如果覺悟了，悟道了，對一切功名富貴看不上，而萬事不管，腳底下抹油溜了，這種人叫做羅漢。但是菩薩境界則不然，覺悟了，解脫了世間一切的痛苦，自己昇華了，但是，看到世上林林總總的衆生，還在苦難中，就要再回到世間，廣度一切衆生。這種犧牲自我，利益一切衆生的行爲，就是所謂有情，是大乘菩薩道。

有情的另外一個意義是說，一切衆生，本身是有靈知，有情感的生命，所以叫做有情。古人有兩句名言：「不俗即仙骨，多情乃佛心」。

一個人不俗氣很難，能夠脫離了俗氣，就是不俗，不俗就是神仙。菩薩則犧牲自我，利益一切衆生，所以說，世界上最多情的人是佛，是菩薩，也就是覺悟有情。「菩薩」是佛弟子中，走大乘路線的一個總稱。

佛的出家弟子們，離開人世間妻兒、父母、家庭，這種出家衆叫做大比丘衆。在佛教經典中的出家衆，歸類到小乘的範圍，他們離開人世間的一切，專心於自己的修行，也就是放棄一切而成就自己的道，叫做小乘羅漢的境界。這在中文叫做自了漢，只管自己了了，其他一切不管。禪宗則稱之謂擔板漢，挑一個板子走路，只看到這一面，看不見另一面。也就是說，把空的一面，清淨的一面，抓得牢牢的，至於煩惱痛苦的一面，他拿塊板子把它隔著，反正他不看。

佛教裡表現實相叫示現，爲表達那個形相，大菩薩們的示現都是在家的裝扮。譬如大慈大悲觀世音、大智文殊菩薩、大行普賢菩薩、以及一些菩薩等，都是在家人的裝束示現，除了大願地藏王菩薩。出家人是絕對不准穿華麗衣服的，絕對不准化妝的，可是你看菩薩們，個個都是化妝的啊！又戴耳環，又掛項鍊，又戴戒指，叮叮噹噹，一身都掛滿了，又擦口紅，又抹粉的，這是菩薩的塑像。這個道理是什麼呢？就是說他是入世的，外形雖是入世的，心卻是出世的，所以菩薩境界謂之大乘。羅漢境界住空，不敢入世，一切不敢碰，眼不見心不煩，只管自己。

但是菩薩道是非常難的，一般說來約有幾個路線，楞嚴經上說：「自未得度，先度人者，菩薩發心。自覺已圓，能覺他者，如來應世。」

前兩句說，有些人自己並沒有成道，但是有宗教的熱忱，願意先來救別人，幫助別人，教化別人做善事。任何的宗教都有這樣的人，自己雖沒有得度，沒有悟道，卻先去救助別人，這是菩薩心腸，也就是菩薩發心。

所謂「自覺已圓」，自己的覺悟，修行已經完全圓滿了。「能覺他者」，再來教化人，「如來應世」，這是現在的佛，現生的佛。

菩薩是如來的前因，成了佛如來是菩薩的果位，成就的果位。現在我們把如來及菩薩，大概簡單的解釋了，我們再回轉來看本經的原文。我們不要忘記了，現在須菩提還跪在那裡，替我們來提問題，我們多講了一下，他就又多跪了一下了。（衆笑）

六祖和金剛經

須菩提當時跪在那裡，替我們大家跪著，替當時的大衆同學們跪著，尤其為大乘入世的菩薩們，包括那些出家但發心入世的出家菩薩們跪著。

說到這裡，我們知道，在家有菩薩，出家一樣有菩薩，雖然形相是出家，但是他的發心、願行、心性、及所做的事，都是菩薩道，這就叫做出家菩薩。

現在，須菩提替大家請求：佛啊！你老人家慢一點閉眼睛，慢一點打坐，你看，那麼多跟你學的大乘菩薩們，你應該好好的照應他們，指點他們怎麼用功啊！怎麼修行啊！

實際上，後來禪宗的五祖就曾說過，要成佛悟道，專心唸金剛經就可以了。甚至不識字，不會唸的，只要唸一句摩訶般若波羅密多就行了。這是經題的要點，是大智慧成就到彼岸的意思。結果，六祖就是因金剛經而悟的；所以後世的中國禪宗，也叫做般若宗。外國也有稱做達摩宗的，這都是因為五祖、六祖由金剛經直接傳承，鼓勵大家唸金剛經這件事而來的。

善護念

「善護念」這三個字，鳩摩羅什不曉得用了多少智慧翻譯的。後來禪宗興盛以後，有一位在家居士，學問很好，要註解思益經，去見南陽忠國師。南陽忠國師說：好呀！你學問好，可以註經啊！說著就叫徒弟端碗清水，放七顆米在裡頭，再放一雙筷子在碗上，然後問：你曉得我現在要幹什麼嗎？居士說：師父，我不懂。南陽忠國師說：好了，我的意思你都不懂，佛的意思你懂嗎？你隨便去翻譯，隨便去註解嗎？

很多人以為自己佛學搞好了，就開始寫作了，可是研究鳩摩羅什的傳記，就知道他是一個到達悟道、成道的大菩薩境界的人，他當時翻譯的「善護念」這三個字，眞了不起。

不管儒家、佛家、道家，以及其它一切的宗教，人類一切的修養方法，都是這三個字—善護念。好好照應你的心念，起心動念，都要好好照應你自己的思想。如果你的心念壞了，只想修成功有了神通，手一伸，銀行支票就來了，或是有些年輕人，想得神通，就看見佛菩薩了，將來到月球不要訂位子，因爲一跳就上去了。用這種功利主義的觀念來學佛打坐是錯誤的。你看佛！多麼平淡，穿衣服，洗腳，打坐，很平常，決不是幻想，決不亂來，也不帶一點宗教的氣息，然後教我們修養的重點就是「善護念」。善，好好的照顧自己的思想、心念、意念。譬如我們現在學佛的人，有唸佛的，能唸南無阿彌陀佛到達一心不亂，也不過是善護念的一個法門。我們打坐，照顧自己不要胡思亂想，也是善護念。一切宗教的修養方法，都是這三個字，金剛經重點在那裡？就是善護念。大家要特別注意！

因講到善護念，我們曉得佛經、佛學裡三十七道品菩提道次第，修大徹大悟的方法中，有個四念處，就是念身、念受、念心、念法。念心是四念處裡非常重要的，隨時念這個心，知道了這個念頭，就是善護念。我們的這個身心很重要，念身，此身無常。念心，我們思想是生滅的，靠不住的，一個念頭起來也立刻就過去了，去追這個念頭，當它是實在的心是錯誤的，因爲這個思想每一秒鐘都在變去。

什麼叫念？一呼一吸之間叫做一念。照佛學的解釋，人的一念就有八萬四千煩惱。

煩惱不一定是痛苦，但是心裡很煩。譬如，有人坐在這裡，儘管金剛經拿在手上，也在護念，他護一個什麼念呢？一個煩惱之念，不高興。自己也講不出來爲什麼不高興，連自己都不知道，醫生也看不出來，這就是人生的境界，經常都在煩惱之中。

尋愁覓恨

煩惱些什麼呢？就是「無故尋愁覓恨」，這是紅樓夢中的詞，描寫一個人的心情。其實每個人都是如此啊！「無故」，沒有原因的，「尋愁覓恨」，心裡講不出來，煩得很。有時似傻如狂，這本來是描寫賈寶玉的昏頭昏腦境界，飯吃飽了，看看花，郊遊一番，坐在那裡，沒有事啊！煩，爲什麼煩呢？「無故」，沒有理由的，又傻裡瓜嘰的……這就是描寫人生，描寫得也非常恰當。所以紅樓夢的文學價値被推崇得那麼高，是很有道理的。

西廂記也有對人心理情緒描寫的詞句：「花落水流紅，閒愁萬種，無語怨東風。」沒得可怨的了，把東風都要怨一下。嗳！東風很討厭，把花都吹下來了，你這風太可恨了。然後寫一篇文章罵風，自己不曉得自己在發瘋。這就是人的境界，花落水流紅，閒愁萬種是什麼愁呢？閒來無事在愁。閒愁究竟有多少？有一萬種，講不出來的閒愁有萬種。結果呢，一天到晚怨天尤人，沒得可怨的時候，無語怨東風，連東風都要怨，人情世故的描寫妙到極點。

這是我們講到人的心念，一念之間，包含了八萬四千的煩惱，這也就是我們的人生。解脫了這樣的煩惱，空掉一念就成佛了，就是那麼簡單。但是在行爲上要護念，要隨時照顧這個念頭。我們研究完了金剛經，看到佛說法高明，須菩提問話高明，不像我們有些同學：老師，我打擾你兩分鐘。我說：一定要好幾分鐘，你何必客氣呢？多幾分鐘就多幾分鐘。不老實，說要問問題就好了嘛！然後，他講了老半天，他講的話，我都聽了，主題在那裡，我不知道，說了半天不曉得問什麼，結果弄得我無語怨東風。

金剛眼和發心

在須菩提問問題時，事實上答案就出來了，這是本經的精神不同於其他經典的地方。佛抓到這個主題，答案的兩句話也是畫龍點睛。所以禪宗祖師，特別推崇這一本經，因爲這一本經的經文精神特別。諸位要成佛，這兩句話已經講完了，問題與答案都在這兩句話中了。「善護念」，「善咐囑」，這兩句話等於許多同學問：老師啊，怎麼做功夫呀？我現在還在練氣功啊，聽呼吸，念佛，你好好教我啊！還有許多人去求法，花了很多時間和金錢求個法來。法可以求來嗎？有法可求嗎？這是個妄想！就是煩惱。法在那裡？法在你心中，就是「善護念」三個字。「善護念」是一切修行的起步，也是一切佛的成功和圓滿。這個主要的問題，就是金剛經的一隻金剛眼，也就是金剛經的正眼，正法眼藏。

世尊。善男子。善女人。發阿耨多羅三藐三菩提心。云何應住。云何降伏其心。

這本經翻譯的很不同，來個「善男子、善女人」，分開得清清楚楚。我們年輕的時候很調皮，一邊唸一邊看看自己，把「善男子」改成「散男子」，是一邊學佛，又到處玩耍的人，所以我們自稱「散男子」，是心在散亂中的天下散人。

這裡講「發心」，發就是動機，發什麼心？發「阿耨多羅三藐三菩提心」。「阿耨多羅」這四個字是梵文，中文勉強譯為「無上」，至高無上。「三」這個音就是正，「藐」是等，平等。菩提是覺悟，連起來就是說要發：無上正等正覺的心。

但是文中的「無上正等正覺之心」，不能包涵全部的意義；如果就其意義翻譯成禪宗的大徹大悟，還是不能包括完全。「阿耨多羅三藐三菩提心」，包括心地法門，明心見性，由世俗超越而達到成佛的境界；在行為上是大慈大悲菩薩心，是菩提心，入世救一切衆生；在理上是大徹大悟，超越形而上的本性之心。所以「三藐三菩提心」意義很多，只能保持這個原文的音，讓後世的人自己去解釋了。

換句話說，「發阿耨多羅三藐三菩提心」，就是一個普通人發心學佛。佛法與其它的宗教不同，認為一切眾生都可以成佛，不像其他宗教，認為有第一因。其他宗教認為，只有「他」可以，我們只有等到「他」來幫忙，然後還都是聽「他」的，除「他」之外，都是不對的。

佛法既認為一切眾生個個是佛，平等平等，但是，為什麼眾生不能成佛呢？因為他找不到自心，迷失了。如果自己覺悟了，不再迷失，個個自性成佛。

無權威　無主宰

佛並不是權威性，也不是主宰性。佛這個主宰和權威，都是在人人自我心中。所以說一個人學佛不是迷信，而是正信。正信是要自發自醒，自己覺悟，自己成佛，這才是學佛的眞精神。如果說去拜拜祈禱一下，那是迷信的作法；想靠佛菩薩保佑自己，老實說，佛不大管你這個閒事，佛會告訴你保護自己的方法。這一點與中國文化的精神是一樣的，自求多福，自助而後天助，自助而後人助。換句話說，你自助而後佛助，如果今天做了壞事，趕快到佛菩薩前面禱告，說聲對不起，佛就赦免了你，那是不可能的。

我們在西藏的時候，雖然是佛國，也有做土匪的，搶了人以後，趕快到菩薩前跪下懺悔，下次再也不敢了。下次錢用完又去搶了，搶完又來懺悔，反覆來去，自心不能淨，佛也不會感應的。所以一切要自求多福，佛法就是這個道理。

因此，要成佛，要找出自己心中的自性之佛，這才叫「發阿耨多羅三藐三菩提心」。我經常告誡年輕同學們：你們以爲兩腿一盤就叫學佛，不盤就不是學佛，那叫做修腿，不是學佛。打坐不過是修定，是練習身心向學佛路上的準備工作而已，這個觀念一定要搞清楚。

那麼，眞正的學佛困難在什麼地方呢？就是「善護念」。這三個字也就是金剛眼。須菩提說：佛啊，善男子，善女人（不是指壞蛋們，因爲壞蛋們不學佛！）這一切好人們，要想明心見性，認識自己生命的本來，求無上大道發的這個心，有個大困難，就是思想停不了，打起坐來妄想不止。有人打起坐來，不是想到丈夫，就是太太、情人、爸爸媽媽、兒女、鈔票……不打坐還好，一坐下來，眼睛一閉，萬念齊飛。這就是此心煩惱不能斷，也是修行第一步碰到的問題。

此心如何住

須菩提講得很坦然，替大家發問，「云何應住？」這個心念應該如何停住在清淨、至善那個境界上？「云何降伏其心？」心裡亂七八糟，煩惱妄想怎麼能降伏下去？古今中外，凡是講修養、學聖人、學佛，碰到的都是這個問題。「云何應住」這個心住不下去。如果唸佛嘛！永遠唸阿彌陀佛做不到，不能住在這個念上，一邊唸阿彌陀佛，一邊心裡想明天要作什麼，哎呀，阿彌陀佛，老王還欠我十塊錢沒有收回來，阿彌陀佛，阿彌陀佛，這怎麼辦……心住不下去！你禱告上帝，上帝也不理你啊，你還是一樣的，壞念頭還是起啊！菩薩也幫不了忙。此心如何住，如何降伏其心，這許多的煩惱妄想，如何降伏下去？這是個大問題。

金剛經一開頭，像我們這個照相機一樣，什麼灰塵都照出來，乾脆俐落，一點都不神祕。不管學那一宗那一派，第一個碰到的就是這個「云何應住」的問題，就是用什麼辦法使此心能夠住下來。「云何降伏其心」，有什麼辦法，使這個心的煩惱妄想降伏得下去！這問題問得很嚴重。

我們年輕的時候，經常有個感慨，讀金剛經，讀到這兩句，千古高人，同聲一嘆！這個問題太難了。一個英雄可以征服天下，沒有辦法征服自己這個心念；一個英雄可以統治全世界，沒有辦法「降伏其心」。自己心念降伏不了，此乃聖人之難成，道之難得也！你說學法，學各種法，天法學來都沒有用！法歸法，煩惱歸煩惱。念咒子嗎？煩惱比你咒子還厲害，你咒它，它咒你，這個煩惱眞是不可收拾，就有那麼厲害。所以「云何應住，云何降伏其心」，這個問題問得非常之好。

佛言。善哉善哉。須菩提。如汝所說。如來善護念諸菩薩。善付囑諸菩薩。汝今諦聽。當為汝說。

佛聽了須菩提的問題，他眼睛又張開了，這個問題問得好，一拳就打到中心來了。善哉！善哉！就是問得好極了。佛說：「須菩提，如汝所說，如來善護念諸菩薩，善付囑諸菩薩，汝今諦聽，當爲汝說。」看佛經應該像看劇本一樣的看，才能進入經典的實況，才會有心得。我說把佛經當劇本看，不是不恭敬，你不進入這個情況，經典是經典，你是你，沒有用。

現在，假設我們當時跟須菩提跪在一起，佛說：好，好，須菩提，照你剛才問的問題，如來善護念諸菩薩，善付囑諸菩薩，是不是？須菩提說：是。釋迦牟尼佛說：「汝今諦聽」，你現在注意啊！好好聽。「諦」是仔細、小心，也有一點意思是你要小心注意，我要答覆你了。「當爲汝說」，你問的問題太好了，我應當給你講。這時須菩提還跪在那裡。

善男子。善女人。發阿耨多羅三藐三菩提心。應如是住。如是降伏其心。唯然。世尊。願樂欲聞。

佛說：善男子，善女人，如果有一個人，發求無上大道的心，應該這樣把心住下來，應該這樣把心降伏下去。

說完這一句話，他老人家又閉起眼睛來了。須菩提大概等了半天，抬頭一看，「唯然。世尊」，經文中說「唯」就是答應，「然」就是好。我準備好好的聽，世尊啊，「願樂欲聞」，我高興極了，正等著聽呢！他跪在那裡瞎等，佛卻沒有說下文了。大家看這個劇本寫的好不好？經典是好劇本，我們在座也有寫劇本的高手，而寫這個劇本才是眞高手呢！文字都很明白，是不是這樣講？沒有錯吧？

現在我們再回過來看佛說的這句話，善哉！善哉！你問得好啊，須菩提，照你剛才說的，佛要善護念諸菩薩，善付囑諸菩薩，是不是？須菩提說：是啊！我是問的這個。他說你仔細聽著，我講給你聽，當你有求道的心，一念在求道的時候，就是這樣住了，就是這樣，這個妄念已經下去了，就好了，就是這樣嘛！

假設我來講的話，我當然不是佛啦！不過我來講的話，不是那麼講。如果我當演員，演這個釋迦牟尼佛，這個時候不是慈悲的，不是眼睛閉下來，眉毛掛下來，慢慢說：「善哉！善哉！阿彌陀佛！」不是這樣。我會說：「你聽著啊！你注意，你問的這個問題，當你要求道的這一念發起來的時候」，說時一邊就瞪住他。

半天，須菩提也不懂，傻裡瓜嘰的：佛啊，我在這裡聽啊！換句話說，你沒有答覆我呀！

實際上，這個時候，心就是住了，就降伏了。

止住的持名唸佛

「住」就是住在這裡，等於住在房子裡，停在那裡。但是怎麼樣能把煩惱妄想停住呢？佛說：就是這樣住。

我們都知道，學佛最困難的，就是把心中的思慮、情緒、妄想停住。世界上各種宗教，所有修行的方法，都是求得心念寧靜，所謂止住。佛法修持的方法雖多，總括起來只有一個法門，就是止與觀，使一個人思想專一，止住在一點上。

譬如淨土宗的念佛，只唸一句南無阿彌陀佛，就是專一在這一點上。南無是皈依，阿彌陀是他的名字，皈依阿彌陀這一位佛。說到念佛，有個笑話告訴年輕同學們知道，有一個老太太，一天到晚唸南無阿彌陀佛，唸得很誠懇，他的兒子很煩，覺得這個媽媽一天到晚阿彌陀佛。有一天，老太太正在唸阿彌陀佛，這個兒子喊：媽！老太太問幹什麼？兒子不響了。她阿彌陀佛，阿彌陀佛又唸起來，唸得很起勁。兒子又喊：媽！媽！那老太太說：幹什麼？兒子又不響。老太太有一點不高興了，不過還是繼續唸阿彌陀佛，阿彌陀佛……兒子又喊：媽！媽！媽！這個老太太氣了說：討厭，我在唸佛，你吵什麼。兒子說：媽媽，你看，我還是你兒子呢！不過叫了三次，你就煩了，你不停的叫阿彌陀佛，阿彌陀佛不是煩死了嗎？這個話表面上聽起來是笑話，但是它所包涵的意義，實在是很深刻的，不要輕易把它看成一個笑話。

唸阿彌陀佛是持名，等於叫媽，持他的名字。持名念佛有它的意義，不過現在我們不是討論這個問題，而是說這一種修持的方法，是要唸到一心不亂，達到止、住的境界。我們大家普通唸阿彌陀佛，一邊唸，一邊也照樣的胡思亂想，就像一支蠟燭點在那裡，雖然有蠟燭的光亮，旁邊的煙卻也在冒。又像石頭壓草，旁邊的雜草還是長出來。這種情形不能算一心不亂，因爲沒有住，沒有止。眞要唸到一心不亂，忘記了自己，忘記了身體，忘記了一切的境況，勉強算是有一點點一心不亂的樣子。作到了專一，一心不亂的時候是止，念頭停止了，由止就可以得定。

百千三昧的定境

我們都聽說過老僧入定，眞正入定到某一種境界，時間沒有了，他會坐在那裡七八天、一個月，自己只覺得是彈指之間而已。不過大家要認識，這不過是所有定境中的一種定而已，並不是說每一個定境都是如此，這一點要特別注意。

佛法講修持，百千三昧的定境不同，有一種定境是，雖日理萬機，分秒都沒有休息，但是他的心境永遠在定，同外界一點都不相干。心，要想它能定住，是非常困難的。像年紀大一點的人睡不著，因爲心不能定。年紀越大思想越複雜，因此影響了腦神經，不能休息下來。

等於說，我們腦子是個機器，心臟也是個機器，但是它的開關並不是機器本身，而是後面另一個東西；那就是你的思想，你的情感，你心裡的作用。所以一切學佛，一切入道之門，都是追求如何使心能定。有些人打坐幾十年，雖然坐在那裡，但是內心還是很亂，不過偶爾感覺到一點清淨，一點舒服而已。一點清淨舒服還只是生理的反應與心境上的一點寧定，而眞正的定，幾乎沒有辦法做到。

佛學經常拿海水來說明人的心境，我們的思想、情感，歸納起來，只是感覺與知覺，它們像流水一樣，永遠在流，不斷的流，所謂黃河之水天上來，奔流到海不復回，就是那麼一個現象。所謂眞正的定，佛經有一句話：如香象渡河，截流而過。一個有大智慧、大氣魄的人，自己的思想、妄念，立刻可以切斷，就像香象渡河一般，連彎都懶得轉，便在湍急河水之中，截流而過了。假使我們做功夫有這個氣魄，能把自己的思想、感覺如香象渡河，截流而過，把它切斷得了，那正是淨土的初步現象，是眞正的寧靜，達到了止的境界。由止再漸漸的進修，生理、心理起各種的變化，才可以達到定的境界。這樣，初步的修養就有基礎了。現在金剛經裡還沒有講「定」，先講「住」。

「住」這個字，與「止」，與「定」是不一樣的，而且很不一樣。

先說這個「止」。止可以說是心理的修持，把思想、知覺、感覺停止，用力把它止在一處。等於我們拿一顆釘子，把它釘在一個地方，就是止的境界。

所謂「定」，等於小孩子玩的轉陀螺，最後不轉了，它站在那裡不動了，這只是個定的比方。

這個「住」呢！跟「止」、「定」又不一樣。住是很安詳的擺在那裡。這些不是依照佛學的道理來說，只是依照中文止、定、住的文字意義來配合佛學的道理加以說明。

不管學佛不學佛，一個人想做到隨時安然而住是非常困難的。中文有一句俗語：「隨遇而安」，安與住一樣，但人不能做到隨遇而安，因爲人不滿足自己、不滿足現實，永遠不滿足，永遠在追求一個莫名其妙的東西。理由可以講很多，追求事業，甚至於有些同學說人生是爲了追求人生，學哲學的人說爲了追求眞理。你說眞理賣多少錢一斤？他說講不出來價錢。眞理也是個空洞的名辭，你說人生有什麼價值？這個都是人爲的藉口，所以說在人生過程上，「隨遇而安」就很難了。

例如，好幾位學佛的老朋友們，在家專心修行不方便，與修行團體住一起又說住不慣。其實，他是不能「隨遇而安」而已！他不能「應如是住」，連換一個床鋪都不行了，何況其他。實際上，床鋪同環境眞有那麼嚴重嗎？沒有，因爲此心不能安。所以環境與事物突然改變，我們就不習慣了，因爲這個心不能坦然安住下來，這是普通的道理。

須菩提提出的這個問題，是開始學佛遭遇到最困難的問題，也就是心不能安。現在佛告訴他，就是你問的時候，已經住了，就是你問的時候，已經沒有妄想煩惱了。這個意思也有一個比方，當我們走在街上看到稀奇事物的時候，就在這個時候，我們的心是住的喔！像普通講的楞住了。這一段的住，雖不是眞正佛法的住，但當這個心理現象，受到突然刺激的時候，好像凝定住了，這是假的心住，不是心安的住，可是從這個現象可以瞭解，心的住確實有「定」的道理。

三步曲

大家都聽過佛教一句俗話：學佛一年，佛在眼前，學佛兩年，佛在大殿，學佛三年，佛在西天，越來越遠了。那天有一個同學說，他也該回去對父母盡點孝心了，他說這話時是眞有孝心，就像佛在眼前。回去以後，爸爸說：你怎麼又回來那麼晚！他看到爸爸那個臉色，實在不是味道，這一下與想回家孝順那一念相比較，又變成佛在大殿了。爸爸再嘀嘀咕咕訓他一頓，結果本來是想回來盡孝心，現在卻到房間躺在床上睡了，那就是孝在西天了。佛法的道理與普通的心理也是一樣的。

如何把煩惱降伏下去，佛答覆的那麼輕鬆：「如是住，如是降伏其心」，就是這樣住，就是這樣降伏你的心。換言之，你問問題的時候，你的心已經沒有煩惱了，就在這個時候，就是禪宗所謂當下即是，當念即是，不要另外去想一個方法。

譬如我們信佛的，或者信其他宗教的人，一念之間要懺悔，這麼一寧靜的時候，就是佛的境界，你的煩惱已經沒有了，再沒有第二個方法。如果你硬要想辦法把這個煩惱怎麼降伏下去，那些方法徒增你心裡的擾亂，並不能夠使你安住，這是又進一步的道理。

再進一步的道理，金剛經的內容是大乘佛法的大智慧成就，佛教同其他宗教基本不同之處，是智慧的成就，不是功夫的成就；這個智慧包括了一切的功德，一切至善的成就，所以般若是智慧的成就。

如何住和無所住

現在講大乘的智慧，「應如是住，如是降伏其心」，你那個時候，已經安住了；不過刹那之間你不能把握而已，因爲它太快了。如果你能夠把握這一刹那之間的安住，就可以到家了。這個是重點，整個金剛經全部講完，就是教我們如何住，也就是無所住，不須要住。前面我們提到過，一個學佛眞正有修持的人，可以入定好多天，好幾個月，你看他很有功夫，但是他的功夫是慢慢累積來的，就是把此心安住。可是，此心本來不住。怎麼說呢？譬如我現在講話，從八點鐘開始到現在，講了廿分鐘，每一句話都是我心裡講出來的，講過了如行雲流水都沒有了，「無所住」。如果我有所住，老是注意講幾分鐘，我就不能講話了，因爲心住於時計。諸位假使聽了一句話，心裡在批判，這一句話好，那一句亂七八糟，你心在想，下一句也聽不進去了，因爲你有所住。

所以大乘佛法，如何才能安住？無所住即是住。拿禪宗來講，住即不住，不住即住。無所住，即是住。所以人生修養到這個境界，就是所謂如來，心如明鏡，此心打掃得乾乾淨淨，沒有主觀，沒有成見，物來則應。事情一來，這個鏡子就反應出來，今天喜怒哀樂來，就有喜怒哀樂，過去不留，一切事情過去了就不留。宋朝大詩人蘇東坡，他是學禪的，他的詩文境界高，與佛法、禪的境界相合。他有個名句：「人似秋鴻來有信，事如春夢了無痕」。

這是千古的名句，因爲他學佛，懂了這個道理。人似秋鴻來有信，蘇東坡要到鄉下去喝酒，去年去了一個地方，答應了今年再來，果然來了。事如春夢了無痕，一切的事情過了，像春天的夢一樣，人到了春天愛睡覺，睡多了就夢多，夢醒了，夢留不住，無痕跡。人生本來如大夢，一切事情過去就過去了，如江水東流，一去不回頭的。老年人常回憶，想當年我如何如何……那眞是自尋煩惱，因爲一切事不能回頭的，像春夢一樣了無痕的。

人生眞正體會到事如春夢了無痕，不須要再研究金剛經了。應如是住，如是降伏其心，這個心無所謂降，不須要降。煩惱的自性本來是空的，所有的喜怒哀樂，憂悲苦惱，當我們在這個位置上坐下來的時候，一切都沒有了，永遠拉不回來了。

第三品 大乘正宗分

佛告須菩提。諸菩薩摩訶薩。應如是降伏其心。所有一切衆生之類。若卵生。若胎生。若濕生。若化生。若有色。若無色。若有想。若無想。若非有想。非無想。我皆令入無餘涅槃而滅度之。如是滅度無量無數無邊衆生。實無衆生得滅度者。何以故。須菩提。若菩薩有我相。人相。衆生相。壽者相。即非菩薩。

一切眾生

佛告須菩提。諸菩薩摩訶薩。應如是降伏其心。

佛告訴須菩提，當你問怎麼樣安心時，就安心了。佛過了許久，看須菩提還是不懂，沒有辦法，只好退而求其次，第二步再來講一講，因爲那個時機過去了，禪宗所謂機，這個禪機過去了，須菩提沒有懂。現在第二步來講了，佛說：我告訴你，一切菩薩摩訶薩。摩訶的中文意思是大，一切大菩薩們。

古代也有將菩薩翻成「大士」或者「開士」，表示是開悟的人。所以我們的白衣大士就是白衣菩薩。摩訶薩是唐宋以後唸的，眞正梵文發音是馬哈，訶字唸成哈字。在座很多客家的同學，客家話、廣東話、閩南話比較接近唐音，國語反而距離很遠了。

佛說菩薩摩訶薩是倒裝的文句，就是一切大菩薩們，應如是降伏其心，應該有一個方法，把自己的心降伏下去。什麼方法呢？他說：「所有一切眾生之類」現在先解釋什麼叫眾生？佛經裡眾生這個名辭，莊子先說過，一切有生命的東西謂之眾生，并不是單指人！人不過是眾生的一種，一切的動物、生物、乃至細菌、有生命的動物都是眾生。有靈性的生命，有感情，知覺生命的動物，就是眾生的正報。所以眾生不是光指人。佛要教化一切衆生，慈愛一切衆生，對好的要慈悲，對壞的更要慈悲。好人要度，要教化，壞人更要教化。天堂的人要度，地獄裡的更可憐，更要度。這是佛法的精神，所以說要度一切衆生。

「一切」兩個字是沒有範圍的，任何東西都在一切之內。不過講到衆生這名辭，使我想起幾十年以前的一樁事；那次在成都四川大學講中國哲學，提到佛法講衆生，有一個學生就提出來問，植物及礦物有沒有包括在衆生裡頭？我說：那是衆生的依報，不是正報，依報是附屬的，同我們有連帶關係。他說：譬如含羞草，你不能說它沒有靈性！我問他學什麼的，他說他是學農的，我說你學農的問這個問題有點奇了。

我那個時候年紀還輕，比較愛弄玄虛，就說：既然學農的，應該知道，含羞草根裡頭有一水泡，人手的熱氣一接觸，水就下降，葉子就像怕羞一樣縮下去了。這是機械性，并不是情感，也不是知覺。其實這是頭一天晚上，跟一個學農的教授討論含羞草聽來的，也可以說佛法有靈，知道第二天有人會問這個問題吧！

譚子化書

所有一切衆生之類。若卵生。若胎生。若溼生。若化生。若有色。

若無色。若有想。若無想。若非有想。非無想。我皆令入無餘涅槃而滅度之。

現在佛學提出來衆生，佛把一切的生命分成十二類。第一是卵生，像鳥、雞、鴨等，都是屬於卵生。胎生是指人、馬、及各種由胞胎裡生的。濕生包括了魚、蚊子、蒼蠅等。化生就是變化的東西，如蟬蛻、蜻蜓、蝴蝶等。又照中國古老的傳說，眞假不能確定，海裡的鯊魚活到幾百年以上，會跳到沙灘上，一變就是鹿，長一個頭角的鹿，這些都是化生。中國化生的書，幾乎沒有人肯去研究；道藏裡有一本書就叫做化書，作者是譚子，名譚峭，他學佛也學道，是有名的神仙。譚峭的父親是唐朝的官，也就是唐朝唯一大學的校長，地位很高，只有譚峭一個兒子。

可是譚峭十幾歲離家出走，他父親丟了這個兒子，很難過。後來過了一、二十年，他回來了，身上穿個道士的衣服，拖個破鞋子，戴個破帽子，怪裡怪氣，嘻皮笑臉，就像前幾年那種嘻皮的樣子。他回來勸父親一塊修道去，這是著名的道家人物，學問也非常好。譚子著了這部「化書」，認爲宇宙生命的變化自己可以掌握，人可以永遠的活下去。他究竟仍然活著沒有？說不定他跑到我們這裡來，我們也不知道。後來因爲人家問他，道是怎麼樣修？他就寫了一首詩，也像是金剛經的偈子一樣，很簡單的，有禪宗的境界：

線作長江扇作天　靸鞋抛向海東邊

蓬萊此去無多路　只在譚生拄杖前

他說，整個的宇宙是這麼渺小，線就像長江，扇就像天。靸鞋就是古代的拖鞋，鞋子後跟不拉起來，蹋哩蹋拉拖起來走。靸鞋抛向海東邊不要了，蓬萊是代表道家的神仙境界，蓬萊此去無多路，他說那個神仙的境界不遠，就在這裡。在那裡啊？他說，只在譚生，就在我的手指，手裡拿個手杖，就在這裡。這個道理也就等於佛告訴須菩提，「應如是住，如是降伏其心」，就在這裡，佛不在西天，就在你這裡。

不過譚子的化書很奇怪，講了化生的道理以後，由科學再歸到哲學，由哲學再歸到政治學，講人生的境界，及如何教化別人，改變別人。他認為壞的時代，壞的世界，是可以變化過來的，他的理論和哲學境界非常之高。所以講到中國文化，這不能說不是中國文化啊！中國文化的精華，我們不能說連個影子都不知道啊！

有色無色的眾生

除了胎生、卵生、濕生、化生四種之外，另有一種生命為「有色」，是有形像，有物質可以看見的。另有一種生命是「無色」，不是我們所知，也看不見，可是它確實的存在。譬如說鬼吧！到底有沒有？當然可以告訴大家確實有的，并沒有什麼可怕，那是「無色」的生命，跟我們陰陽電子不同而已。

我們姑且講活鬼，大家也許沒有看過，如果到貴州，雲南的邊界，就可以聽到活鬼的故事。活鬼稱為山魈，這個山魈，我們拿佛經來解釋，就很簡單了，他是「若有色」「若無色」的衆生。他有時候給你看見，有時候不給你看見，高興給你看見就看見，不高興就看不見。人走到山裡，看到走路的腳印子同我們相反，腳指頭在後面，腳後跟在前面的地方，就知道有山魈。他們非常講禮貌，你不要說這是山鬼啊，那你就吃虧了。你要說有山先生在這裡！他會覺得你這個人知禮，就不會找你麻煩。

這些住在山裡的山魈，很有意思，他們有事的時候，要跑到別人家裡借鍋，借碗筷。他們的樣子很醜陋，矮矮的，就像人倒著腳走來。講的話我們也不懂，必須要用手去指要借的東西，那些山裡頭的人都知道，有些壞心眼的人，卻準備一套騙他們的。準備什麼呢？紙做的鍋，紙做的碗，他就很高興的借回去了，結果火上一燒就完了。可是山魈非常守信用，不知道他用什麼方法，有錢人家的東西就到他那裡去了，但是他一百哩範圍以內不偷的，他要到外地弄個鍋碗來還你。許多山裡的窮人都拿這些玩意騙鬼，所以鬼不可怕，而人是眞正的壞，連鬼都要騙。

有想無想的衆生

另有一類衆生是「若有想」，有思想感覺。另有一類衆生是「若無想」，沒有思想、感覺。細分之下，有些生命沒有思想，沒有知覺，但有感覺。

另有衆生是神的境界，照佛學的分類，神的類別太多了，小則分爲三十多種，大則分爲六十多種，再細分析下去，有幾百種。神也有祂的等次，一類叫「非有想」，不是沒有想，但是看起來沒有想。譬如有些人在打坐，你看他好像不知道，可是他又知道，眞知道嗎？又不知道。其實，世界上還有更多種類的生命，不過佛法大致歸納爲十二類。

世界上的生命有這麼多種類，唯有人很壞，但人也最具備一切。我們不要認爲人類是胎生，在我看來，人類具備了十二類生。我們是胎胞裡精蟲卵臟的結合，所以是卵生，胎生。在媽媽肚子裡是濕生。要青菜、蘿蔔、牛肉、洋蔥堆起來才能長大，所以也是「化生」。人也是「有色」，身體機能有物質可見。但是講到人的生命—氣，又不是物質了，也看不見，所以是「無色」。「有想」，我們當然有思想，有時候我們呆住，或者沒有什麼思想，笨得要死，那又入於「無想」。還有許多人到達「非有想」「非無想」的修道境界，雖沒有成功，但他已經到達了「非有想」「非無想」。

說到「非有想」「非無想」，想到大陸上我曾聽說一個地方。在浙江紹興的一個小廟子，有一個道士在那裡打坐，據說坐了兩百多年，還坐在那裡。每到過年的時候，鄉下人要來替他剪一次指甲；人坐在那兒沒有死，摸摸還有點體溫，據說是入定了。有些修道的人說他不是入定，是在那個定的境界出不了神，在那個身體軀殼裡頭，因爲修成功了，所以出不來，離不開身體。

另外我還看到過一個學佛的人，據說打坐定力很深，功夫很好，已經坐在那裡七八十年，也沒有死，也沒有出定，他也不會想什麼，似乎等於死人差不多。他的背拱起來一塊，摸摸那個地方，像脈搏一樣在跳動，所以有人說他入定了。不過一般學佛修道內行的人，也曉得他出不了神。你們年輕人怕打坐走火入魔，像這一類的樣子才叫做走火入魔！大家看，自己有沒有資格走火入魔！所以說，放心啦！還差得遠呢！可是，這也不一定是走火入魔，在那一種情況下，這一個生命的存在，就可以說是「非有想」「非無想」的境界。所以說，在人類這個生命的小宇宙裡，所有生物的生命現象，人都具備了，只是大家沒有回轉來分析自己罷了。再根據譚子化書的道理，人可以成仙、成佛、成鬼、成神；人也是可以變化的，一切就看你自己的智慧了。

紅福 清福

現在佛告訴須菩提說，世界上「一切衆生之類」，注意這個「之類」，佛把它歸成十二類生命。他說：「我皆令入無餘涅槃而滅度之」。

一個學佛的人，首先要發願，立一個志願，救世界上一切衆生。因爲衆生皆在痛苦中，都在煩惱中。有富貴功名的人，有富貴功名的痛苦與煩惱；貧窮及生老病死等，也都是煩惱。講戀愛有講戀愛的煩惱，結婚有結婚的煩惱，生孩子有生孩子的煩惱，總之，人生隨時都在痛苦與煩惱中。所謂煩惱，比痛苦的狀況輕一點，兩個名稱不同。一個學大乘佛法的人，沒有先考慮自己，學佛是要成就，好去幫助衆生，救度他們，使他們進入沒有煩惱、沒有痛苦、絕對快樂清淨的境界。這個境界叫什麼？就是「無餘涅槃」。

涅槃是個名稱，不要當成端盤子那個盤。涅槃是梵文音，有人翻譯成中文叫它寂滅，這樣翻譯不恰當，後來的人隨便使用是不對的。因爲寂滅好像很凄涼，只有一個清淨，其他什麼都沒有，滅掉了。「寂」是清清淨淨，一點聲音都聽不到，學佛結果變成學寂滅，那不是很奇怪嗎？那人生又何必呢？人生本來夠苦了，再去學寂滅，苦上加苦，又不是吃黃連，何必呢！後來又有人翻譯成圓寂，圓滿的清淨。清淨本來是好，可是有些人，并不認識清淨。

我經常說，佛法分兩種，走出世間是清淨，走入世間是紅塵。紅塵滾滾，這個世界上，都市中，都是紅塵。人世間爲什麼叫做紅塵呢？唐朝的首都在西安，交通工具是馬車，北方的紅土揚起來，半空看見是紅顏色的灰塵，所以稱爲紅塵滾滾。現在汽車是排的黑煙，爬到觀音山頂上看台北，是黑塵滾滾。

紅塵裡的人生，就是功名富貴，普通叫做享洪福。對皇帝用的「洪福齊天」因爲「洪」字不好意思寫，就寫個「鴻」字。其實「鴻福」這個字不大好，雖然文學境界不錯，但有罵人的味道！因爲「鴻」像飛鳥一樣飛掉了，那還有什麼福啊？這個同音字用的不好，一般人不察覺就用下去了。

清淨的福叫做**清福**，人生鴻福容易享，但是清福卻不然，沒有智慧的人不敢享清福。人到了晚年，本來可以享這個清福了，但多數人反而覺得痛苦，因爲一旦無事可管，他就活不下去了。有許多老朋友到了享清福的時候，他硬是享死了，他害怕那個寂寞，什麼事都沒有了，怎麼活啊！所以我常告訴青年同學們，一個人先要養成會享受寂寞，那你就差不多了，可以瞭解人生了，才體會到人生更高遠的一層境界。這才會看到鴻福是厭煩的。佛經上說，一個學佛的人，你首先觀察他有沒有發起厭離心，也就是說厭煩世間的鴻福，對鴻福有厭離心，才是走向學佛之路。

說到這裡，講一個故事給大家聽，明朝有一個人，每天半夜跪在庭院燒香拜天。這是中國的宗教─拜天，反正佛在天上，神、關公、觀世音、耶穌、穆罕默德都在天上。

管它西天、東天、南天、北天，都是天，所以他拜天，最划得來，只要一支香，每一個都拜到了。這人拜了三十年，非常誠懇，有一夜感動了一位天神，站在他前面，一身發亮放光。還好，他沒有嚇倒，這個天神說：你天天夜裡拜天，很誠懇，你要求什麼快講，我馬上要走。這個人想了一會兒，說：我什麼都不求，只想一輩子有飯吃，有衣服穿，不會窮，多幾個錢可以一輩子遊山玩水，沒有病痛，無疾而終。這個天人聽了說：哎唷，你求的這個，此乃上界神仙之福；你求人世間的功名富貴，要官做得大，財發得多，都可以答應你，但是上界神仙之清福，我沒法子給你。

要說一個人一生不愁吃，不愁穿，有錢用，世界上好地方都逛遍，誰做得到？地位高了，忙得連聽金剛經都沒有時間，他那裡有這個清福呢？所以，清福最難。由此看來，涅槃翻譯成寂滅，雖然包涵了清福的道理，但是在表面上看來，一般人不大容易接受。實際上涅槃是個境界，就是涅槃經提出來的「常樂我淨」的境界。也就是說，你找到了這個地方，永遠不生不滅，就是心經上說的「不生不滅，不垢不淨」，常樂，永遠如此，是一個極樂的世界。那才是「我」，我們生命眞正的「我」，不是我們這個幾十年肉體，卵生、胎生、濕生、化生，會變去的我。那個眞我才算淨土，也就是涅槃的境界。

羅漢的涅槃

涅槃分兩類，「有餘依涅槃」及「無餘依涅槃」。

羅漢們得道，證得的是有餘依涅槃；大阿羅漢入定可以有八萬四千劫之久，現在很難有人相信這樣的事了。關於此事，讓我們回溯到唐朝玄奘法師到印度留學路上的一個傳說，但他自己的筆記及大唐西域記裡沒有記載。當他走過新疆天山以南，到了印度北邊，靠近喜馬拉雅山的後面一個雪山地方時，天氣很冷，到處都是雪，但是有一個山頂上卻沒有雪，雪下來也不積留。玄奘很奇怪，跑上去看，發現地上有很粗很長的頭髮。他看了半天，認爲這裡頭可能不是這個劫數的人，也許是上一個冰河時期的人。結果眞的挖出一個很高大的人來，玄奘法師發現那是一個打坐的人，就用引磬在他耳朵邊上叮叮叮，慢慢的敲。這位先生出定了，他說是釋迦牟尼佛之前迦葉佛末法時代的比丘，出家自己自修得定，在這裡入定等釋迦牟尼佛下世來，好向他請教。玄奘法師告訴他釋迦牟尼佛已經涅槃了，他說：那我再等吧！等下一次彌勒菩薩來吧！玄奘法師拖住他的耳朵說：老兄，你慢一點入定，這樣不是辦法，你等彌勒菩薩再來，是要出定找他，誰來通知你出定呢？他說：這也對呀！玄奘法師說：你有辦法出神離開這個身體嗎？出神并不容易，剛才講那些修行人，坐了幾十年都出不來。玄奘告訴他，自己要到印度取經去，叫他到中國去投胎，將來作自己的弟子。并且告訴他，到了大唐，向那個最大的宮殿去投胎當太子，等他回來。於是這個人就出神走了。玄奘二十年後回來，見唐太宗說到此事，要找這個來投胎的太子出家，但查遍後宮，當天沒有太子出生，結果發現武將尉遲恭家裡那天生了一個姪子。原來那羅漢來大唐投胎，看見尉遲恭的王府，就錯認爲皇宮了。唐太宗把尉遲恭找來對他說：我要出家，但當皇帝不能出家，你讓你家那個孩子代表我出家吧！

玄奘法師想，那個羅漢定力那麼高，見面時應該認識我！豈知羅漢、菩薩也有隔陰之迷，投一個胎就迷掉了。對玄奘似曾相識，卻搞不清楚。皇帝下命令出家，當然可以，但有三個條件，一車美女服侍他，一車酒肉，一車書。這就是後來玄奘法師的唯識傳人—窺基法師的故事，又稱三車法師。此說也許是影射的戲論。

爲什麼講這個故事呢？從這個故事我們就會瞭解，得到了那個清淨、一念空的境界，才能夠入定；而且連身體都可以忘掉，也可以抗拒氣候的變化，甚至地球的各種物理變化。那個羅漢是有功力的人，一念空掉就入定了。

但是念空可不是住啊！大家要特別注意，念空不是住，那是假住，住在空上，是不究竟的。玄奘挖出來的這個羅漢，就是住在這個空上，所以叫做有餘依涅槃。餘什麼？習氣。因爲他的習氣沒有變，所以轉胎一來，功名、富貴、美人、香車，什麼都要，這是這個羅漢自己剩餘的習氣，維摩經上叫做結習未除。

有些學道學佛的朋友說：老師，你叫我來打坐，學佛，我是很高興，就是有一個東西丟不下。我說，那你就兩打吧！打打牌，打打坐，都可以方便。因爲他這個結習未除，也就叫做有餘依涅槃。其實我們在座有很多打坐的同學，都入了這個涅槃了，到這裡來，法師把木魚一敲，打坐好好的，念頭滿空；等到兩個鞋子下了樓，趕快找地方去打牌啊，喝酒啊，就是有餘依涅槃。

佛的涅槃

有餘依涅槃是羅漢境界，不徹底；無餘依涅槃是佛境界，是非常徹底的。佛說學佛的人第一個發願使一切衆生都成佛，都能夠達到「我」的成就一樣，「令入無餘涅槃而滅度之」。所以，學佛第一要發願，大乘佛法如果沒有這個願力，學佛是不會成就的。如果覺得自己很痛苦，又煩惱，沒有大乘的願力，那不是佛法眞正的精神；因爲這是消極的，逃避的，連羅漢境界都談不上。佛的願力，學佛不是爲自己，是爲一切衆生。

如是滅度無量無數無邊眾生，實無眾生得滅度者。何以故。

他說，學佛要這樣大的願力，要度盡一切衆生，使他們解脫痛苦與煩惱。痛苦與煩惱是很難解脫的，佛也只告訴我們解脫煩惱與痛苦的方法。解脫是靠自己，不是靠他力。佛不過把他成就的方法告訴我們，你自己修持才行。

佛教化救度了無量無數無邊的衆生，心裡并沒有說某一個衆生是我度的，決沒有這個觀念。這是佛的願力和胸襟，學佛先要學這個胸襟，就是說雖幫助了千千萬萬人，心中沒有一念認爲是自己的功勞。佛的境界謙退到極點，他要度盡了一切的衆生，而心胸中沒有絲毫教化人、度人之念。所以，佛同其他宗教解釋的教主是不同的，佛沒有權威性，非常平凡，很平實，只說你的成就是你的努力。

「何以故」？什麼理由要如此呢？這是他加重語氣。

四相和我的觀念

須菩提。若菩薩有我相。人相。衆生相。壽者相。即非菩薩。

他說，須菩提啊，一個學大乘菩薩道的人，心胸裡頭還有你、我、他，甚至給了人家好處時，這個傢伙應該賣賣我的交情才對！這是世間法的作風，佛法沒有，給了就給了，要像「事如春夢了無痕」一樣的忘掉它。如果說故意把它忘掉，那就「即非菩薩」，因爲你還有個故意。天地生萬物，天地不佔有，不自私。所以我常常說，道乃天下之公道，不屬於誰的，告訴你，你拿去吧！

話又說回來了，既然佛都告訴你了，為什麼你不能到達佛的境界呢？

金剛經中說到四相，相這個字，就是現象，文字上是現象，依照人的思想心理來說就是觀念。我們人有一種觀念，就是有人相，總是有你、我的觀念。我相就是我，人相就是眾生相，就是現在學術名稱所謂社會人類，在佛學的範圍都屬於人相，眾生相。我相又分兩種，一種是人生命的個體，我是我，你是你，他是他，每個人是不同的個體。一種是屬於精神上的，一個學問好的，或者是地位高的，年齡大的，常看他人都是小孩子，幼稚。我現在也常常犯這個毛病，會說你們年輕人懂什麼？這是我相，因為覺得「我」嘛！倚老賣老。

不錯，倚老賣老是我相，但有許多年輕人倚小賣小，那也是我相。更有許多小姐們倚女賣女的，也是我相。許多男孩也有倚男賣男的：我是小孩，老師請原諒！我說，不要倚小賣小，倚男賣男了。這些都是主觀成見，就是精神觀念上有個我。所以文章是自己的好，這是我相。本來文章寫完了就完了，別人改一下文章，那要命啊！心裡受不了……這都是因為心裡上的我相，也叫做法我見，這個法就是精神的我見。

至於眾生相，是社會一些人類的範圍，前排的人同後排的人，只要一坐下來，人相我相就起來了。感覺前排的人很討厭，頭太高了，坐在我矮子的前面，使我看不見。人相我相一來，衆生相就來了，唉！這個環境佈置得不大好，管事的人不大對，接著壽者相來了，唉呀！空氣不好，有傳染病，要短命。

這個四相是依根的，先由眼根而來，人的煩惱都因這四相而起。鳩摩羅什把它歸納起來叫做四相，玄奘法師的翻譯，還加三個，成爲七相。鳩摩羅什把後面三個統統歸入壽者相。壽者相很嚴重，人都喜歡活得長，你幾歲呀？五十八。嘿，我六十了，你比我小兩歲。你幾歲啊？八十二，你比我大幾歲……這都是壽者相！要「我」活得長，要「我」健康長壽。每個人來學打坐，乃至在座來學禪的，十個有九個半，甚至十個有五雙，都是以壽者相的觀念來學打坐的。那麼，這與佛法的金剛經就大有出入了！要注意，要去了這四相，完全離開了這四相，才可說是學佛的眞正境界。本經的原文，佛說這四相，用現在的話來講，這四相是人類衆生共通的、牢不可破的、頑固的主觀觀念。要把這個觀念破除掉，學佛就差不多了。

現在佛告訴須菩提，一個學佛的人，先要把心胸願力放在前頭，能夠爲衆生發願，不爲自己，而是爲大家去努力。因爲要度衆生，但又沒有度衆生的本事，所以要去努力。佛又說，你完成學佛的這個願望，度完了衆生，自己并沒有覺得度了什麼衆生。

三輪體空布施

這一段，佛學有一個名稱，叫做「三輪體空」。輪者不是車子的輪子。輪是形容詞，指三個部分，就是施者，受者，施事，這就是講布施的重要。金剛經現在開始講般若了，般若的第一個眷屬，就是布施。剛才這一段已經開始要講布施，先說明三輪體空的道理。

布施有三種，第一種財施是外物的，像金錢財物等布施，這叫外布施。第二種法施是精神的，如知識的傳授，智慧的啓發，教育家精神生命的奉獻等，都是精神的布施，這種屬於內布施。第三種是無畏布施，如救苦救難等。不管是那一種布施，施者應該抱持無施的心態，用一種希望他人能夠得到益處的心情來貢獻，那就是宗教家的精神了。必須要做到施者無此念，無人相，無衆生相，無壽者相。受者也空，施事也空。看到人家可憐應該同情，同情就是同情，布施了就沒有事了，忘記了誰接受我的布施。做完了以後，「事如春夢了無痕」，無施者，無受者，也無施事，這才是佛法布施的道理。

所以佛在這個世界上，以師道當人天的師表，教化一切衆生，救度一切衆生，度完了，他老人家說：再見，不來了。只是吩咐四個弟子暫時不要死，要「留形住世」，活著等彌勒菩薩下來。佛的這個精神就是三輪體空的布施。

快樂痛苦皆無住

這裡著重的是剛才提到的法布施，因爲須菩提問到怎麼使心、妄想煩惱降伏下去！怎麼樣使自己的心寧靜，能夠永遠安詳停留的保持住。佛先答覆他：就是這樣。因爲須菩提不懂，所以佛接著在下章就說了一段理由，說大乘菩薩道的修行方法，也包括精神的生命，應無所住行於布施，任何事情一做便休，無所住。應該無所住行於布施，這個叫修行。你心理的行爲隨時做到無所住，一切都布施，都丟開了，這是我們普通的話，都丟掉了。禪宗經常用一句話，放下，就是丟掉了。做了好事馬上須要丟掉，這是菩薩道；相反的，有痛苦的事情，也是要丟掉。有些人說，好事我可以丟掉，就是痛苦丟不掉啊！

實際上，好事跟痛苦是一體的兩面而已，一個是手背，一個是手心。假使說，好事他能夠眞丟開的話，痛苦來一樣可以丟開，所以痛苦也是一個很好的測驗。如果一個人碰到煩惱，痛苦，逆境的時候丟不開，說他碰到好事能丟得開，那是不可能的。

儒家經常告誡人，不要得意忘形，這是很難做到的。一個人發了財，有了地位，有了年齡，或者有了學問，自然氣勢就很高，得意就忘形了；所以，人做到得意不忘形很難。但是以我的經驗還發現另一面，有許多人是失意忘形；這種人可以在功名富貴的時候，修養蠻好，一到了沒得功名富貴玩的時候，就都完了，都變了；自己覺得自己都矮了，都小了，變成失意忘形。

所以得意忘形與失意忘形，同樣都是沒有修養，都是不夠的；換句話說，是心有所住。有所住，就被一個東西困住了，你就不能學佛了。眞正學佛法，並不是叫你崇拜偶像，並不是叫你迷信。應無所住而行布施，是解脫，是大解脫，一切事情，物來則應，過去不留。等於我們現在引磬一敲，下樓就是下樓，金剛經還是歸金剛經，你還是你，如此應無所住。

轉化十二類生

有一位同學提出來說，很多年前，也曾經聽我講過這一段，除了我前面講過的，好像還有進一步的道理。其實，所謂進一步的道理就是：這個境界就是有願力，一個大乘菩薩發願及菩薩行，應該是救盡天下蒼生，而自覺沒有做什麼救蒼生的事情。一個人救人、利人是應該的，假使心中還有利人、救世、度人之念，已經不是菩薩道了。這是指外面行願方面。內心修持更須這樣，我們自己學佛是求戒定慧的究竟，可是大家在修持方面，或者在靜坐方面，都是在著相。

譬如許多人爲了身體的健康，學各種的方法，打坐、守竅、修氣脈轉動，實際上，已經都落入壽者相了；接著我相、人相、衆生相也都跟著而來，學佛的成就當然不會大了。又如修淨土唸佛的朋友們，假使唸一句佛號，觀念裡頭或下意識中，附帶有我相、人相、衆生相、壽者相的情況，那也不能得到究竟的成就。舉凡這些，都是要修行人自己細心檢查心念才會發現。

關於卵生、濕生、化生、胎生等，我們上一次也分析過，人的生命裡頭，本身內在就具備有這十二類生。人活在這個世界上幾十年，或者一百年，大部分時間并不是爲自己活著的。我們仔細分析一個人，活著是爲了面子、爲了漂亮，人生時常是作給人家看，或者作給兒女看的。

當年有一個同學告訴我，父母盯的很緊，他生氣了，因爲他是個獨生子，他告訴父母：你少盯一點好不好，否則我不給你唸書了。這個話也對啊！現在的青年考聯考，好像都是爲了父母，爲社會，爲家庭。人是很可憐的，活了一輩子，一天吃三碗飯，只有十分之三是爲自己生命所需而吃，其餘大部分是供養自己身體中的卵生、濕生、化生吃的。腸子裡有蛔蟲，身體中有各種細菌，所以宇宙中所有的一切衆生，及各種的現象，在我們人體的內部都統統有了。所以說，人體是個小宇宙，左眼是太陽，是陽；右眼是月亮，是陰；我們身上的大小腸，就是身體中的江河、海洋，西遊記叫它是無底洞，吃下去漏出來，永遠塡不滿的無底洞。又如身體上有骨骼的地方就是山崖、巖石；人體內部又有各種的生命，每一個細胞就是一個生命，包括精蟲卵臟等等，這些都與禪定有關。

眞正的修持，得定者初禪念住，雜念妄想沒有了。二禪氣住，所謂打通氣脈，外表呼吸停掉了。三禪脈住，脈搏不跳動了，連心臟跳動都非常緩慢。四禪才是捨念清淨，整個的身心丟開了，沒有感受。但是要想達到氣住脈停的定境，必須先把自己身體上卵生、濕生、胎生、化生等十二種類，整個變化了才行，就是儒家所講的變化氣質。假使我們這個色身沒有轉化而想修持得定是決不可能的。

所以這位同學彆著我講這一面，認爲我還留了一手，實際上這一面是講實際功夫，幾乎沒有人相信。普通金剛經這一段講過去就算了，現在既然有人指出來，已經留不住了，這一手也要露一露，大概就是這樣，這是補充第三分。

說三十二品偈頌

另外有人提出來，說我曾寫過金剛經三十二品的偈頌，本來我不想講這些，這是四十年前的事了。那時我在峨嵋山上閉關，不要說人看不到一個，鬼影子也看不到一個。尤其到了秋後大雪封山，連猴子都爬不上了，人要下山很容易，就是西方人的滑雪，弄兩根木棍，屁股上包一些樹皮，隨便這麼一溜就下來，一瀉千里。要想上去啊！只好等明年春天了。有一天晚上沒事，從藏經中抽出金剛經來看，也不曉得著了什麼道，一下子高興起來，又感動萬分，不由自主的，一夜之間把金剛經的三十二品，作了三十二個偈子，說明這個道理。後來下山以後，有人傳出來了，不過到了台灣連原稿也掉了，因爲我平常的習慣，自己作的東西隨手就忘了。這一點雖是壞處，但也是好處，就是可以修道，過了就丟，所以說入無餘涅槃而滅度之，一切都把它空掉了。另外我也不太記這些東西，也是懶得介紹這些東西。譬如在大學上課，很多同學問我：老師你有什麼著作？我也搞不清楚我有什麼著作！也沒有觀念去推銷。現在同學們提起來這個偈子，就順便說一下。不過我那個三十二首偈子，比你們聯考作得快，三十二品的意義，一夜之間把它用禪與佛的道理說完了。第一首偈子法會因由，大概是這樣子：

第一品偈頌

緇衣換卻冕旒輕　托鉢千家汗漫行

何事勞生終草草　蒲團洗盡旅途情

「緇衣換卻冕旒輕」，緇衣就是和尙們穿的衣服，印度的規矩，出家人穿染色的衣服，高尙平民穿白的衣服。所以現在我們寫信給出家人時，下面往往自稱白衣某某，表示自己是白衣居士。出家人的衣服染了顏色，就稱緇衣，就是說釋迦牟尼佛出家了，穿了一件和尙衣。皇帝戴的那個皇冠是冕旒，中國人戴的稱天冠，前面還掛些珠子之類。

這一句的意思是說皇帝不當了，換句話說如果一個人能夠丟掉帝王富貴，能夠放得下一切，才夠資格學佛。像釋迦牟尼佛一樣，皇帝的那個皇冠，隨便把它甩掉。

「托缽千家汗漫行」，然後以釋迦牟尼佛的身分，還出來化緣呢！不管窮人家裡，什麼人家裡都去化緣。

「何事勞生終草草」，我們人生爲什麼勞勞碌碌，佛學名辭叫做勞生，一輩子在勞苦中。忙忙碌碌一輩子，最後莫名其妙的來，莫名其妙的就走了，所以是何事勞生終草草。

「蒲團洗盡旅途情」，旅途是人的一生，看來人生沒有別的好事，只有蒲團一個，兩腿一盤，萬念皆空最好。

這是法會因由當時作的第一首偈子，當然這個文字，我自己也看不上，不過有時候想想，現在叫我再作，一夜之間還作不出來，人生就是那麼怪。

◆第二品偈頌◆

第二首是善現啓請分。善現就是須菩提，須菩提起來問問題，佛答覆他，善護念。善護念是個要點，如是住，如是降伏其心，就是這樣定住，就是這樣把煩惱降伏下去。

萬象都緣一念波　護心那用脩多羅
岩中宴坐已多事　況起多餘問什麼

「萬象都緣一念波」，人生的煩惱和一切痛苦，就是一念，沒有第二念，千千萬萬不同的現象，就是一念動了。像大海水，平水無波忽起一個波浪，一點動，千萬點煩惱就跟著來了，所以說萬象都緣一念波。

「護心那用脩多羅」，佛不是告訴他善護念嗎？眞正的善護念何必用佛經呢？脩多羅就是佛經，梵文名稱就是素怛覽。眞正悟了道的人，不看佛經也一樣此心平靜，所以說護心那用脩多羅。

第三句，先要說明一個典故。須菩提是佛的十大弟子之一，佛經上記載，有一天他跑到一個崖洞裡宴坐。什麼是宴坐呢？注意啊！大家要學打坐的注意啊！尤其是老同學們！不依身、不依心，不觀這個身心，不依亦不依，這個樣子才叫宴坐，也就是打坐。你看我們大家坐在那裡，又聽呼吸，又練腿，又練氣功，統統在身上搞。不然就搞念頭，像水上按葫蘆一樣，這邊這個撲隆咚才按下去，那邊那個又浮上來；這邊念頭冒上來一個，那邊又來一個。眞正的入定是不依身，也不依心，但是「不依」是個空的境界，還是不對，所以不依亦不依，這才叫做宴坐。

須菩提有一天在岩中宴坐，什麼都沒有，忽然空中天女散花供養，天花掉了下來，大概須菩提正好張開心眼吧！不然怎麼知道天花掉下來呢！須菩提就問，哪一個在散花供養？空中有個聲音說：是我呀，我是天人，天神。因爲尊者在此說法，所以我空中散花供養。須菩提說：我沒有說法啊！這個天人說：善哉！善哉！尊者以不說而說，我們以不聽而聽，因此，我們要供養。這是說到須菩提的一段故事。

「岩中宴坐已多事」，你那個打坐入定已經很多事了，道就在這裡，菩提就在這裡，打坐不打坐，都在菩提中，你在那裡打坐裝模作樣已經夠多事了。

「況起多餘問什麼」！這一下又來問金剛經，佛啊！如何住啊？如何降伏其心？這就是禪的道理，當下可以瞭解了，大家當下都可以入無餘涅槃而滅度之了。

第三品偈頌

第三分叫做大乘正宗分，就是剛才講的胎生、卵生、濕生、化生，入無餘依涅槃而滅度之。

四相初生四象殊　羲皇以上一無無
劇憐多少脩途客　壽我迷人猶諱愚

「四相初生四象殊」，我們大家都知道，佛家有四相，人相、我相、衆生相、壽者相，等於易經的四象，易經也講四象，老陰、老陽、少陰、少陽，四象。拿空間來講，東南西北也是四象。人生統統被現象所困，四相初生的這個四相，同易經的四象就有差別，一念一動，外境界就有差別了。

「羲皇以上一無無」，我們中國文化開始的時候，伏羲畫八卦，一畫開天地。當這個一還沒有畫動以前，天地沒有，宇宙還是空的，伏羲畫卦以後，天地開闢了。羲皇以上是講形而上道，萬法本來空的，既是空就不必去用功夫求了。我們現在很可憐，大家學佛拚命去求空，這豈不是背道而馳嗎？既然是空，你求得到嗎？能求到的就不是空了。所以說羲皇以上一無無，什麼都沒有。

「劇憐多少脩途客」，劇憐，是最可憐，多少在修行路上走的這些人，都在求壽者相，多活幾年，修個果位，都在四相裡頭滾，自己還以爲是在修道。

「壽我迷人猶諱愚」，自己在四相裡頭滾，自欺欺人，還以爲高明得很，別人都不行，看不通，只有自己看通了。其實，自己那麼笨，還忌諱自己的愚蠢。自認爲最聰明在修行學佛呢！

第四品 妙行無住分

復次。須菩提。菩薩於法。應無所住。行於布施。所謂不住色布施。不住聲香味觸法布施。須菩提。菩薩應如是布施。不住於相。何以故。若菩薩不住相布施。其福德不可思量。須菩提。於意云何。東方虛空。可思量不。不也。世尊。須菩提。南西北方。四維上下。虛空可思量不。不也。世尊。須菩提。菩薩無住相布施。福德亦復如是。不可思量。須菩提。菩薩但應如所教住。

第一等和次等

昭明太子的標題叫做妙行無住分。妙行無住的行不是走路，是講修行，妙行修佛法的意思。

復次。須菩提。菩薩於法。應無所住。行於布施。所謂不住色布施。不住聲香味觸法布施。

這就是我們上一次講的布施，也是內在的用功。大致上布施分內布施、外布施。我們中國禪宗後來流行一句話——放下，這個話就是布施，一切丟開。人生最難的就是丟開，眞丟開了就是眞放下，放下就是內布施。作到了內布施就可以成就，就可以成道。這裡佛告訴須菩提內布施的法門，復次，白話文就是其次的，次一等的告訴你。第一等的，佛怎麼說我們還記得吧？須菩提問如何住？如何降伏其心？佛就告訴他，就是這樣住，就是這樣降伏其心。等於沒有說，這是第一義。

第一義很難懂，大家都看過西遊記唐僧取經，唐僧到了西天，見到了佛，佛就把大徒弟迦葉尊者找來，說他們從東方震旦中國來的，很辛苦啦，功德圓滿，你把書庫打開，把最上等的佛經給他們帶回去。當唐僧帶領三個徒弟到圖書館門口取經的時候，守

門的說：拿紅包來。孫悟空氣得拿起棍子就想打。唐僧說：你不要動粗了，這是最後一步，不然我們那麼辛苦，不是白費了嗎？我們沒有錢卻有一件袈裟，拿到當舖裡當了，給他紅包。孫悟空又氣又罵的，迦葉尊者很難爲情，所以廟子裡塑的迦葉尊者，都是歪著脖子縮著頭。其實西遊記只是小說，最後拿到了經典到了山門口，孫悟空跟師父吵，說那個老和尚靠不住，還要我們紅包，要把經打開看看，結果發現佛經上一個字都沒有，只是白紙。孫悟空立刻大吵大鬧，被佛聽見了，就叫迦葉尊者來問，迦葉尊者說，你老人家吩咐，給他們最上品的經嘛！我就拿最上等的給他們。佛說：唉呀！那些衆生不懂啦！沒有文字的經他們看不懂，你還是拿有字的給他換一下，拿那個差一點的。所以復次是差一點的，有字的經。眞正的經典啊，一個字都不須要，本來空嘛！應如是住，如是降伏其心，這個是第一義，就是一張白紙。既然第一等的不懂，現在復次只好講差一點的。

無所住

佛告訴須菩提：我告訴你，一個眞正修行的人怎麼修？「菩薩於法應無所住」，就是這一句話。

此心應該隨時隨地無所住，如果你此心隨時在空的境界上，那已經錯了，因爲你住在空上；如說此心住在光明上，或住在氣脈上，都錯了，因爲那不是無所住。

「應無所住，行於布施」，什麼叫修行？念念皆空，隨時丟，物來則應，過去不留；就算做了一件好事，做完了就沒有了，心中不存。連好事都不存在心中，壞事當然不會去做了，處處行於布施，隨時隨地無所住。

譬如今天，有人批評你，罵你兩句，你氣得三天都睡不著覺，那你早住在那個氣上。今天有一個人瞪你一眼，害你夜裡失眠，你早住在人家那個眼睛上了。任何境界都無所住，我們看這一邊，那一邊就如夢一樣過去了，沒有了；回頭看另一邊，這一邊做夢一樣就過去了。但是我們作不到無所住，我們永遠放不下，小狗沒有餵啦！老爺沒有回來啦……這一切都不要去管它，無所住行於布施，布施就是統統放下。下面告訴我們所謂不住色的布施。

不住色

什麼是色？色法在佛學裡，分爲有表色、無表色、極微色、極迥色。

「有表色」指世界上的光色，青、黃、藍、白、黑，以及長、短、高、矮等，是可以表示出來的。就連我們地、水、火、風，物質世界的東西，包括我們肉體，都可以表示出來。

「無表色」是屬於精神方面的，是抽象的，沒有辦法表示。譬如說，我們大家都曉得原子能，那個能是什麼東西？老實講，除了正式學物理、科學的以外，一般人并不清楚。能的本身是空的，因爲空，它的能力無比的大，甚至最後在科學儀器上都看不出來，只知道是這麼一個東西，但卻是無法表達的，稱爲無表色。

「極微色」，等於現在講原子、核子，微小到幾乎看不見的程度，經由科學儀器還可以看得出來，故稱爲極微色。

「極迥色」，遠大的很，延伸到銀河系統那一邊的，包括了整個宇宙中間的這一些東西，稱之爲極迥色。

這些就是色法，簡單的說，色就是地、水、火、風四大，也就是我們這個身體。所謂「菩薩於法應無所住行於布施」，是叫我們不要住在色相上布施，不要有對象的觀念。譬如說要做一點功德，出一點錢，或者救濟一個人，然後說救濟了某一個人，那是住相布施。學佛的人幫助人、救助人，應該不覺得有對象，有對象的觀念要丟掉，不要留一念在心中。

布施善行的福德，叫做人天福德，是小果報，并不是學佛的大福報。福德跟功德大有差別，金剛經專講福德，重點在福德，不在功德。什麼是人生最大的福德？悟道，成道。智慧是人生最大的福報，所謂智慧的成就，指的并不是普通的知識。

再說我們在身上做功夫，閉著眼睛坐在那裡，心裡唸佛也好、參禪也好、唸咒子也好，都在那裡住色布施。嘴裡說要放下，放下，結果什麼都放不下，兩腿在那裡發麻，受不了。爲什麼兩腿發麻受不了？因爲他住在色法上，念頭住在色身上。如果念頭不住在色身上，感覺就可以空掉，感覺空了，兩腿兩腳發麻你也不會感覺了。所以一切衆生都在住色修持，而菩薩所謂「不住色布施」，是不住於這個色身上面，一切都放下，身體也放下。

不住聲香味

「不住聲香味觸法布施」，有些同學們，用功好一點時，聽到唸佛唸咒的聲音，然後自己覺得得道了，最後道沒有得，得了個神經。眞的，好幾個就是那麼就走了，走到陰國去了，因爲他不懂不住聲的道理。有些人打坐，在座好多同學都有經驗，坐得好的時候，突然一陣檀香味來了，其實並無檀香味，可是他的確聞到了。香味那裡來的？是你內在定境到了極點，人體內部清淨光明就會發出香味來。實際上每個人都不臭的，眞的健康的人，口液口水也都不臭的，只有另外一股人味；像西遊記上說的，一聞就知道這裡有人味，妖怪非要吃不可了。也像我們到豬欄一聞，就知道那裡有豬味，狗窩裡一聞，就知道那裡有狗味。那些神仙到我們這個樓上一聞，唉呀！都是人味，受不了。

這個經驗我也有過，在高山頂上住了三年，一下來離都市還有五六里，就受不了那個人味了。其實我也是人啊！只因爲在那個山頂，四顧無人的地方住慣了，下來以後覺得人味撲鼻，受不了，要隔很久很久才能習慣。學醫學的就曉得，人體內部並不髒，但是身體內部的東西，一接觸到外面的空氣，與細菌一碰，馬上就有味道了。當我們坐得好，內部發出一種香的時候，如果自認爲功德無量，聞到菩薩的香味，那你就住香了，那就不對！要應無所住，趕快放下。

內觸妙樂的菩薩

「香味觸」這個觸很重要，尤其在座有些用功的朋友，眞坐得好的時候，不願下坐。你們初學的兩腿發麻難過，坐得好的人，功夫夠了，兩腿發舒服快樂，快樂得你決不願意把腿放下來。這叫菩薩內觸妙樂，身體內在奇妙的接觸到從未有過的快樂。菩薩的戒律，不准入這種定，因爲耽著這種禪定，就不肯去度衆生了！誰都願意享受內觸妙樂，哪個人還願意跑來站在這裡講課啊！所以說，菩薩境界是內觸妙樂，觸是身體的感受，但是一個眞正學大乘佛法的人，是不應該住於內觸妙樂的境界，是要應無所住行於布施。

「法」是意識境界，是屬於觀念、思想、精神方面。如果你心裡還有個空空洞洞清清淨淨，就已經落在法上。所以說，把身體外面的一切丟完，空完了，再把意識方面的也丟下了，這才叫做學佛，也就是不住色布施，不住聲香味觸法布施，佛說要這個樣子才對。

講到這裡，佛又叫了一聲，須菩提呀！我告訴你呀！你看這個老人家對弟子多親切，他意思是說孩子啊，下面我再給你講。

雁過長空

須菩提。菩薩應如是布施。不住於相。何以故。若菩薩不住相布施。其福德不可思量。

一個學大乘菩薩道的人，應該是這個樣子來布施來修行，應該不住相，一切現象不留，心中若留一點現象，已經不是學佛的境界了。我們拿中國的文學形容它，就是：「風來竹面，雁過長空」。等於風吹過竹林子，竹林子颯……一陣響風過了，風絕對不停留在那個樹葉子上，風早過去了；修行人的胸襟應該也是這樣。又像天上的飛鳥，鳥在空中飛，是絕對不留一點痕跡的，雁過長空，飛過去了就飛過去了。修行要有胸襟，要有這個境界，這叫做內布施，蘇東坡有一首名詩，也是由佛學裡頭來的：

人生到處知何似　應似飛鴻踏雪泥
雪上偶然留指爪　鴻飛那復計東西

他說人生一輩子像什麼？像下雪天那個鳥，在雪地上站了一下，留一個爪印，飛走了以後，雪又下來，把那個印子又蓋住了。雪上偶然留一個爪印，那個鳥一飛了以後，早把東南西北一起跑掉了，那個爪印啊也就不留了。

人生一輩子說要成家立業，子子孫孫，等到你兩眼一閉，兩手一張，鴻飛那復計東西啊？什麼都沒有了。這是蘇東坡的名句，也就是風來竹面，雁過長空的道理，就是說菩薩應不住於相。

年輕的同學要特別注意啊！最近我發現年輕的同學特別喜歡學佛修道，我都有些擔心，我常常跟年輕的同學們談，你年紀輕輕，學這個幹什麼？我這個話你不要難過，這有兩重意義。首先世界上什麼都容易學，唯有學佛是最難最難的事；第二重意義啊，人生畫虎不成反類犬，老虎沒有畫成反畫成了狗，學佛學不成，我不曉得你變成什麼！所以啊，希望先把做人的道理完成，再來搞這個學佛的事。但是既然要學佛了，千萬要注意不住於相四個字；一住相，什麼都學不成了。

功德和福德

剛才講到不住於相這個重點，下面佛又說了：「何以故？若菩薩不住相布施，其福德不可思量」。這裡突然冒出福德二字，他說假使一個修大乘菩薩的人，能夠不住相布施，那麼他的福德有不可思量的大。福德不是功德啊！功德是積功累德，是功夫時間慢慢一點一點的累積起來的。就像我們一件工程，一天一點累積起來就是功，功力到了所得的結果，就是德。

福德是不同的，上次也講過。福德大致分為兩種，一種是人世間的福德，文學上稱鴻福，是世間法；另一種是所謂清福，出世間法。清福比鴻福還要難，所以人要享清福更難。可是一般世間上的人，到了晚年可以享清福時，他反而怕寂寞怕冷清了，此所謂孿可憐的！這是著相的關係，因為有人相我相的原故所造成。看到孩子們長大出國了，一個人對著電視，或者倆夫妻坐在那裡，變成流淚眼觀流淚眼，斷腸人對斷腸人。其實那個清淨境界是最好的時候，結果因為住相，把世間各種會變的現象抓得太牢，認為是眞，等現象變時，他認為什麼都不對了。一般同學跟著我做事常常說：「我看最可憐的是老師」，我說對啊，我想得到一秒鐘的清淨，都求不到，很可憐的，求一分鐘的清福都沒有。可是人眞到了享清福的時候，往往不知道那是眞正的福報來了。事實上，平安無事，清清淨淨，就是究竟的福報。

如果問人世間什麼福最大？答案當然是成佛啦！超凡入聖。靠什麼才能達到超凡入聖呢？智慧的成就，不是功德的成就；更不是迷信，要一切都放下了，你才能夠達到智慧的成就。所以佛告訴須菩提，假使能夠不住相布施，這個人的福德不可思量，這個福報太大了，大到想像不到的程度。不可以思，不可以思想它，不可量，量就是量一下看，一次兩次，一丈兩丈，一斗兩斗，所以叫作不可思量。

須菩提。於意云何。東方虛空。可思量不。不也。世尊。

須菩提啊，你的意思怎麼說呢？東方虛空，一直向東方走，這個太空有多大？你可不可以測量得出來？須菩提回答說：不也。世尊。四個字兩句話，這是須菩提答覆佛說的。「不也。」古文就唸否，不唸不也。現在人唸成不也。現在很多話與我們文化不合，漲價的漲字，現在人說成膨脹的脹，說起來道理也通啦！漲價當然就是膨脹起來，潮水上漲，不是潮水上脹，不過現在的國語沒有辦法，我們只好照現在的國語說。他答覆佛的問話是說：不可以，世尊。由這裡向東方走，整個的太空有多大，人是沒有辦法測量的。

須菩提。南西北方。四維上下。虛空可思量不。不也。世尊。

南西北方是三方，加上他講過的東方，東南西北叫四維，四維以外還有上下。佛問南西北方，四維上下，虛空，隨便向那一方，整個的太空有多大？你能不能量得到？須菩提回答說：不也。世尊。他說這是不可能的。如果用我們中文來說就很簡單：「六合虛空，可思量不？」東南西北上下叫做六合，「六合虛空，可思量不？不也。世尊。」一句話就完了嘛！可是印度話分兩句，兩句還是鳩摩羅什法師簡化的翻譯，如照老式翻譯就是「於意云何。東方虛空可思量不。不也。世尊。」「於意云何。南方虛空可思量不。不也。世尊。」「於意云何。西方虛空可思量不。不也。世尊。」六百卷的大般若經就是那麼說下去的。所以看大般若經六百卷，那眞是我的菩薩我的媽呀！但是金剛經被鳩摩羅什濃縮一下，構成了另外一種文學味道。

可是你不要忘記了，這裡爲什麼先提東方虛空？這裡爲什麼不像阿彌陀經先提西方呢？藥師經、金剛經都是先提東方，講密宗的即身成就法先提北方，講大光明法只提南方不提北方。所以學佛研究佛法，這些都是問題，不要老是寫些五陰啦，十八界啦，十八空啦，那就是色不異空，空不異色，色即是空，空即是色，翻來覆去就是這一些。

東方佛西方佛

東方是所謂生氣方，所以要求長生、長壽，就要唸東方琉璃光世界藥師如來。藥師佛是東方世界的佛國，西方世界是講歸宿的，東方世界是談生法的，生生不已，所以東方文化也是生生不已！顯教的經典包涵了很多祕密的道理，要大家去參究。你們要學禪宗參話頭，這些都是話頭，話頭都在經典上。如果你以為自己已懂了，光以為東南西北，很簡單，為什麼不南東北西呀？這裡為什麼先提出來東方？先講了東方，再講南西北方，四維上下反而落在最後，什麼理由？這其中要發揮起來，就牽涉得很多了，同我們修持的道理都有關係。

我們大家要學佛修持，先要有東方的生機，生命之機，氣脈發動，色身轉變，才能得定，才能得到妙樂。代表這個的符號，在方位上是東方，是所謂生氣方，像太陽一樣，從東方上來。

為什麼唸阿彌陀經要唸西方？日落西山，夕陽無限好，只是近黃昏，所以趕快打主意，回家吧！念念西方。這些並不是偶然的說一說，佛學裡頭，這些地方都有道理。

須菩提。菩薩無住相布施。福德亦復如是。不可思量。須菩提。菩薩但應如所教住。

這是佛嚴重的吩咐，他又告訴須菩提，一個學佛的人，要能夠做到無相布施，一切相不住。爲什麼人要布施、要慈悲呢？拿中國古文來講，就是「義所當爲」四個字，人生就應該這樣做。利人、助人、慈悲，這樣不住相的布施，他所得的福德果報，大得像虛空一樣不可思量。須菩提啊，你要記住啊！一個學大乘菩薩道的人，應該如我所教你的，無所住去用心修行，那才是眞修行。有些人一天到晚愁眉苦臉，住在愁眉苦臉的當然不對，一天到晚在散漫無所歸的也不對，不空也不對，要一切無所住，物來則應，過去不留，這是大乘菩薩般若道的修法。

所以禪宗五祖教六祖先看金剛經，就是走的這個法門，一切無所住，這就是大乘佛法最基礎的修法，也是最究竟的。可是有一點，大家要注意，我們看金剛經講般若，常常有一個非常嚴重的問題，就是認爲金剛經是談空。金剛經沒有一句談到空，他只拿虛空來作比方，大家認爲金剛經講空法是一個錯誤。金剛經只告訴你無所住！無所住并不是空啊！無所住，如行雲流水，你看那個流水在流，永遠不停留的過去了，但是又有來的，而一切是無所住，并沒有叫你空啊！這一點青年同學要特別注意。

在第四品中，佛告訴我們一個修行的方法，認識眞正佛法，無所住而不是放下，

「菩薩但應如所教住」，就是這樣去修。第一個要點告訴我們，眞修到無所住，就是福德成就。

我們曉得做生意要有三種資本，一種是開設的資金，二是貨賣出去貨款未收回時，還要佔一筆資金，第三筆是周轉金。學佛只要兩筆資本就夠了，比做生意划得來。那兩筆資本呢？就是智慧資糧和福德資糧。資糧就是資本，所以我們中國傳統給朋友寫匾額，寫一個福慧雙修。慧就是智慧，所以福慧雙修就是佛境界。有些人有福報，又有錢又有富貴功名，但卻沒有智慧；有些人智慧很高，窮得要死，世間福報不好，也沒得辦法。佛境界就是福德與智慧都圓滿，這叫作福慧雙修，智慧資糧圓滿了，福德資糧圓滿了，就成佛。所以大家唸經的時候，唸到皈依佛兩足尊，就是這個兩足——智慧具足，福德具足。金剛經告訴你，眞正的福德要怎樣修呢？就是不住相布施。

阿育王的沙子

佛經上記載了一個故事，佛過世百年後，印度有一個有名的阿育王，年輕的時候不信佛，中年以後開始信佛。他一生修了八萬四千個佛塔，其中有一個塔，唐朝以後飛到中國來了，不曉得因爲地震還是其他道理，這個塔懸空飛過來，落到浙江寧波的阿育王寺，這個塔裡邊是佛當時本身眞的舍利子，所以這個廟子本身也稱阿育王寺。亞歷山大東征打到印度時，碰到了阿育王，把他打回去，這是歷史上有名的故事。

阿育王的時候，有一位尊者優婆毱多，是大阿羅漢，與阿育王兩人是好朋友。你們翻開阿育王傳，佛出來托缽化緣，遇到兩個小孩在路上玩泥巴，忽然看到了佛，非常恭敬，又見佛手裡端一個缽。這時，一個孩子手裡正抓一把沙子，就說：這個供養你！佛說：善哉！善哉！另外一個也最至誠的隨喜了。於是佛就預言了，百年以後，以此功德，一個當治世的帝王，一個當輔相。阿育王就是那個供養沙子的小孩，他有供養佛的好因緣，可是他供養的是沙子，所以一生患皮膚病，皮膚發癢。

歷史上這種人很多，我們清朝末期中興名將曾國藩，功蓋一時，也是一輩子皮膚病。相傳曾國藩是大蟒蛇變的，皮膚癢抓得一片片掉下來。阿育王一生也吃這個苦頭，這個印度一代的名王，非常愛布施，蓋廟子、救濟窮人、救濟社會，結果把國庫的錢快布施光了。最後當他躺在病床上，還要布施，左右的大臣去告訴太子，你不能再讓他布施了，等你接位的時候，國庫裡一毛錢都沒有，怎麼辦？所以大家就把他的布施命令封鎖了不能下達。他知道之後心裡很難過，自己躺在病床也沒有辦法。有一天吃一個梨子，他把自己兒子等都找來說：我問你們，今天世界上，誰的威權最大？太子和首相都跪下來說：當今世上當然是大王你的威權最大了。阿育王說：耶！耶！你不要欺騙人，我是很有威權，我的威權現在只能達到半個梨子，我現在叫你們布施也做不到，這半個梨子我不吃了，你把它送到那個廟上去供養。他這麼一講，大臣沒有辦法，就用金盤子去接那半個梨子，這時那個尊者在廟子裡就知道了，打鐘打鼓，全體集合，披袈裟到山門口，迎接阿育王最後一次布施。

這位尊者接到阿育王的半個梨子，向大家宣佈這是阿育王最後一次布施，沒有辦法每個人都分到，就用最大的大鍋煮稀飯，把這個梨子丟進去，大家都跟他結緣。等到阿育王一死，這位尊者說也要走了，就圓寂了。

歷史上這些故事很多，就像道家北派丘長春一樣，成吉思汗一死，丘長春告訴徒弟們說要洗澡，跳進水池洗完了以後說，我那個朋友走了，我也要走，意思是成吉思汗死了，他也要死了。

這是講到福德，這個故事說明什麼？阿育王那一下的布施，小孩子拿的沙子，不住相的布施，的確是無心的；如果說我們大家學學阿育王，明天拿點東西到佛前供供，來生也得一個治世聖王，辦得到嗎？辦不到！因爲你是有心，是住相。小孩子拿著沙子，他看那個沙子就像黃金一樣，一念的誠意供養，所以叫做不住相布施。

周利盤陀伽的掃帚

還有個故事，是佛經上提到的周利盤陀伽的故事。佛在世時他也跟著學佛，笨得無比，豈止金剛經不會唸，連個阿彌陀佛都不會唸，佛最後就叫他唸「掃帚」兩個字。他唸了「掃」，忘了「帚」，唸了「帚」，忘了「掃」，學了好多年才會唸。可是後來他的神通最大，還救了幾次佛的命。一次佛被外道加害，魔王把山壓過來，周利盤陀伽在後面一指，就把山推開了。那個氣功眞算到家，有大神通，就是唸掃帚唸出來的。

佛經裡講到他也有一段因緣，當他要到佛那裡出家時，年紀已經很大了，我們這些師兄阿難呀，須菩提呀，舍利子呀，都擋住不准。他就在山門外面大吵，佛在裡邊打坐聽到了，出來問大家，爲什麼不讓他出家！這些大弟子們都有些神通，說觀察過這個人，五百生以來都沒有跟佛結過緣，因此無緣出家。佛就罵他們了：你們啊，就只曉得當羅漢，神通只通到五百生，五百生以前他是什麼你們知道嗎？五百生以前那一生他是一條狗，與我有緣。它跑到一個地方吃大便，那個茅廁叫做吊足樓，你們在這裡很少看到，在大陸高山上住，那個茅廁上面有人大便，大便一落一丈掉到茅廁底。所以古人有兩句詩：「板狹尿流急，坑深糞落遲。」大便要很久才落到底。這個是挖苦古代專門讀書做對子的人，連茅廁也做成對子。那隻狗到這種地方吃大便，上面大便掉下來，正好掉到牠尾巴上。那隻狗嚇得掉頭就跑，一邊跑看到一個古塔，是個有道羅漢的墓，狗看到這個古塔就要翹尾巴屙尿，尾巴一甩就把大便甩到這個羅漢的墳堆上面去了。佛說：他啊，當時就是以這個大便供養我，所以跟我結了緣。那個塔，就是那一生修到獨覺佛的骨灰塔。

想想看，那不偶然啊！狗吃大便等於我們吃紅燒肉一樣的香，那是牠的糧食。牠以最好的糧食，尾巴一甩上去，無心的，不住相的，因此啊，牠是福德無量。佛說：以此因緣，所以他可以出家。

這位老頭子跟佛出家以後，都做苦工，佛也教他修持，太笨了，都沒有辦法教會他，稍微多兩句，他就忘了。佛只好叫他去掃地！教他一邊掃，一邊唸「掃帚」，搞了好幾年，他才記住了掃帚，後來他也悟了道。

修行就像掃帚一樣，心裡頭雜念都要掃掉，無住相布施，所以無住相這一句話就是掃帚，你心裡頭什麼妄念都要掃掉。如此修持，就是如所教住，心中隨時隨地都達到空其念，不住相而住，這才是眞學佛。這是第四品，妙行無住分，我給它的偈子做結論：

第四品偈頌

形役心勞塵役人　浮生碌碌一心身
繁華過眼春風歇　來往雙丸無住輪

這一首偈子，也就是說明修行的原理，眞正修大乘的妙行，就是這樣子。

「形役心勞塵役人」，我們這個身體就是形，我們這個身體活著很可憐，大家讀過陶淵明的歸去來辭吧！講人生心爲形役。我們人都做了身體的奴役，冷起來要穿，熱起來要脫，餓了要吃，吃飽了要吃瀉藥，一天到晚爲身體忙。外境界的塵勞指揮我們，我們成爲外境物質世界的奴隸。

「浮生碌碌一心身」，中國文學講我們這個人生，又叫做浮生，水面上的一滴油一樣浮在那裡；等一下散掉就沒有我了，水還是水，所以人生如浮萍一樣漂浮在那裡。一天忙忙碌碌，就是爲了這個身體，爲了一個思想、一點念頭在忙碌，自己騙自己。

「繁華過眼春風歇」，功名富貴呀，兒孫滿堂呀，五代同堂呀，好像熱鬧得很，等於春天到，滿院百花盛開。年輕到中年這一段，唉呀，前途無量，後途無窮，覺得天上天下唯我獨尊；尤其站在十二層樓，國賓飯店，或者中央飯店那個旋轉廳一看，台北市我最大，就是那個樣子。這些繁華景象，幾十年眼睛一眨就過了。春天沒有了，百花也掉了，什麼都不屬於我了，只有什麼呢？

「來往雙丸無住輪」，兩個彈子，一個太陽，一個月亮，永遠在轉。我們死了以後，太陽月亮照樣的轉下去，這個宇宙照樣的是無量虛空，決不因爲我們死了就沒有了。所以有許多老年人感嘆，唉呀，不得了啦！現在年輕人眞不成話。我說：我以前跟你想法一樣，現在我搞通了，你不要看到年輕人亂七八糟，我跟你老兄死了以後，太陽還是照樣從東邊出來，西邊下去，他們亂七八糟的歷史啊，也是很繁華的過下去，決不會因爲你我死了以後，歷史改變了形態。所以人生要把這個道理看通，太陽、月亮，它永遠不斷的在轉，因爲它無住，不停留嘛！太陽、月亮有一秒鐘停留不轉的話，這個世界整個沒有了。

所以，我們要知道此心此念，怎樣叫做無住，並不是叫你求空，你定在一個空上，早就有所住了。金剛經並沒有告訴你是空啊！如果解釋說金剛經告訴我是空的，那你完全錯解了金剛經。第四分我給它的偈子是如此，我這些話也是隨便說著玩玩的啊！你不要信以爲眞，如果你信以爲眞，那你就有所住了。

第五品　如理實見分

須菩提。於意云何。可以身相見如來不。不也。世尊。不可以身相得見如來。何以故。如來所說身相。即非身相。佛告須菩提。凡所有相。皆是虛妄。若見諸相非相。即見如來。

非相和空

須菩提。於意云何。可以身相見如來不。不也。世尊。不可以身相得見如來。

大家要注意啊！剛才講叫我們學佛的人要不住相，不住相布施，先說明不住相的福德，這個智慧成就的功德，智慧是無比的大，無量無邊。現在進一步眞正告訴我們，怎麼樣見佛？很嚴重啊！我們大家學佛都想見到佛。他對須菩提說：須菩提，於意云何？你的意思怎麼樣？可不可以身相來看見佛呢？

佛經上說，佛有三十二相，與我們一般人不同，佛有八十種隨形好，有八十種跟隨他那種特別的身相來的好。譬如他一出來可以放光，這個我們都做不到，佛的手一張開，指頭與指頭像簾子一樣，是連著的。上次我們講過，他舌頭吐出來，可以抵到髮根，各種各樣不同，每一種相有每一種相的功德，多生累劫修來的。譬如人拿花、香來供佛，來生變漂亮人，小姐們要注意！衣冠供佛，來生不怕沒有衣服穿，而且身體健康。多拿醫藥來布施，來生一輩子不會生病。前生慳吝醫藥的布施，這一輩子多災多難多疾病，種種都是因果報應。所以佛爲什麼得到三十二相八十種好呢？這是果報來的，因爲他多生累劫都在止於至善，都在修行，所以有這個福德生相，這是講他活著的相。他的兄弟阿難，比他差一點，有三十種相好，差兩樣。翻譯經典的鳩摩羅什法師，也是三十種相好。

這裡佛說，你可不可以用有形的形相來看佛呢？這是釋迦牟尼佛問須菩提的問題。須菩提答覆世尊：「不也，世尊」，同學們注意啊！佛是不可以形相來見的，拿形相來見佛，就錯了。那麼你或許會說，廟子裡爲什麼要弄個偶像拜呢？那不是偶像啊，眞正的佛同其它許多宗教一樣，是反對拜偶像的。那爲什麼畫的佛，塑的菩薩都可以拜呢？答案是四個字「因我禮汝」。因爲我的形像存在，你起恭敬心拜下來，那個像是一個代表而已。你這一拜不是拜我，是拜了你自己，你自己得救了。任何宗教最高的道理都是一樣，不是我救了你，是你自己救了你自己。你這一念眞誠的恭敬下來，不要說畫的眞佛，就是拜一個木頭，拜一塊泥巴也罷，誠敬的一念專心，你本身就成功了，就得救了。這叫「因我禮汝」，這並不是拜我啊！佛說的，是拜你自己。你自己什麼？你的心，你的誠敬。

所以，不但不能以這個偶像認爲是見佛，即使是佛在世的時候，都不能看他肉身爲師，那是著相。有一個人著相，楞嚴經中阿難就是犯了這個錯誤。佛問阿難：你爲什麼跟我出家？阿難說我看你相貌好，又放光，決不是欲念來的。佛就罵他：你這個笨人，你著相了，是愛漂亮出家的。因此他碰到摩登伽女，有此一劫，這就是著相，所以佛說不能以身相得見如來。

何以故。如來所說身相。即非身相。

什麼理由呢？眞正那個不生不死的身，不是這個肉身，肉身還是有生死，修持到活一千年，最後還是要死。譬如說，佛教裡頭有一位禪師叫寶掌千歲，活一千年，在印度活了五百年，因爲沒有悟道，曉得將來大乘佛法要到中國，先到中國來等著。等到見了達摩祖師，又在中國活了五百年，大陸上好幾個地方都有他的廟子，名字叫寶掌和尙。像迦葉尊者留形住世，那更不講，所以，長壽的人是有，那是肉身的相，還不是不生不滅的。肉身儘管長壽，五百年還是五百年，一千年還是一千年，而永遠不生不滅的，并不是這個肉身相，而是法身。那個法身，不能拿形相來見，所以佛接著吩咐我們一句重要的話。

佛告須菩提。凡所有相。皆是虛妄。若見諸相非相。即見如來。

到了這裡，鳩摩羅什特別加重語氣，佛特別告訴須菩提，「凡所有相，皆是虛妄，若見諸相非相，即見如來。」這四句很重要，要特別注意把握住。凡是你有什麼境界，都是假的；凡是你修得出來的，不修就沒有了。你說打起坐來有境界，不打坐就沒有了；境界就是相，凡所有相，都是不實在的。

怎麼樣才見到眞正的佛呢？見到法身才是眞正與佛相見了。若見諸相都不是相，這不是講空啊！一般多解釋成空，那是亂加解釋，既然是空的，何不譯成一個空的，那該多好啊！他只說，若見諸相非相，非相是什麼？沒有給你下定論！所以一般人唸金剛經，在這裡自我下個定論，認爲是空，那是你的想法，不是佛說的；佛只說若見諸相非相，你就見到佛了，見到佛的法身了。

重點是，佛只告訴你不是相，并沒有告訴你空！道理在什麼地方呢？就是無所住。

法報化　體相用

金剛經第五品的主要中心就是四句：「凡所有相，皆是虛妄，若見諸相非相，即見如來。」金剛經中提到的四句偈，究竟是那四句？這是千年來一個大問題，因爲經文中間還有四句，最後的結論：「一切有爲法，如夢幻泡影，如露亦如電，應作如是觀。」也是四句。現在第五品首先碰到這四句偈，希望大家研究時要特別注意。現在再回到第五品，佛說不應該以身相見如來。

我們曉得在佛學裡，成佛可以得到三身，就是法身、報身、化身。因此有些廟子塑的佛像，同樣的像三尊排列在一起，代表三身；這是說過去大陸上的大廟子。唐代以後，道教興起，也同樣仿照這個情形三清排列，就是上清、太清、玉清，也是三身，這是談到宗教的情況。其實不論東方西方，一切宗教都有相當程度的互相模仿。

現在我們曉得成佛有三身，清淨是法身，圓滿是報身，千百億形像不同是化身。我們推開佛法的立場不談，專從佛學的觀念來看，法身就是本體，宇宙萬有的本體。借用現代的觀念來說，就是一切的能源。報身是所謂的現象，法身是體，所謂不可以身相見如來，就是不要把現象當作本體。至於化身，是他的變化作用。換句話說，法、報、化三身，拿哲學的觀點來看它，就是體、相、用。宇宙間一切的事物，它本身都有體相用。譬如水是體，水泡了茶，茶是它的相；做了酒，這個酒也是相，不管是酒是茶是冰淇淋，那個水的本身性質是法身，是體；同樣的一滴水，變化各種不同的現象，那是它的用。在理論上，這是我們必須先要瞭解的法、報、化三身。

在佛法裡講，修持成功的人，禪宗所謂大徹大悟，也就是金剛經上說，阿耨多羅三藐三菩提，無上正等正覺。這個悟是悟的什麼呢？是宇宙萬有生命的本體，就是法身，也就是心經上所說不生不滅，不垢不淨，不增不減。金剛經的開經偈所說：「云何得長壽，金剛不壞身。」也是指法身而言。一念不生全體現，也是指法身，法身是無相的。

至於圓滿報身，就是修持方面。前面我們也提到佛有三十二種特殊的相，有八十種隨於特殊相所生的隨形好。這個就是說，凡是成就的人，得道的人，父母所生的他這個色身就轉了，這是報身，也是肉身。爲什麼講他是報身呢？一切衆生所有的身體就是報身，一生過得非常舒服，樣樣好，享福一生，是他善報所得的報身。有人很痛苦，很艱難的過這一生，這是他過去生所種的不善之因，招致有這一生的這個報身。至於修道有所成就的人，這個報身就轉了，道家一般的觀念所講卻病延年，長生不老，就是報身轉了。報身修道完全圓滿時，整個的人脫胎換骨，就具備了一切神通。這是非常難得的事情，所以說圓滿報身非常難得。

一般道家所講的修氣、修脈，打通奇經八脈，與密宗所講的修通三脈七輪等，多半側重在修報身開始。一般所講的止觀、念佛、參禪，多半側重在修法身上著手。至於報身成就了，修到身外有身，這個肉體以外，同時有另一個身存在的，就是化身的作用了。這是大致上法報化三身的情況。

普通一般學佛的人，在理論上所走的都是法身的路線，密教號稱要三身成就，因爲三身成就的人，學佛才算眞正到家。三身成就另外一個名稱，也叫做即身成就。這個裡頭兩個字不同，即「生」成就，這一生成就、成功了，了了生死，這是即生成就，生命的生。要想即身成就啊，在理論上講，幾乎比這個即生成就還要難，需要所有的戒定慧，所有的修行，去轉化父母所生的這個四大色身。要把色身完全轉化了，才修到即身圓滿成就。

[蓮花生大士 據說佛涅槃後八年再來……]

蓮花生

西藏的密教，除了供奉釋迦牟尼佛以外，還供奉有蓮花生大士。據說蓮花生大士是釋迦牟尼佛過世八年再來的。他爲顯教教主時，是父母懷胎而生，可是他認爲在顯教那一世，重要修行的方法沒有講完，所以再轉身而來，成密教的教主，并由蓮花化生。

當時南印度一國國王夫婦沒有孩子，很難過，夫婦倆在御花園裡賞蓮花，忽然一朵蓮花中央，長高長大，蓮花苞中跳出來一個小孩，有血也有肉，就是蓮花生。後來他繼承王位爲太子，十八歲成就，肉體常存。過去在西藏，每年有一個全國性的護摩法會，是一個宗教儀式。護摩的意思像拜火教一樣，什麼東西都拿來燒，有些婦女自己頭髮都剪了，丟進去燒。大火繼續七天七夜，一般人都圍著火光唸蓮花生大士的咒語，往往看到他騎一匹白馬，在火光上走一圈就不見了。

據密教傳說，因爲蓮花生大士是密教的教主，不像前一生走涅槃的路子，所以騎白馬騰空而去。當他親自現身時，永遠是十八歲少年相，沒有變過，偶而會留一點小鬍子。這個就是說明報身的成就，修成而永遠存在；也就是道家長生不死的觀念，所謂與日月同休，天地同壽，這就是報身圓滿。當然，報身修成了以後，自然有化身，一切神通具足。所以，要修到即身成就，才算眞正學佛圓滿。

我們瞭解了這些理論和說法後，就知道金剛經大體上，是著重在見法身。如何見到法身？就是悟道、見道。金剛經是般若的部分，所謂般若是側重於證得實相般若，就是生命萬有無始以來的本體。報身、化身則是屬於境界般若，所以佛提出來，不可以身相見如來。金剛經這裡所講的如來，就是與一切衆生共同的生命的本來，生命的本體。所以說，我們有信仰，有虔誠是可以的，但是過份著相是不可以的；不但學佛不可以，任何一個宗教，都不可以著相。

身相的執著

以我個人的經驗，執著身相的人非常多；過份著相的人，在醫學上叫作宗教心理病，沒有辦法治療。不僅是佛教方面這類人多，所有的宗教，都有些信徒并不追求教理，只是盲目的信仰，變成宗教心理病。佛法裡一句話，就是太著相。所以金剛經翻譯成「能斷金剛般若波羅密多」，就是說是智慧的成就，不著相，不能以身相見如來就是這個意思。

很多人學禪，做各種功夫，常問：這個境界好不好？這種現象怎麼樣？千萬注意一個要點，「凡所有相，皆是虛妄」。你今天修行打坐這個境界很好，但是你要曉得，你不用功不打坐，那個境界就不好了，可見這不是道。假如盤腿道就來了，不盤腿它就變去了，這叫做修腿，不叫做修道；盤腿就有叫做得腿，不叫得道。所以借用中庸一句話，「道也者，不可須臾離也。可離，非道也。」也就是心經告訴我們，不生不滅，不垢不淨，不增不減的道理，並不因爲你去修就多一點；也並不因爲你不去修就少了一點。如果是修它就多，不修就少，那就是有增有減了，不是道體的道理。道體是不可以身相見的，所以凡所有相，皆是虛妄。

既然凡所有相，皆是虛妄，你說假使前面看到一個佛好不好呢？根據金剛經的道理，你們可以想一想，如果你眞看見一個佛站在前面，勸你趕快去檢查眼睛，一定有毛病了。也有些人或者聽到什麼聲音，或者心裡有一個特殊的靈感，一般人就去玩這個靈感了。你千萬注意！凡所有相，皆是虛妄。無上菩提是非常平實的，所以古德告訴我們，道在平常日用間。眞正的道，眞正的眞理，絕對是平常的，最高明的東西就是最平凡的，眞正的平凡，才是最高明的。做人也是這樣，最高明的人，也最平凡，平凡到極點的人就是最高明的人。老子也說過：「大智若愚」，智慧到了極點時是非常平實的。

人常常自命不凡，但是那是自命啊！自己認爲自己不凡而已。要眞正到達最平凡處，你才會體會到最高的。我常常說笑話，世界上有兩個蘋果成了人類的文化；拿西方的文化來講，一個蘋果被亞當和夏娃吃掉了，所以造出人類的歷史來，另有一個蘋果被牛頓看見了，於是把世界的文明變了一下。

其實我們北方的蘋果，我覺得比美國、日本的蘋果都好吃，我們世世代代吃蘋果，也沒有發現地心有引力，忽然被牛頓看到了蘋果落地，而發現了地心引力。蘋果很平凡，年年落地，有一個人卻在平常的道理裡頭，找出了一個不平常。譬如水蒸氣很平常，燒開水，煮飯，都有蒸氣，但是瓦特卻發明了蒸氣機。一切的事物，同一理由，在最平凡之中，就有不平凡了。

所以我們學佛學道，千萬要丟掉那些神奇，不平凡的觀念。能到達人生最平凡之處，你可以學佛了，也知道佛了。換句話說，你可以知道凡所有相，皆是虛妄，不但佛不可以得，人世間一切相也不著了。隨時不著相，就可以見到如來，見到自己自性的法身。

這是第五品的結論，非常重要，尤其對我們平常修持的人特別重要。關於第五品如理實見，我當時給它的偈語，現在還是向大家報告一下。所謂理，就是法身，形而上道就是理，報身是事，報身與化身都是事。理是哲學性的，事是功夫的，修證的，是科學性的，所以「如理實見」是見法身。

第五品偈頌

反覆叮嚀無相形　覺時戀夢夢戀醒
慈悲空灑常啼淚　沈醉心扉依舊扃

「反覆叮嚀無相形」，佛是語重心長，再三反覆的告訴我們，學佛不要著相，修道要想成道，無相無形。可是我們人呢？很可憐，所以第二句是：

「覺時戀夢夢戀醒」，這就是人生，我們經常在文學上也看到，大家都會寫，唉喲！人生如夢，你說講這個話的人，他清醒沒有？沒有清醒！不錯呀，人生如夢，他講這一句話的時候，又在說夢話了。因爲人在夢醒的時候，感覺自己很傻，嗯，剛才做了一場夢，但是他清醒了嗎？張開眼睛照樣在做夢。更有趣的是，有些人昨天夜裡做的好夢，今天他還坐在那裡想，還捨不得離開夢境，所以人生就很妙，覺時戀夢，醒了以後還貪戀那個夢。做夢的時候呢，又想自己快一點醒才好，你說究竟那一樣好？自己都搞不清楚。

譬如我們大家都唸李商隱的詩：「此情可待成追憶，只是當時已惘然」，這個就是覺時戀夢夢戀醒。另外兩句古人的名句，在文學上我們經常引用到，「當時只是平常事，過後思量倍有情」。我們人生都有過這種經驗感受，尤其回想年輕的時候，不管男朋友女朋友，所有的事情，在當時看看是很平常，過後都感覺不同。就像我們大家今天晚上坐在這裡的，很平常，如果三十年後大家回想，當年我三十年前在復青大廈樓上，我們那一班同學，唉呀，現在，都過去了，一定感嘆一番。這就是，當時只是平常事，過後思量倍有情。尤其我們老年人，想當年，怎麼樣都是好的，雖然那時鄉下衛生設備不好，蒼蠅叮在飯上面，但是我現在想想，還是那個味道好，趕趕蒼蠅挾挾菜，現在再想那個味道而不可得；當時只是蒼蠅事，過後思量也是倍有情。這就是人生，我們人生很容易欺騙了自己，這也就是覺時戀夢夢戀醒。

「慈悲空灑常啼淚」，關於衆生的迷戀，小品般若經上提到一位菩薩，名叫常啼菩薩（梵名薩陀波倫），常啼，永遠在啼，這位菩薩大概喜歡哭，就是愛哭的菩薩。他覺得衆生太笨太可憐了，害得他儘哭，所以叫做常啼菩薩。佛反覆在金剛經裡告訴我們不要著相，可是一般人不懂，慈悲空灑常啼淚。儘管常啼菩薩悲痛一切衆生爲什麼不能覺悟，可是我們一般人呢？

「沈醉心扉依舊扃」，心頭這個智慧之門永遠打不開。智慧之門打不開是自己打不開，而且永遠是緊閉著的，鎖起來的。這是我們對於第五品的結論。

第六品 正信希有分

須菩提白佛言。世尊。頗有衆生。得聞如是言說章句。生實信不。佛告須菩提。莫作是說。如來滅後。後五百歲。有持戒修福者。於此章句。能生信心。以此為實。當知是人。不於一佛二佛三四五佛而種善根。已於無量千萬佛所。種諸善根。聞是章句。乃至一念生淨信者。須菩提。如來悉知悉見。是諸衆生。得如是無量福德。何以故。是諸衆生。無復我相人相衆生相壽者相。無法相。亦無非法相。何以故。是諸衆生。若心取相。即為著我人衆生壽者。若取法相。即著我人衆生壽者。何以故。若取非法相。即著我人衆生壽者。是故不應取法。不應取非法。以是義故。如來常說。汝等比丘。知我說法。如筏喻者。法尚應捨。何況非法。

文喜和文殊

須菩提白佛言。世尊。頗有眾生。得聞如是言說章句。生實信不。

佛告須菩提。莫作是說。

這是加進來的一個問題，我們把金剛經放輕鬆一點，當作是師生問答的記錄，或者當成一個劇本，不要像唸書一樣死板，要把心扉打開一點去了解。現在佛告訴須菩提說，凡所有相，皆是虛妄，所以如果你夢中看到了佛，或者佛眞的站在雲端上，那你就著魔了；那不是眞見佛，你儘管拿石頭去丟他，拿金剛經打他，你可以說：是你說的，凡所有相皆是虛妄，若見諸相非相，即見如來，你跑來幹什麼？

當年有一個故事，一位非常有名的文喜禪師，從小出家，三十幾歲開始參禪，總不能開悟，於是他從南方三步一拜，拜到山西五臺山文殊菩薩的道場。文殊菩薩是七佛之師，智慧第一，釋迦牟尼佛和許多佛菩薩，多生累劫都是他的弟子。所以大家求智慧、想開悟，都是三步一拜去朝五臺文殊道場。也有人拜了三年兩年才拜到，爲的是要見文殊菩薩。

話說這位文喜和尚拜到了五臺山金剛窟，看見一個老頭子牽一頭牛，鬍子白白的，頭髮也是白的，請他到他的茅蓬喝茶，問他道：和尚你了不起啊！三步一拜是從那裡來的？文喜說南方來的，想求見文殊菩薩。老頭子說：南方佛教怎麼樣？他回答說：南方佛教麻麻胡胡，所以到這裡來，想求見聖人……你們北方五臺山的佛法怎麼樣？老頭子說：龍蛇混雜，凡聖同居啊！

其實整個世界人類社會，都是有聖也有魔，都是龍蛇混雜，凡聖同居。文喜問道：五臺山一共有多少出家人啊？這老頭子說：前三三與後三三。這一句話，千年來也沒人知道他講什麼？一般修道的人就講，前三三與後三三，這就是要人修氣脈呀！後面有三關，尾閭關、夾脊關、玉枕關。前面是印堂呀，守竅的靈門關，這裡是什麼關，那裡是什麼關，都是講這個。其實這個可以當話頭參，前三三與後三三就是禪宗的話頭。

那麼兩個人談到這裡，老頭子就問文喜佛法，這位文喜和尚卻答不出來；老頭子皺了一下眉頭，叫聲：均提，送客。茅蓬後面出來一個童子就說：法師，你請吧！就把和尚送出茅蓬外了。這個文喜和尚正回頭要道謝，就看到文殊菩薩騎一隻獅子站在空中。

可嘆這位文喜，千里迢迢，三步一拜要見文殊，這時才發現原來與文殊菩薩當面對談而不自知，眞是後悔莫及，痛哭流涕。以後，文喜發憤努力，終於大徹大悟。文喜悟了以後，到叢林下做苦工，就是部隊裡所稱的伙夫，大陸上禪林中就叫作飯頭。飯頭的工作很辛苦，一個廟子中千人吃飯，那個大叢林的飯桶，像我這種個子啊，站在鍋裡頭，從外面絕對看不見人。要煮一千多人吃的飯菜，所用的鍋鏟之重，如果沒有鍊過武功的人，拿都拿不動。所以少林寺學功夫，只要能燒三年飯，你武功就不得了啦！米要整袋倒進鍋去，要攪的時候，要有武功才能轉得動那個鍋鏟。文喜禪師因爲自己悟了道，願意發心爲大家做苦差事，行人所不能行，忍人所不能忍，這就是菩薩道。

有一天文喜在做飯的時候，文殊菩薩在飯鍋上現身，還是騎他那隻獅子，在飯鍋上跑圈。文喜看到文殊菩薩，就是當年在五臺山金剛窟看到的那個老頭子，他拿起鍋鏟一邊就打過去，一邊嘴裡說：文殊是文殊，文喜是文喜，你跑來這裡幹什麼？你是你，我是我。文殊菩薩的那個化身飛到空中一笑，說：「苦瓜連根苦，甜瓜徹蒂甜。修行三大劫，反被老僧嫌。」苦瓜當然連根都是苦的啦，這個甜瓜當然連那個蒂都是甜的。修行三大劫數，連釋迦牟尼佛都是做過他的學生的，倒楣了，反被老和尚討厭。這說明凡所有相，皆是虛妄，反覆叮嚀。也就是禪宗祖師們後來說的：佛來斬佛，魔來斬魔的道理，這也是修行的無上祕訣。

燒佛的和尚

所以說，諸位千萬不能著相，一著相後來都變成精神病了，這是反覆請求諸位，也是警告諸位，不能著相的道理。禪宗到了後來，有一樁丹霞燒木佛的故事。

丹霞禪師是馬祖道一的大弟子，他已經當方丈了，冬天冷起來沒有柴燒，就把大殿上木刻的佛搬下來劈了，用來烤火。當家師出來看到了，嚇得說：燒了佛，這個罪過多大！有因果啊！奇怪的是，這個當家的鬍子、眉毛當時都掉下來，脫了一層皮。佛是丹霞燒的，因果反而到了當家的身上去，這是禪宗裡頭奇怪的公案，是有名的「丹霞燒木佛，院主（就是當家和尚）落鬚眉」的公案。這些道理都說明了眞正佛法不著相的道理；所以各位用功的時候，千萬不要著相，一著相就嚴重了。

對於佛的這個說法，在第六品中，須菩提提出懷疑的問題了，他說：佛你這樣講了以後，將來有「衆生得聞如是言說章句」，聽到你這樣講，尤其金剛經這一種理論流傳到後世，「生實信不？」他們能夠相信嗎？一般人信佛都要著相，完全不著相能夠辦得到嗎？「佛告須菩提。莫作是說」，佛告訴須菩提說，你不要這樣看法，接著，佛就說預言了。

五百年後

如來滅後。後五百歲。有持戒修福者。於此章句。能生信心。以此為實。當知是人。不於一佛二佛。三四五佛。而種善根。已於無量千萬佛所。種諸善根。

這個話很嚴重，因爲講到一切無相，不著相才是佛。如果落在鬼神相，一天到晚鬧那些境界，自己走入著相的路線，自找麻煩還是小事，已經落入了魔道事大。因此須菩提提出來問佛，他說你這樣講法，後代還有人眞正懂得，能夠相信嗎？佛說你不要這樣看，當我死了以後，過五百年—爲什麼講過五百年？佛在世的時候，叫做正法時代；佛過世以後是像法時代，就是有佛像有經典的時候；到了佛經都沒有了，只有迷信的時候，叫作末法時代。所以他說，等我過世五百年後，有人眞正持戒、修福，多行善道，功德到了，他的智慧打開就可以相信這個話了。

佛說五百年後，重點是指後世，也有許多說法，針對五百年後這句話，多方研究推測論斷，在此不多作討論。

善行 功德 智慧

剛剛講到釋迦牟尼佛說，有人持戒、守戒、修福報，福報修成就了，才能得到無上智慧。一個人不要說智慧，生來能有一點聰明，都還不是一生一世的事。要想得到無上的智慧，不是求得來的，是修來的。要修一切的善行，一切的功德，才成就無上的智慧。這個智慧是悟得的，是持戒、修福而來的，守戒累積起來，加上諸惡莫作，衆善奉行的修福，才眞正得到大福報的大智慧。佛在此特別提出來，在他過世以後五百年，有持戒修福的人，才能相信他的話。

五百年後文化演變更不同了，這是一個大問題。我經常跟青年同學討論這個問題，站在物質文明的發展來說，時代愈來愈進步；站在人文、道德、精神來講，愈來愈墮落，是退步的。所以我們現在講時代進步，是站在物質文明的立場來說的；佛法是從人文的立場來看時代的。遲五百年，人的智慧變得愈來愈低，到了末法時代，人十二歲就可以生孩子，腦袋非常發達，四肢和兩手兩腳愈來愈小，人極聰明而沒有智慧，草木都可以殺人。換句話說，災難、病痛、戰爭隨時存在，這是末法的時候，現在還沒有到。

五百年後，有人眞能夠行善修福，於此章句，能生信心，對於佛經中「凡所有相，皆是虛妄。若見諸相非相，即見如來」的說法，能夠註解，眞的般若智慧才出來，這是非常難的事。一般人信仰宗教，都是注重在形式上，而且多半以有所求的心，求無所得的果。尤其我們看到廟子上拜拜的人潮，以前是十塊錢啦！現在充其量是一百塊錢，買一大堆香蕉、餅，一大把香，燒了以後又拜，拜了以後又磕頭，然後求神明保佑丈夫好、身體好、愛國獎券又中、生意發財、樣樣都好，然後還把香蕉帶回去慢慢吃。你們看！出這麼一點點本錢，那個要求多大啊！我如果是佛是神，是不會理這一套的。哼！你這個人自己都成問題嘛！花一點點本錢，要求一切都圓滿，達不到目的，還要講這個菩薩不靈，這個菩薩好當嗎？就像古人的一首詩，講這個天氣很難辦：

做天難做四月天　蠶要溫和麥要寒
出門望晴農望雨　採桑娘子望陰天

你說老天爺究竟該怎麼辦？人同天一樣更難，菩薩更是難上加難。兩家人打官司，兩邊人都燒香要幫忙，保佑他打贏，你說這菩薩究竟幫那一邊好呢？你說菩薩是看誰的香蕉多一點，豬頭大一點來決定嗎？所以啊！這些都是宗教儀式，從心理學立場來研究，這是很滑稽的。我們經常聽人家講宗教儀式的，也只好寫四個字來形容，不可理喻！不可理喻！簡直不可理喻！嘴裡沒有辦法講出來，只好說對對對，你說的差不多啦！是那個樣子，慢慢來吧！將來再說吧！那個將來再說，也許是三大劫以後才再跟你講呢！就是說你現在聽不懂，只好三大劫以後再說吧！

現在佛說這個眞理，是非常平凡而難相信的，他說後世有人對於平常的道理就是大道，信得過的要有大福報才行。這個福報不是世間的鴻福啊！所謂能生信心，可不是迷信，是理性上的正信。「以此爲實」，認爲這個是實在的眞理。佛說你要曉得，將來世界上這樣的一個人，他不止是跟過一個佛兩個佛三個佛四個佛五個佛而種的善根；這樣的人，他也不是一生一世修智慧來的！他已於「無量千萬佛所」，不知道經過多少世，在這些有成就人前面學習過！「種諸善根」，他已經做了無量的好事，種了這樣大的善根，才生出這樣大的智慧。

淨信和無所住

聞是章句。乃至一念生淨信者。須菩提。如來悉知悉見。是諸眾生。得如是無量福德。

這樣的人，聽了我剛才所說的「凡所有相，皆是虛妄，若見諸相非相，即見如來」的這個觀念，他信得過的，甚至於一念之間生出來淨信。

這個要特別注意！淨信很難啊！它不是正信，而是淨信，乾乾淨淨，空靈，什麼妄念都沒有。心境清淨到極點，心地上的淨土，能夠生出淨信。假使有這樣一個人，一個生淨信的人，他已經是悟道了，已經到達眞正無所住了，到達一念不生全體現了。金剛經開始叫你無所住，無所住就是一念不生全體現，這個才是淨信。淨信是要證得的，不是理論上瞭解。

佛說須菩提啊！我統統知道，我也親眼看見這一種人，當下已經得到無上的福德。拿現在的觀念來說，眞正得救了，得到大福報，大功德了。佛說的只是這一句話，但是我們曉得，證得這個眞理極難，達到這個智慧成就更難。

何以故。是諸眾生。無復我相人相眾生相壽者相。無法相。亦無非法相。

一個人到達了一念淨信，知道凡是有現象的都不是，而是一切無相，連無相也無。能夠這樣悟道的人，就得大福報。爲什麼？因爲此人現生已經到達了佛境界，他就是肉身佛了。爲什麼說他到達佛境界呢？因爲這個人已經到達無人相，無我相，眞正淨信了。一念放下，當然無我相，也無人相，無眾生相，無壽者相。

這個四相是非常嚴重的啊！人生一切的痛苦煩惱，都是這四相來的。從心理學上來講，四相是四個觀念，也就是人類普遍的四種現象。每個人的我相都很重，尤其知識分子「我」的意見非常重。知識分子什麼都可以忍讓，假使碰到一個有學問有修養的人，你對他說讓開一點我坐好不好？他看看你，哼！這個蠢東西，好吧！看你可憐，讓你坐。這就是我相，因爲「我」看你可憐，讓給你了；因爲看到你不懂，懶得跟你講。所以知識分子的那個我見啊，當然同我現在一樣，是很厲害的。

人，處處落在我相，我相能夠去掉就差不多了。我相去掉了，當然無相，一切平等，看一切眾生皆是佛，看天下的男女都是父母，看天下的子女都是自己的子女。能夠作得到這些就是因爲無我相，無人相，自然就作到無眾生相，平等，也無所謂壽者相；

活得長，活得短是一樣。所以生死看得很通，壽夭同視，生死一條，這是莊子的觀念，生與死是一個道理，同早晨晚上是一樣，到了晚上啊，就要休息休息，不須要覺時戀夢夢戀醒的。「相」，在外境界是現象，在心理上是觀念，主觀的觀念。

下面兩個更重要，「無法相」，一切佛法及什麼叫佛法，都把它放下了，凡所有相，皆是虛妄，一切不著相，統統放下，這個是無法相。但是你要認爲什麼都不是，一切都不是，佛也不是，不是的也不是，你又落在「是」上。什麼「是」？「非法是」，一切都否定，對不住，你又錯了，你又落在一個「對」上，這個對就是「無非法相」。換句話說，一切都不是，一切也是。

有人研究金剛經，認爲金剛經是絕對講空的，錯了，無法相，亦無非法相。換言之，認爲一切皆空也錯了，因爲一切有也是它變的。所以，楞嚴經中佛說了兩句名言，「離一切相，即一切法」。離一切相，也就是「無法相」的註解；即一切法，也就是「亦無非法相」這句話的註解。離一切相，即一切法，一切離也離。所以金剛經並不是講空，它只是說在見道的時候，見法身的時候，是「凡所有相，皆是虛妄」。當我們起而行之，修行的時候，孜孜爲善，念念爲善，是不可以空的。

禪宗大徹大悟的大師們，解釋學佛人基本的道理說：「實際理地，不著一塵。萬行門中，不捨一法。」實際理地不著一塵是講本體；萬行門中，起而行之，在行爲上是不能空的，念念都是有，諸惡莫作，衆善奉行，所以萬行門中不捨一法；樣樣都是有，不是空。這個道理，我們學佛的首先要清楚。下面再說第三重理由，它整篇裡頭，正面、反面，反覆說明，最後綜合起來產生一個結論。

何以故。是諸眾生。若心取相。即為著我人眾生壽者。若取法相。即著我人眾生壽者。

他說，什麼理由呢？假使一個人，心裡的觀念著相來學佛；譬如今天非來燒香，非來拜拜不可，就是著相。我們當學生的時候，正是破除迷信，推翻舊文化的時代，上廟子很想拜菩薩，實在不好意思，怕人笑我迷信。看看四顧無人的時候，趕快跪下去拜一下，立刻站起來表示我是不迷信的。有一次被和尙看到了，他趕快拿磬槌「咚」一敲，把我嚇壞了，怕被同學們看見笑我迷信。後來我就問這個和尙，爲什麼你要敲這個大磬呢？他說年輕人不知道，「燒香不敲磬，菩薩不相信，拜佛不放炮，菩薩不知道」。聽得眞是啼笑皆非，這也算是一本經。實際上啊！杭州的廟子又多，這樣一拜佛，他敲一聲磬，口袋裡的錢就要跳出來了，非要給一塊不可；香油錢總要拿呀，所以他這個燒香不敲磬，菩薩不相信是有道理的。

我說拜佛爲什麼要放炮？好像菩薩耳朵聾要把他吵醒才知道有人拜他。這個就是說著相，一切衆生心理上的信佛都是太著相，就是著於人相、我相、衆生相、壽者相。著相就不是佛法。有些宗教罵其它的宗教拜偶像，迷信，那麼他的正信又是什麼？他說不拜偶像，事實上還是要拜的，這就是著相了，就是取法相，還是一樣落在一個不是正信的觀念上。

何以故。若取非法相。即著我人衆生壽者。是故。不應取法。不應取非法。

這四段的反覆說明，反正你講空也不對，不是佛法，執著有也不是佛法，非空非有也不對，即空即有也不是佛法。這很難辦了，所以眞正佛法是能斷金剛般若波羅密，要想悟道，是在這個地方，是要眞智慧。

真非真

佛又很坦然告訴我們這是什麼道理，「是故。不應取法。不應取非法」。眞正學佛不應該著相，也不應該不著相。這眞是很難辦，這裡我講兩個故事，雖是笑話，但是其中有眞理。

話說孔子絕糧於陳，學生就向老師建議，向對面那個有錢人借一點米來吃吧！孔子心裡很難受，好嘛！你們堅持要這樣，你們去借吧！誰去呀？子路向來是最衝動的人，子路就去了。敲開門，那個人問，你是對面那一批落難的人嗎？你既然是孔子的學生，一定認得中國字，我寫個字給你認，認對了，不要借，送米給你們吃，不認得，就不借，有錢也不賣。他寫了一個眞假的「眞」字，子路說，這個字你還拿來考我，這是「眞」嘛！這個人把門一關說，你認不得，不借。子路吃了閉門羹，回去告訴老師，孔子說：我們到這一步，飯都吃不上的時候，你還認「眞」個什麼！不應該認「眞」了。這一句話講完，子貢說：老師呀！我去借。子貢當然比子路高明得多，又去敲門，老頭子出來又是寫這個「眞」字。子貢想到剛才子路爲了認眞吃癟了，他就說這個是「假」字，老頭子更生氣，「碰！」把門一關。子貢跑回來跟孔子一報告，孔子說：唉呀！有時候還是要認「眞」的啊！所以這個人很難做，認眞不認眞之間，很難拿準火候；所以不應取法，不應取非法，就是這個道理，就是講做人行爲。

第二個是禪宗裡頭的故事，有兩個禪師是師兄弟，都是開悟了的人，一起行腳。從前的出家人肩上揹著一根木棍子，上面一個鐵打的方方的，叫做鏟子。和尙們揹著這個方便鏟上路，第一準備隨時種植生產，帶一塊洋芋，有泥巴的地方，把洋芋切四塊埋下去，不久洋芋長出來，可以吃飯，不要化緣了。第二個用處是，路上看到死東西就把他埋掉。這兩師兄弟路上忽然看到一個死人，一個阿彌陀佛阿彌陀佛，就挖土把他埋掉；

一個卻揚長而去，看都不看。

有人去問他們的師父：你兩個徒弟都開悟了的，我在路上看到他們，兩個人表現是兩樣，究竟那個對呢？師父說：埋他的是慈悲，不埋的是解脫。因爲人死了最後都是變泥巴的，擺在上面變泥巴，擺在下面變泥巴，都是一樣，所以說，埋的是慈悲，不埋的是解脫。

我們通過這兩個故事的道理，了解金剛經告訴我們的一句話，「應無所住」，「不應取法」。不應該抓住一個佛法去修，落在某一點上，就先著了相，就錯了。你說，我什麼都不抓，所以我是眞正學佛法，你更錯了，有時候也要認眞！所以，「不應取非法」。

何處是岸

以是義故。如來常說。汝等比丘。知我說法。如筏喻者。法尚應捨。何況非法。

這一段非常重要，佛吩咐弟子們，「以是義故」，由這個平常教你們的道理，「汝等比丘」，你們這些出家跟我的一千二百人，「知我說法，如筏喻者」，我的說法像過河的船一樣。筏就是木頭綑起來過河用的木排，你既然過了河就上岸嘛！過了河還把船揹起來走嗎？沒有這樣笨的人。佛說：我的說法，都是方便，都是過河用的船，你既然上了岸，就不需要船了，所以我所說法，如筏喻者，這是個比方。「法尚應捨」，一切眞正的佛法到了最後，像過了河的船，都要丟掉。「何況非法」，何況一切不是法呢！正法，如果最後捨不乾淨，還是不能成道的，何況非正法，更不能著相了。這裡佛講得非常徹底。

佛法傳到中國，常說苦海無邊，回頭是岸。岸在那裡呢？不須要回頭啊！現在就是岸，一切當下放下，岸就在這裡。

禪宗有個公案，有一個龍湖普聞禪師，普聞是他的名字，他是唐朝僖宗太子，看破了人生，出了家到石霜慶諸禪師那裡問佛法。他說，師父啊，你告訴我一個簡單的方法，怎麼能夠悟道？這個師父說：好啊！他就立刻跪了下來：師父啊，你趕快告訴我。師父用手指一下廟子前面的山，那叫案山。依看風水的說法，前面有個很好的案山，風水就對了；像坐在辦公椅子上，前面桌子很好，就是案山好。他這個廟子，前面有個案山非常好。案山也有許多種，有的案山像筆架，是筆架山，這個家裡一定出文人的；有些是箱子一樣，一定發財的。石霜禪師說：等前面案山點頭的時候，再向你講。他聽了這一句話當時開悟了。換句話說，你等前面那個山點頭了，我會告訴你佛法，這是什麼意思？「才說點頭頭已點，案山自有點頭時」。說一聲回頭是岸，不必回頭，岸就在這裡，等你回頭已經不是岸了。

有些禪師說：放下屠刀，立地成佛。就有同學問我，我說不錯啊！可是不是你啊！你們連刀子都不敢拿，拿起來怕割破了手。拿屠刀的人是玩眞的，眞的有殺人的本事，有大魔王的本事，是一個大壞蛋，但他一念向善，放下屠刀，當然立地成佛！你們手裡連刀子都沒有，放下個什麼啊！所以我們瞭解了這個，就應該懂得金剛經告訴我們「法尚應捨，何況非法」的道理。

也許有人會說金剛經一切講空，既然空了，什麼壞事都可以做了。那可不然！善事都不可著相，何況壞事，壞事更不可以做了。下面是我當時所作有關這一品的偈子：

◈第六品偈頌◈

金雞夜半作雷鳴　好夢驚回暗猶明
悟到死生如旦暮　信知萬象一毛輕

「金雞夜半作雷鳴」，這一品佛告訴我們了生死的道理，這一句就是說，像我們睡覺一樣，一切衆生都在睡夢中，半夜聽到雞叫，把我們叫醒了。人生開悟的時候就是這樣，覺得自己從迷夢中清醒了。雖然在半夜三更迷夢中，卻被雞叫醒了；諸佛菩薩說法等於雞叫一樣，把我們叫醒了。

「好夢驚回暗猶明」，你不要以爲自己悟了，你如果有個悟的境界，你還是大混沌一個。眞正悟了的人，連悟的境界都不會存在，有一個悟的境界，你已經著法相了。所以說好夢驚回暗猶明。

「悟到死生如旦暮」，眞正的瞭解了，悟了，悟到死生如旦暮，人生出來等於天亮了，睡醒了是活著，死了呢？夜裡到了，應該去睡覺了，死生一條，沒有什麼了不起。所以中國文化素來就講，「生者寄也，死者歸也」，能夠悟到死生如旦暮，你才能夠得到正信，眞正相信了，相信什麼？

「信知萬象一毛輕」，宇宙萬有在莊子的觀念中是，「天地一指，萬物一馬。」這個天地就是這一指，整個宇宙萬有也就是這一指，就是這麼一點；萬象萬物就是這麼一馬，整個的宇宙萬有像一匹馬一樣，有馬頭，有馬尾，有馬毛，所以說宇宙萬有輕如鴻毛。現在我們瞭解了這個道理，如果我們眞懂了這一品，就懂了「法尙應捨，何況非法」。換句話說，學佛的人都想了生死，怎麼樣是眞正的了生死呢？我告訴諸位一句話：本無生死之可了，那才能夠了生死。

第七品 無得無說分

須菩提。於意云何。如來得阿耨多羅三藐三菩提耶。如來有所說法耶。須菩提言。如我解佛所說義。無有定法。名阿耨多羅三藐三菩提。亦無有定法。如來可說。何以故。如來所說法。皆不可取。不可說。非法非非法。所以者何。一切賢聖。皆以無為法。而有差別。

得什麼 說什麼

須菩提。於意云何。如來得阿耨多羅三藐三菩提耶。如來有所說法耶。

講到這裡，佛又問須菩提，你的意思怎麼樣？你認為我，一個成佛的人，得了無上正等正覺嗎？阿耨多羅三藐三菩提，用中文來講是大徹大悟，你認為成佛得道，眞正得到一個東西嗎？這是第一個問題。「如來有所說法耶」？你認為我平常在講經說法嗎？反問須菩提兩個問題。

須菩提言。如我解佛所說義。無有定法。名阿耨多羅三藐三菩提。亦無有定法。如來可說。

須菩提回答說：佛啊，很抱歉，假使根據我學佛所瞭解的道理，沒有一個定法叫做佛法。你們注意啊！「無有定法名阿耨多羅三藐三菩提」。認為唸佛才是佛法，你錯了；認為參禪才是佛法，你又錯了；認為唸咒子才是佛法，你更錯了；認為拜佛才是佛法，你更加錯了。

什麼叫做定法？佛說法等於一個大教育家的教育方法，不是呆板的方法，所謂因材施教，有時候罵人是教育，有時候獎勵人也是教育，恭維你是教育，給你難堪也是教育。反正教育法的道理，是刺激你一下，使你自己的智慧之門打開就對了，所以說無有定法。他說：據我所想，開悟，大徹大悟，沒有一個定法叫做阿耨多羅三藐三菩提，如果說有一個一定的方法成佛，有個「悟」字的話，那佛法就是在騙人了。應無所住而生其心，那裡有定法呢？

第二個問題須菩提的回答：「亦無有定法如來可說」。佛的三藏十二部，金剛經這樣講法，圓覺經那樣講法，法華經又是一套說法，楞嚴經又是它的一套。等於有人說，你們學佛的嘴巴好厲害啊！下雨出門，說是慈雲法雨，運氣好；太陽出來說慧日當空，也是好；不晴不雨呢？說慈雲普覆，反正都對。

這叫什麼？這叫「無有定法如來可說」。佛法在那裡？不一定在佛經上啊！世間法皆是佛法，金剛經下面會告訴你。所以大家不要把學佛的精神和生活與現實人生分開。本來無所謂出世，也無所謂入世。記得當年有老前輩問我：依你這個程度，爲什麼不出家呢？我說：你要搞清楚，我從來也沒有入過家。世界上那有個出？那有個入啊？不出也不入嘛！那些都是外形，都是相。

何以故。如來所說法。皆不可取。不可說。非法非非法。

大家特別注意，如來所說法，你也不可抓住！你聽了他老人家的話，認爲這樣就對，那你就上了你自己的當了。不可取，不可說，說的都是第二，都是投影，眞正那個東西說不出來的。譬如你去吃了一樣好菜，回來告訴我怎麼怎麼好，好了半天，我也覺得那眞好吃，我還是沒有吃到。他說的那麼好，百分之百的形容出來，還是第二個月亮，不是當時的好吃味道，對不對？佛法也是這樣，說得出來的，表達得出來的，已經不是它了。所以如來說法皆不可取，不可說。非法，沒有一個固定的說法。非非法，也不是沒有固定說法。

程度的差別

所以者何。一切賢聖。皆以無為法。而有差別。

「所以者何」，什麼理由呢？「一切賢聖，皆以無爲法而有差別」，佛法是這樣的偉大！這是佛法的精神，它不像其他的宗教，否定自己以外的宗教，佛法是承認一切的宗教，一切的大師，乃至到了華嚴境界，連一切的魔王邪王都對了一點。只要你教人做好事，這一點終歸是對的。所以一切賢聖，羅漢也好，菩薩也好，你也好，他也好，對於道的瞭解，只是程度上的差別而已。

耶穌的道，佛的道，穆罕默德的道，孔子的道，老子的道，哪個才是道？哪個道大一點，哪個道小一點呀？眞理只有一個，不過呢，佛經有個比方，如衆盲摸象，各執一端。瞎子來摸象，摸到了那個象耳朵，認爲象就是圓圓的；摸到尾巴的時候，象就是長長的。所以一般講衆盲摸象，各執一端，都是個人主觀的認識，以爲這個是道，那個不是道。

學佛的人不應該犯這個錯誤，要知道無有定法可說，所以眞正的佛法能包涵一切，一切賢聖，皆以無爲法而有差別。眞理只有一個，沒有兩個，不過他認識眞理的一點，認爲這一點才是對的，其它錯的，其實是他錯了。眞正到達了佛境界是包容萬象，也否定了萬象，也建立了萬象，這是佛境界。

入世出世平等

上一次我們講到第七品，我們現在再討論其中的重點。佛提出來，成了佛悟了道，也無所謂悟。假使有一個無上大道的境界，有一個無上大道的觀念，悟了道，存在心中，這已經不算道了，這是首先要瞭解的。再其次，說到佛的說法，「無有定法，如來可說」，沒有一個固定的方法。後世佛教裡有顯教，有密宗，及其他各宗各派的說法，執著了任何一種認爲是眞正的佛法，都是不對的。因爲「無有定法，如來可說。」

法華經上也說：「一切世間法，皆是佛法」，世間的一切皆是佛法。法華經上又講「一切治生產業，皆與實相不相違背。」並不一定說脫離人世間，脫離家庭，跑到深山冷廟裡專修，才是佛法。治生產業就是大家謀生！或做生意等，各種生活的方式，皆與實相不相違背，同那個基本的形而上道，並沒有違背，並沒有兩樣。這是法華經上的要點，名言。所以法華經成爲佛法的一乘法門，入世法、出世法，平等平等，它所成就的是一樣的。至於說成就的過程當中，修持方面有難易的不同而已。這也就是「無有定法，如來可說」的重點。

佛引伸這個觀念再說：「如來所說法，皆不可取，不可說。」等於佛自己把平生四十九年說法，作了一個否定。實際上，他不是否定，而是一個肯定。他所講的各種法，各種道理，不能執著，執著了他任何一句話，就不對了；所以說不可取，不可說。這樣說：我們現在來解釋金剛經，已經犯了佛這個基本大戒；就是不可取不可說。此事自己會之於心就對了，佛所說法，如果認爲有個法可得，有法可取，那就錯了；如果認爲佛說法都是空的，無法可取，更錯了，所以說非法，也非非法。

這并不是說非法就是對的，不執著就是對的，如果你說你這個人什麼都不執著，你已經執著了，執著了一個不執著，所以「非法非非法」。

聖賢之別

上次我們最後一分鐘講的：「一切賢聖皆以無為法而有差別。」我們中文的習慣，經常把賢聖兩個字倒過來，賢聖是講什麼呢？中國文化無形中有個差別，修養、學識、道德到了最高處，稱為聖人。差一點的，還在修行的路上則稱賢。佛法分的更清楚。所謂三賢十聖，修大乘菩薩道有十地，十個層次，叫做十聖，十地菩薩上面是佛。登初地之前的修養，還有三十個層次，所謂十住、十行、十迴向。修養到那個程度，沒有到達十地的果位，屬於三賢。

十聖呢？譬如說，觀音、文殊、普賢、地藏等等，這些大菩薩們，才在聖果位。這些都是分類法，是後世對修行的解釋。廣義的來舉例說明「一切賢聖皆以無為法而有差別」，譬如我們現在講一句話，教書及當學生久了的人，都有這個經驗，在課堂上講一句話，下面一百個聽的人感受的程度都不同，理解的也不同。甚至有許多話，筆記記下來，觀念都是灰色的，變樣很多。這就是說，人的智慧和理解，各有不同。也因此才有各種宗教，各種層次智慧的差別不同。

現在講第七品我的偈子：

第七品偈頌

巢空鳥跡水波紋　偶爾成章似錦雲
得失往來都不是　有無俱遣息紛紛

這也是以中國禪宗的方式，來解釋金剛經這一品，并作了一個結論。

「巢空鳥跡水波紋」，佛經上有這麼一個譬喻，說有一種鳥叫做巢空鳥，牠不棲在樹上，牠的窩在虛空中，在虛空中生蛋，在虛空中孵小鳥，歸宿也在虛空中。這個鳥永遠捉不住，來去無蹤，所以叫巢空鳥。本來鳥在虛空中飛，飛來飛去不留痕跡的，就是上一次我們引用蘇東坡的詩：應似飛鴻踏雪泥。所以巢空的鳥，在空中的足跡，永遠不留爪跡的。水上的波紋畫過了，也沒有了。水波紋是你看到的，不能說沒有東西，但是它過後就沒有了。所以這些都是「偶爾成章似錦雲」，都是偶爾構成了文章，或一幅美麗的圖畫。

禪宗祖師還有一句話：「如蟲禦木，偶爾成文」。有一隻蛀蟲咬樹的皮，忽然咬的形狀構成了花紋，使人覺得好像是鬼神在這顆樹上畫了一個符咒。其實那都是偶然撞到的，偶爾成章似錦雲，有時候也蠻好看的。這就說明一切聖賢說法，以及佛的說法，都是對機說法，這些都是偶爾成文、成章，過後一切不留。

瞭解了這個道理，再從龍樹菩薩，般若觀念，金剛經的道理，就曉得一切「得失往來都不是」。今天有一個境界，看到光啦！打坐看到菩薩啦！或者做個什麼好夢啦！夢中菩薩的指示還說了好幾天，說得高興的不得了。有時候又被夢嚇死了，要曉得一切都是偶然，緣起性空，因緣所生，本來都是沒有的。「有無俱遣息紛紛」，所以一切都放下，能夠放下，則同佛法有點相近了。但是一切放下，不是空啊！不是沒有啊！只說一切放下而已。

金剛經由第一品到第七品，差不多是一個問題連下來，就是須菩提問，學佛的人，怎麼樣使自己的心寧靜下來，心中許多的感情、思想、煩惱，怎麼樣降伏得下去？佛就答覆他，就是這樣住，就是這樣降伏他的心。後來，佛看須菩提不懂，佛又說了一句話：應無所住。叫我們善護念。

到這裡爲止，佛並沒有說，應無所住，而生其心！只是說應無所住，一切無所住。因此佛法也無所住，也無定法可說。如果說佛法就是般若，就是金剛經，或阿彌陀經，就錯了，因爲你就住在那裡了，都有所住。佛只講到應無所住，不可住，不可說。所以對各種差別的法門，也不必有所住，只要你心有所住，有所罣礙，都不是佛法。一個大問題到這裡爲止。

第八品 依法出生分

須菩提。於意云何。若人滿三千大千世界七寶。以用布施。是人所得福德。寧為多不。須菩提言。甚多。世尊。何以故。是福德。即非福德性。是故如來說福德多。若復有人。於此經中受持。乃至四句偈等。為他人說。其福勝彼。何以故。須菩提。一切諸佛。及諸佛阿耨多羅三藐三菩提法。皆從此經出。須菩提。所謂佛法者。即非佛法。

須菩提。於意云何。若人滿三千大千世界七寶。以用布施。是人所得福德。寧為多不。須菩提言。甚多。世尊。何以故。是福德。即非福德性。是故如來說福德多。

這是佛自動提出來問須菩提的問題，你的意思怎麼樣？假使有一個人，拿他充滿三千大千世界那麼多的七寶財富，金、銀、車渠、瑪瑙等等，通通布施出來，分散給人家，你說這個人的福德多不多？須菩提說：甚多，世尊。這個福報太大了。我們一般人布施人家一百塊錢，就想得好的福報，買了幾根香蕉，去燒幾根香拜拜，還想求到什麼東西，現在這個人拿三千大千世界的七寶布施，比那些什麼香蕉呀，豬頭啊，多太多了，當然得的福報很多。佛就說：何以故，什麼理由？「是福德，即非福德性。是故如來說福德多」。他說：你要曉得啊！我們講人要有福報，福報的本身無自性，也可以講它無定性。

譬如說，今天忽然冷了，一個人只穿一件汗衫出門，剛好碰到你，你怕他受涼，就把毛衣、外套脫了給他穿上。這個人眞有福氣，碰到了你。如果今天是大熱天，你再給他穿上毛衣外套呢？他非打死你不可。所以，所謂福報，在某個時候是福報，在另一個時候是痛苦，因爲這個福報的本身是無定性的。而且任何的福德、福報，只有一個時期，福氣享受過了那段時期，也是空，因爲本身無自性。

所謂無自性，就是說不是固定的，也不是永遠存在的。佛說的這個德，是福德，即非福德性。換句話說，佛有一句祕密的話沒有講出來，那就是，眞正的福報是悟道，是大智慧的成就，是超脫了現實世界而得的大成就，這個成就不是世間一切福報能夠辦得到的。所以如來說福德多，就是佛告訴你的，這樣布施的結果，福德非常的多。實際上，佛說的福德多，是教育上的一個鼓勵。

若復有人。於此經中受持。乃至四句偈等。為他人說。其福勝彼。

佛強調智慧的重要，教化的重要，教育的重要。前面講到，一個人拿一佛世界的七寶布施，這個人福報是很大。但是，假使有一個人，對金剛經有些瞭解或者四句偈瞭解了，再勸導人家，解脫了人家的煩惱，這個人的福報，比布施三千大千世界七寶的福報，還要來得大。

一切佛與金剛經

何以故。須菩提。一切諸佛。及諸佛阿耨多羅三藐三菩提法。皆從此經出。

什麼理由呢？他說我告訴你，一切諸佛，過去、現在、未來，一切成就的人，及要想智慧成就大徹大悟的諸佛，及一切佛，都是從這個經裡出來的。像這一世的釋迦牟尼佛一樣，就是在這個劫數裡頭；這一劫叫做賢劫，這個賢聖劫有一千佛出世，釋迦牟尼佛是第四位。將來第五位彌勒佛，當然還早囉！以後一直下去，有一千個佛要來。這一個佛劫裡頭，是聖賢最多的劫數。當然不能拿地球形成、冰河時期的觀念來看，這是一個宇宙觀，這個劫數的時間非常長，接近無量數的時間。

佛說一切成佛的，得大徹大悟的，像釋迦牟尼佛一樣悟道的，這個悟，是阿耨多羅三藐三菩提，是最後的大徹大悟，都是從金剛經這個裡面出來的；從般若，自己真正智慧裡頭透出來的。金剛經所講的，是智慧透出來以後的一個報告而已；眞正的佛法，都是從自我的智慧裡透露出來的。因此，也可以拿金剛經作代表，一切佛同佛的智慧，都從金剛經裡來。

佛法非佛法

須菩提。所謂佛法者。即非佛法。

你看金剛經的翻譯，眞不曉得佛說些什麼！他上面講的那麼好，多大的福報，大得不得了，但是福報還不如佛法了不起。最後佛法又被他否定了，「所謂佛法者，即非佛法」。

什麼叫佛法？悟道，悟道沒有一個東西。這裡的沒有一個東西不是斷見，沒有就是沒有。換句話說，成了佛的人告訴你，他是現在的佛，你儘管打他，這個是妖怪，不是佛。佛是無法可得，住在無相中。因爲，眞是大成就的人，絕對的謙和，謙和到非常平實，什麼都沒有。眞正的佛不認爲自己是佛，眞正的聖人，不認爲自己是聖人，所以眞正的佛法即非佛法。如果你有一個佛法的觀念存在，你已經著相了，說得好聽是著相了，不好聽是著魔了。

這就是金剛經的特點，所謂大般若經，智慧高到極點，一點痕跡不留，講過以後，馬上推翻。等於一個教育家，教育了許多人都成功了，要是他覺得自己的確是今天的大老師，他已經完了，他已經是師老了。一個眞正了不起的人，自己心中是沒有這個觀念的，他認爲度一切衆生，教化一切衆生，都是做人應該做的事情而已，做完了就過去了，心中不留。

金剛經這種句法，後世許多儒家不瞭解，像淸朝的大儒顧亭林，在日知錄上就講，叫一般學生不要看佛經，佛經沒有什麼可看的，這個東西就是一桶水，一個是滿的，一個是空桶，一下倒過來，一下倒過去，倒來倒去就是這麼一桶水。他認爲所謂佛法者，即非佛法，倒來倒去，等於沒有說嘛！

這個第八品的要點，說明佛法的重要，眞正的大福德是智慧的成就，依法出生是依到佛法而生出一切賢聖悟道的道理。說到了這裡，又引出後面一章的大問題；現在我們先給它來個結論：

◆第八品偈頌◆

錦繡乾坤似奕棋　人天福德枉成癡
原來佛法無多子　脫縛離黏說向誰

「錦繡乾坤似奕棋」，人世間最有福氣的是當皇帝，我想每一個人都想過一下這個癮。古代的皇帝多有福氣，但是我們讀了歷史以後，知道世界上最痛苦的是當皇帝。康熙皇帝自己就說過這個話，自己感覺到痛苦極了。從歷史看來，中國有多少個皇帝，叫年輕人背一背，連二十個也說不出來！叫什麼名字都不知道，只曉得叫皇帝而已。這個錦繡乾坤江山，從歷史上看來，像下棋一樣，一下輸了，一下贏了，通通過去了。「人天福德枉成癡」，梁武帝問達摩祖師，他修廟、齋僧那麼多，將來福報怎麼樣？達摩祖師就笑他：「此乃人天小果，有漏之因」。他罵這個梁武帝，你這點算什麼了不起，人天小果，你死後不過升天而已，天人享福完了，照樣會墮落。人天小果，有漏之因，就是有限度的福報，不是無漏之果，無漏是永遠沒有缺點。所以說，人做了好事，他生來世做帝王將相，升官發財，功名富貴，世間的福報很好，但是智慧喪失了。

禪宗有一個故事，有一位大師，叫潙山禪師，是禪宗五家宗派裡的一位開山祖師，潙山仰山是佛教潙仰宗。潙山禪師三世為皇帝，幾乎喪失了神通，失掉了智慧，迷糊了，所以他不幹了；這個神通不是說千里眼，或者會飛之類，而是智慧。智慧是大神通，他幾乎喪失了這個悟道的智慧，如果學佛為了求福報而學，求來生怎麼樣而學，不錯，是有這個事，但不是徹底的，所以說人天福德枉成癡。

「原來佛法無多子」，這是禪宗的話，臨濟禪師悟道以後說：原來佛法是這個樣子，無多子。實際上這三個字，是當時的土話；用現在話來講，無多子就是這麼一點點東西，沒有什麼多的。

「脫縛離黏說向誰」，佛法的目的是什麼呢？我們被人世間一切的煩惱感情綑縛著，要解脫三界的情慾、煩惱、妄想，脫開了一切的黏縛，回到自己本來的面目，這就是佛法的究竟。所以佛法講了半天，三藏十二部，都是為了這個，要把那些黏著的、綑著的，都徹底解脫了，這就是佛法的精要。

第九品 一相無相分

須菩提。於意云何。須陀洹。能作是念。我得須陀洹果不。須菩提言。不也。世尊。何以故。須陀洹。名為入流。而無所入。不入色聲香味觸法。是名須陀洹。須菩提。於意云何。斯陀含能作是念。我得斯陀含果不。須菩提言。不也。世尊。何以故。斯陀含。名一往來。而實無往來。是名斯陀含。須菩提。於意云何。阿那含能作是念。我得阿那含果不。須菩提言。不也。世尊。何以故。阿那含。名為不來。而實無不來。是故名阿那含。須菩提。於意云何。阿羅漢能作是念。我得阿羅漢道不。須菩提言。不也。世尊。何以故。實無有法。名阿羅漢。世尊。若阿羅漢作是念。我得阿羅漢道。即為著我人衆生壽者。世尊。佛說我得無諍三昧。人中最為第一。是第一離欲阿羅漢。世尊。我不作是念。我是離欲阿羅漢。世尊。我若作是念。我得阿羅漢道。世尊。則不說須菩提。是樂阿蘭那行者。以須菩提實無所行。而名須菩提。是樂阿蘭那行。

在我們開始講第九品之前，先來解決幾個問題。

見思惑

我們都曉得佛學分成大乘小乘，嚴格的講，小乘裡頭又分兩個；一個是小乘，另一個比小乘高一點，普通我們叫它中乘。小乘又叫聲聞，比聲聞高一點叫獨覺，也叫緣覺。

像阿難、須菩提等，在佛的弟子裡只能算是聲聞，再高一點就是獨覺佛，獨覺佛又叫做辟支佛，辟支是梵音。

獨覺就算生在沒有佛沒有文化，甚至沒有佛教的世界，他自己也能開悟；雖不算大徹大悟，可是還是作一個了不起的超現實的聖人，這個屬於獨覺，也叫做緣覺，仍屬於小乘。

所謂小乘，目的是先求自了，先求跳出世界，避免入世。小乘又分四果羅漢，果是果位。初果羅漢叫須陀洹，二果羅漢叫斯陀含，這都是梵文譯音。三果羅漢叫阿那含。四果羅漢叫阿羅漢。羅漢不一定是出家人，無論在家、出家，修行到一定的程度，都可以成羅漢。不過佛在世的時候，證得羅漢果的，出家人比較多。

如何能夠修到四果呢？必須能夠斷掉了見惑、思惑。

「見惑」有五個，是思想上，學問上，觀念上的問題；就是「身見」、「邊見」、「見取見」、「邪見」、「戒禁取見」。許多宗教家、哲學家、大學問家，都脫不了見惑的範圍；或者落在身見，或者落在邊見，思想學問愈高的人，這個五見愈厲害。邪見、戒禁取見，多數是屬於宗教信仰方面的，認爲非這樣不可，初一十五非拜拜不可，否則就犯戒了。有些教一定要吃什麼東西才行，這些都屬於戒禁取見。見取見是說自己的心得修養，譬如有人打坐修行有了境界，或者見光了，認爲這個光才是道，你沒有得到光就沒有道，這就落在見取見上，都是思想觀念的問題。

「思惑」也有五個，就是貪、瞋、癡、慢、疑，這也是人性，是一個人與生俱來的。什麼是貪？貪名、貪利、貪感情、放不下，貪這個世界上的一切，都是屬於貪。

我們舉一個佛門裡的例子來說明，有一位法師一輩子做好事、做功德、蓋廟子、講經說法，自己雖沒有打坐、修行，可是他功德太大。年紀大了，就看到兩個小鬼來捉他，那個鬼在閻王那裡拿了拘票，還帶個刑具手銬。這個法師說：我們打個商量好不好？我出家一輩子，只做了功德，沒有修持，你給我七天假，七天打坐修成功了，先度你們兩個，再度你們老闆，閻王我也去度他。那兩個小鬼被他說動了，就答應了。這個法師以他平常的德行，一上座就萬念放下了，廟子也不修了，什麼也不幹了，三天以後，無我相，無人相，無衆生相，什麼都沒有，就是一片光明。這兩個小鬼第七天來了，看見一片光明卻找不到他了。完了，上當了！這兩個小鬼說：大和尚你總要慈悲呀！說話要有信用，你說要度我們兩個，不然我們回到地獄去要坐牢啊！法師入定了，沒有聽見，也不管。兩個小鬼就商量，怎麼辦呢？只見這個光裡還有一絲黑影。有辦法了！這個和尚還有一點不了道，還有一點烏的，那是不了之處。

因爲這位和尚功德大，皇帝聘他爲國師，送給他一個紫金缽盂，和金縷袈裟。這個法師什麼都無所謂，但很喜歡這個紫金缽盂，連打坐也端在手上，萬緣放下，只有缽盂還拿著。兩個小鬼看出來了，他什麼都沒有了，只這一點貪還在。於是兩個小鬼就變老鼠，去咬這個缽盂，卡啦卡啦一咬，和尚動念了，一動念光沒有了，就現出身來，他倆立刻把手銬銬上。和尚很奇怪，以爲自己沒有得道，小鬼就說明經過，和尚聽了，把紫金缽卡啦往地上一摔，好了！我跟你們一起見閻王去吧！這麼一下子，兩個小鬼也開悟了。就是這麼一件故事，說明除貪之難。

有一位朋友來談，他什麼都不要，現在住在山上，最喜歡他那個茅蓬，那個清風明月。我說：你眞了不起，快要證道了，當心啊！還要被老鼠咬。貪一個茅蓬也是貪，眞修行是修這個，不要以爲打坐氣脈通了，眼睛放光，以爲那個是道，那個不是的！道在心念！在這個「思」念裡頭，這個東西叫思惑，在思想觀念裡頭，這一點解不開是不行的。知識分子喜歡看書，照樣是這一念，貪戀於書也是貪，不要認爲這個不是貪，沒有那一點不是貪，貪是人性根本，範圍是非常非常廣泛的。

有人自認不貪，什麼都不要，年紀大了，功名富貴看通了。信不信？真來個功名富貴擺在他前面，他照樣的去了。

誰不瞋 誰不癡慢疑

再說「瞋」，瞋心瞋念，大家以為自己都沒有，脾氣大，當然是瞋念，恨人、殺人、怨天尤人，都是瞋，是非分明也是瞋。或者你說什麼都不會生氣，就是愛乾淨，看到不乾淨受不了，也是瞋，一念的瞋就是厭惡。你念佛啊！打坐啊！你念的再好，如果這個思惑，這個心理行為一點沒有轉變，免談學佛。這是真正的佛法啊！不管你是念佛的、參禪的、密宗的，隨便你什麼宗，你說天宗都沒有用，必須要斷這個思惑。

「癡」就更不要說了，大家都癡，癡癡呆呆，每一個人都癡。我有兩個好朋友，交往二十多年，都跟我在一起學佛。我告訴他說你差不多了，兒女都出國得博士了，也都結婚了，不過麼，我對這位朋友太太講，將來生了孫子你又去忙了。她說不會不會，老師啊！那個時候一定完全跟你學佛了。結果呢！兩老在家裡沒有事，唉呀！把外孫從美國接過來玩玩吧！照樣癡起來。這還算很普通的，癡心有很多很多種，紅樓夢上林黛玉葬花，那個是癡到極點了，所以貪瞋癡，普通佛經上講三毒，就是使我們不能悟道，不能超凡入聖的三毒。

「慢」叫做我慢，就是自我的崇拜，自我的崇高。我們大家檢查一下，人最佩服的就是自己，每個人都佩服自己。至於阿Q精神，沒有辦法跟人家打，不要緊，自認還是老子。所以人最崇拜的就是自己，這個叫慢。

「疑」就更難了，佛學再研究下來，瞭解人性，人根本不會相信別人，因爲有我，有我慢，所以人對一切眞理都不信。譬如說，很多宗教徒，佛教的，基督教的，信什麼教都不管，他跪下去拜拜，菩薩你保佑我，上帝你保佑我，你說他相信了沒有？拜下去以後，心想，唉！不曉得靈不靈！都在疑。沒有一個會眞正絕對信的人。所以貪、瞋、癡、慢、疑這五樣，是思惑，思想上根本障道，不能解脫。學佛是求解脫，能解脫一樣已經是了不起了，五樣都解脫了，才能夠證到四果羅漢。

前面講到四果的證果，就是我們學佛的重點；學佛先不談大乘，大乘是以小乘爲基礎的，小乘都做不到，大乘大不起來。

話說再來人

初果羅漢叫須陀洹，中文的意思是預流果，斷了五個見惑，但是，根本思惑還沒有解脫，因爲餘習未斷，所以要七還人間。餘情是剩餘下來的情感，斷不了的，還是要七還人間才能了。如果七還人間時，不曉得再進修，還是會後退的。

修到了預流果的人，死後不到這個地球上來了，而昇天去了。在天上的一輩子，比我們地球上長得多，天上的生命結束了再來做人，這一種人稱爲再來人。當然再來人不曉得是男人還是女人，是漂亮或不漂亮，是大富貴或者是窮苦，都不一定的，這個帳很難算，電腦也算不清。他們是來世間受報的，因爲有些帳沒有還，要來還帳，七還人間，生了死，死了生。

所以，依我看來，社會上很多都是再來人，當然在座之中也許很多，不過自己不知道罷了。須陀洹再來人間，就是還債，自己也不知道。假使自己能夠知道，就已經不是初果羅漢了，一下就超過去了。

不來行嗎

到了二果斯陀含，是一還果了，思惑的根根拔出來一點，死後再來一次世間，把所有的債務清了，可以到另外清淨的地方去，也只能算是暫時請假，還非究竟。

三果阿那含叫做不還果，不回到人世間來了，直接從天上證四果入涅槃。佛經上說，他們涅槃的時候有幾句話：「我生已盡，梵行已立，所作已辦，不受後有。」梵行已立，我生已盡，清淨修行的，不一定得道啊！天人清淨境界的修行，已經建立得到了。所作已辦，欠債還錢，債務都沒有了。不受後有，不再來了。有些經典上用四個字形容，「長揖世間」，向人世間作個揖，大家再見，不再來了，這個叫不還果，三果羅漢。有許多朋友學佛修道說人好苦啊！想這一輩子修成功了，不再來。有那麼容易嗎？不再來要修到三果羅漢才行，才能長揖世間。要到四果阿羅漢的果位，才算在這個世間成就。

阿羅漢是譯音，阿是無的意思，阿羅漢就是無生，永遠沒有煩惱，沒有魔障，心中之賊拔去了，此心永遠清淨、光明，這是阿羅漢果。這四個羅漢果位，包括了三界的天人。

三界的天人

初果、二果羅漢死後不來，就暫時昇天去了，昇的不是色界天，而是欲界天。我們中國人講的三十三天，是欲界天的一個中心而已。這一層天的中心并沒有離開日月系統；所謂欲界是指生命由男女情愛結合而延續的。不但人是如此，任何的生物都是由兩性雌雄的關係而來，因爲有愛有欲，所以稱爲欲界。欲界裡的天人地位比我們高，譬如普通民間拜神拜仙啊，稱所拜的神、仙是菩薩，這些都是欲界天天神的境界。初果羅漢死後往生，是上不了色界天的，只是昇到欲界天而已；因爲他只斷了一部分的情，而且這個情是壓下去的，欲的根未盡，所以仍在欲界天。

有些人的表現，可以看出來是天人中的人，他的情緒與一般人不一樣，他一無所好，或者只喜歡種種花啦！爬爬山啦！對人世間的一切很淡泊。他對人世間雖淡泊，但對於山水花鳥還留情，所以還是欲界，只是他已經昇華多了。

到了三果，才能夠昇到色界天，色界天的最高處「大自在天」，佛經中又叫「有頂天」，好像天頂有蓋一樣。佛經中說，假使從有頂天丟一塊石頭，佛說要十二萬億年才能到我們這個地方。換句話說，欲界天還在這個銀河系統，色界天已經超出銀河系統了。

再上層是無色界天，那就難爬了，大阿羅漢可以到。大阿羅漢差別很大，譬如須菩提、阿難、迦葉尊者，有時也稱大阿羅漢。嚴格講起來，釋迦牟尼佛也是大阿羅漢，不過，他這個大阿羅漢就大了，大到叫如來了，所以到達大阿羅漢的境界很難很難。我常鼓勵愛寫小說的青年同學們，可以寫一本三界中的婚姻故事，一定暢銷；譬如欲界人道小孩出生是從女性下生的，到了色界天，有的是從男人肩膀上生，從坐膝邊上裂出來的，色界天人只有光色，無色界裡的天人，連形像都沒有了。

我們的老祖宗，不是吃了蘋果變的，不是什麼細菌變的，而是色界「光音天」的天人下來的。大概他們科學很發達，到太空來探險，他們一身有光，又不要吃東西，飛來飛去。可是有一次嚐了一下地味，大概是鹽巴，吃了以後身體變重了，飛不起來，所以就留下來了。這就是這個地球上人種的開始。光音天的人又是色界裡下來的，至於色界的人種從那裡來，佛說不可說，那就要推到原人論去了。這些都是大問題，佛經裡頭這些問題多得很，現在我們不要扯遠了，回轉來只談我們現在做人的修養；一個人要把心中的貪瞋癡慢疑洗刷乾淨，平等，慈悲，愛一切世人，設法除掉見思兩惑。

解結去惑

三界的見思兩惑叫做八十八結使，欲界裡最多，像八十八個疙瘩，結在一起。能夠修行解開一兩個，那已經不得了了，臉上放光了，能夠解開四五個，連頭髮都會發亮呢！所以眞正講修行，就是解開結使，轉變自己心理的行爲。心理行爲轉變了，進一步能夠把智慧開發，斷了思想上、見解上的偏見，才叫做解脫。學佛修行，不論大乘小乘，都是五個程序，戒、定、慧、解脫、解脫知見。

爲什麼要持戒呢？那是要使自己心中的結使不再與外界連起來，不再打結了，不准外面打進來，自己也不想打出去。但是持戒就要定力，所以要修定，打坐不過是修定的一種方法而已！眞正修定要隨時都在定，心中凝住在一點，止於至善，固定在善的一點上，這時，八十八結使還沒有動搖，要到達智慧發起了，結使才開始有一點點動搖；等到解脫了幾個結使，才解脫了思惑。

知見又不同了，見是看到，看到慧，見到性空緣起眞正空性的一面，性空緣起翻過來是緣起性空。

所以說佛法各宗各派，認爲只有修中觀才對，或修什麼才對的，對不起，你都困在五見裡的見取見了。主觀認爲只有這個才對，你已經被它束縛住了。所以，要把這一切解脫了，才能叫做學佛。

花了好大的力氣，報告到這裡爲止。現在我們回過來看金剛經，這一節就是講這個問題。

初果的羅漢

須菩提。於意云何。須陀洹。能作是念。我得須陀洹果不。須菩提言。不也。世尊。

佛又問須菩提，你的意思怎麼樣？「須陀洹能作是念」，一個修道的初果羅漢，心裡能不能有已經得須陀洹果的念頭？這個意思是一個悟道的人，能不能逢人便說他已經悟道了？如果眞有人如此，大家不把他送瘋人院才怪。一個聖人，或有學問的人，處處掛個招牌，說自己是有學問的人，這不是瘋子嗎？中國人的老話：學問深時意氣平。學問到家的人，意氣都很平和了，何況果位上的羅漢！所以，須菩提聽了佛的問話，就說那不可能的。

何以故。須陀洹。名為入流。而無所入。不入色聲香味觸法。是名須陀洹。

須陀洹就是預流果，預流就是入流，入什麼流呢？入到聖人之流了，已經站到聖人隊伍裡去了；也可以說，他所悟的道已經入法性之流了。法性不是人性，人性是醜陋的一面，等於說，我們人性是這一面，法性是那一面，他已經由普通的縱慾、情感、愛欲解脫出來，進入清淨的法性一面了。

佛說，怎麼樣能夠達到初果羅漢呢？佛在這裡已經講到功夫了，剛才是講原則；所謂的入流，反而無所入。換言之，他證到空的境界，就是緣起不起了，緣起性空了，也就是證到了性空，念念都是空的境界。

所以說他不入色，眼睛視而不見，一切人、形像、青山綠水看著都很好，都無所謂了。普通人一看到好，結使就來，被好捉住了；初果羅漢不會被好境界捉走，此心歸到平淡，沒有事。不入色、聲、香、味、觸、法，這是什麼境界？這就是應無所住，這就是眞的無所住。修養到在人世間作人、作事，利益一切人，一切都不住，心中都不留，甚至做了無量的功德，過了就過了，能夠隨時如此，打坐也好，不打坐也好，都是這個境界，這才算接近初果羅漢。

有一個年輕同學，過去也問過我，他說：老師啊，像我們現在打坐用功，經常楞住了，楞在那裡，好像看不看都沒有相干，這是不是入到預流果啊？我說差不多啦！入到芒果那裡去了，茫茫然，那是楞住了，那並不是不入色聲香味觸法。

你不要看這是楞住了，這也是有一點道理，只不過，這是他用功過程中的現象而已！如果認爲這樣就是入了預流果，那就不對了。有人修行用功，有時菜飯吃到嘴裡是什麼味道也不曉得，你說眞的不曉得味道嗎？又不是，他味道也知道，只是感受上沒有那麼強烈，比較平淡而已！眞正學佛用功，會到達這個境界的，可惜不能持久！而且都是瞎貓撞到死老鼠，偶然來一下，過兩天就沒有了。不要說我們是如此，連大阿羅漢們也不行啊！維摩經上都有，像迦葉尊者，及佛在世的一些大阿羅漢們，都難完全到達不入色聲香味觸法的境界。

迦葉起舞　畢陵慢心

迦葉尊者定力之高是有名的，出家前，與太太兩人同修，約好假結婚，房間裡一個柱子爲界，各住一邊，有夫婦之名，無夫婦之實，後來帶著太太一同出家。像他這樣高定力的人，卻當天樂鳴空時，習氣深處貪愛音樂的根本發起了，他一邊閉眼盤腿打坐，一邊不自覺的打拍子，搖了起來，坐在那裡跳舞。這是什麼道理呢？這就是維摩經上所講，餘習未除。所以維摩經有天女散花的描述，天女把花撒下來，落在大阿羅漢身上就沾住了，落到大菩薩身上，沾不住就掉下來了。維摩居士說，一切大阿羅漢，八十八結使斷了，但是餘習未除，剩餘那個根根的一點習慣還沒有斷除，這就叫餘習未除。大阿羅漢尚且如此，何況我們平常人！

另外還有一個例子，佛的弟子畢陵伽婆蹉，他已經是羅漢了，功夫很高又有神通。據佛經上說，有一天他要過河，那河的管轄權屬於一個女河神，畢陵伽婆蹉站在河邊，兩手一比，叫道：丫頭，你把那個水斷了，我要過去。女河神沒辦法，功力不及他，只好把水斷了讓他過去。事後這個女河神就來向佛告狀，說你的大弟子還罵人！脾氣那麼大，罵我丫頭。佛就笑了，把他找來對他說，過河用神通是犯戒的！犯戒還不說，你還公然罵她。畢陵伽婆蹉說：佛啊，這很冤枉，丫頭，你講，我罵過你嗎？女河神說：佛啊，你看當著你的面還罵我。畢陵伽婆蹉說：你怎麼搞的？丫頭，我實在沒有罵你。佛對女河神說：你不要見怪，他五百世生婆羅門家，罵人罵慣了，結習未斷，所以這一生得了哮喘，果報還沒有還完呢？你以爲他罵你啊！他沒有罵。畢陵伽婆蹉還說：我眞的沒有罵你，丫頭，你不要難過。等於有些人罵人罵慣了，你叫他道歉，他也道歉了，可是他還再罵你一句。

所以說，得了初果羅漢，對於六根六塵不是不動心，只能說入流而已，可是心念之流還沒有空，等於石頭壓草，碰到某種環境，還是會爆發的。關於這方面，有許多資料記載，譬如蘇東坡，以及很多人，都是大修行人轉生來的，但是轉一轉生，他就忘記了。

再如明朝有名的王陽明，據有些文獻記載，就是一個老和尚轉世的。有一次王陽明來到江西一個廟子，看到一個房間鎖著，外面灰塵很厚。和尚說這個房間是不能開的，王陽明位高權重，懷疑廟子裡和尚做壞事，就下令一定要打開；進去只見一個涅槃老和尚的肉身，已經乾扁了，坐在那裡，前面掛著一塊布，上面寫了幾句話：「五十年前王守仁，開門即是閉門人。」王陽明一看就傻了，但是他一生不再談這件事。

這些都是什麼道理呢？這是說明結使問題，前面我們講到，得羅漢果的七還人間，至於變成什麼樣子的人，不一定。在四川時有位老前輩也很有名啦！他兩夫妻人很好，年輕時我很羨慕他們，我說人世間神仙眷屬就是你們，自己有別墅在山上，兩個人感情又好，子孫滿堂。他兩夫妻都學華嚴觀，太太還得過眼通。她說前生是個喇嘛，受他供養，結果修行也沒有修好，騙吃騙喝，所以這輩子變成他太太服侍他的。因爲她修劉洙源先生那個佛法要領，自己前因後果很清楚，我認爲這些都是再來人，這就是說到得預流果的道理。

說了許多的故事，大家不要聽岔開了啊！所謂故事者，即非故事。現在再歸到金剛經。

二果三果作什麼

須菩提。於意云何。斯陀含。能作是念。我得斯陀含果不。須菩提言。不也。世尊。

佛又問須菩提，關於二果羅漢一樣的問題。

何以故。斯陀含。名一往來。而實無往來。是名斯陀含。

二果羅漢，只有一次回轉人間，名義上講再來一次，等於沒有來。什麼道理呢？有許多人生死到了，過去的業債已經完了，有時候來入胎一下，在胎兒階段就流產了，就完了，這一生債算是還夠了。這是眞的啊！講的很實在，聽起來好像死無對證。有許多人跟父母的因緣很好，但是時間很短，緣也完了，他也不須要再來，你應該替他高興，他是已經成就了的人，只不過欠你這麼一點親情之債。但是你也欠他眼淚啊！你也爲他傷心哭這麼一場，帳也完了，就可以了啦！這是二果斯陀含。

須菩提。於意云何。阿那含能作是念。我得阿那含果不。

這是不還果，這一生過完就結束了，是三果了。

須菩提言。不也。世尊。何以故。阿那含。名為不來。而實無不來。是故名阿那含。

三果羅漢就高了，說不來人間，也不一定，他還是來，因爲他已經無生死可了，來也不怕，只是羅漢有隔陰之迷，投一個胎就迷掉了。到了三果以上，定力高的人可以不迷，自己知道。

我自己這些年沒有到處跑，所以也沒有聽到什麼；年輕在大陸時到處跑，聽了許多奇事。譬如我有一個四川朋友，他就告訴我記得三生的事情，他是很有名的一個名人，學問好，文章好，當然他也不輕易講這種事。到了三果的再來人，有時候他明知而不說，因爲他生死可以來去自由。有些人入胎不迷，住胎的時候迷掉了；有些人入胎住胎都不迷，出胎那一剎那迷掉了，各種情況不同，都是因爲三果羅漢定力程度的差別而產生的結果。這一品三果羅漢「名爲不來，而實無不來」，就是因爲三果羅漢生死來去比較自由的原故。

羅漢的前途

須菩提。於意云何。阿羅漢能作是念。我得阿羅漢道不。須菩提言。不也。世尊。何以故。實無有法。名阿羅漢。

講到阿那含的果位，不再來人世間這個欲界了，實際上來不來呢？還是要來；就是到了四果阿羅漢，也不是絕對的不來。大阿羅漢一定八萬四千大劫，地球形成又毀，毀了又成，但是他不出定則已，一出定怎麼辦？也只有回向大乘，由般若智慧的解脫，才能成佛。所以小乘的前途，還是要回向大乘，由小乘的聲聞，向這個大乘，才能眞正成就。也就是說，眞正四果的阿羅漢，「實無有法，名阿羅漢」，就是沒有一個具體的法證到空。如果你還有空的境界，就落在邊見了。如果說你是無邊，則又落在見取見了，這都是見地不眞。

所以眞正的空，是沒有空的境界可得。我們現在有少數的同學朋友們，打坐坐的很好，自覺進入空的境界，可是你千萬不要把空的境界，弄成只有比身體大一點點的範圍！那不是空，那是一個洞，那樣的空是落入邊見的小邊見。

為什麼人會有空的範圍而落在邊見呢？原因是智力有限，人的智力與心力有限度，所以才會產生這一種見解。所謂金剛般若波羅密經，它是沒有限度，沒有範圍的無限。最後我們看他的結論，這是須菩提講的：

世尊。若阿羅漢作是念。我得阿羅漢道。即為著我人眾生壽者。

須菩提認為，到達了阿羅漢的境界，他沒有絲毫我已證果的念頭存在。如果有這一念在，一念就是萬念，這一念就會牽連到重重疊疊，所以華嚴經稱為帝網重重。帝就是大，我們的思想、感覺、情感，像一個無比大的大網，只要一個網眼洞動一下，其它的眼洞都跟著一起動，就是所謂帝網重重。我們修持的業力，心性的業力，一念動，百千萬億念都牽動其中。說有一切有，說空一切空，就是這個道理。

所以說，大阿羅漢，如果有自覺已證到阿羅漢的境界，他的我人眾生壽者四相都有，他只能算是個貨真價實的凡夫，根本沒有得道。拿禪宗來講，如果有人說他已經「悟」了，那就是言旁口天的「誤」。有人還自認為是大徹大悟呢！當然囉！那是大錯大誤！就像一個人身上有一萬塊錢，他決不會在街上到處向人去講的，這是個普通的道理，更何況一個得道悟道的人，決不會自覺有道了。須菩提接著報告自己的心得。

世上的第一名

世尊。佛說我得無諍三昧。人中最為第一。是第一離欲阿羅漢。

須菩提說，佛說他（須菩提）已經證得了無諍三昧，一切無諍。你罵他也好，恭維他也好，你喊他是天王老子也好，他都無所謂。不是沒有聽到啊！只是他聽到心中平常的很，既無歡喜亦無悲，是非一門，一切無諍。

說到這裡，我想到老殘遊記的作者劉鶚，這個人的才華還不在老殘遊記，而是老殘遊記中桃花林遇仙的六首詩。實際上這些詩都是劉鶚自己所作，後來有人在牆壁上看到這些詩，其中有一句「回首滄桑五百年」，驚奇得不得了，等他出來的時候，那個人趕快跪下來拜，以爲他就是神仙，其實那只是劉鶚作的詩。作詩總是亂打妄語的，我作詩也是一樣；但是劉鶚的詩有時候境界很好，我們因爲講到無諍三昧，引用劉鶚的詩：

曾拜瑤池九品蓮　希夷授我指玄篇
光陰荏苒真容易　回首滄桑五百年

這一般人佛學都通得很喔！只能講他佛學很通達，修持功夫不見得。

引用維摩經的境界，這就是天花著身。佛給須菩提的評語，說他已經得到無諍三昧，但是下面一句話你注意啊！「人中最為第一」，還是人啊！是人類當中學問道德最高的。以學佛四加行來講，人中最為第一就是世第一法，做人到了最高處，道德修養都是第一名，人中最為第一。佛給他的下一個評語「是第一離欲阿羅漢」，這是講須菩提在的時候，佛給他的評語，還只能夠超出欲界，所以是離欲阿羅漢。至於能不能完全跳出三界，在當時還不一定。後來西遊記寫須菩提收孫悟空為徒的時候，那已經很高了（衆笑），但是在佛講金剛經的時候，須菩提的程度只是離欲阿羅漢，絕對無欲而已。

這個欲是廣義的，不是指男女之間情愛之欲，是指一切的欲，連修道，貪戀打坐，貪戀清淨的那個欲望，都是欲。須菩提已經空了一切的欲，所以是第一離欲阿羅漢。

世尊。我不作是念，我是離欲阿羅漢。世尊。我若作是念。我得阿羅漢道。

他說，儘管你老人家給我這樣一個評語，說我已經達到這樣一個境界，但是，他說，我絕對沒有這樣一個觀念，我不會認為我已經到達了人中第一，我更不會認為我已經得到阿羅漢道。

世尊。則不說須菩提。是樂阿蘭那行者。以須菩提實無所行。而名須菩提。是樂阿蘭那行。

這話怎麼講呢?假如佛給我這個評語,已經證到了離欲阿羅漢,是人中第一,在同學裡頭是第一,我自己想都沒有想,絲毫沒有這個觀念;假定我心裡頭有這麼一點觀念,您就不會說我是一個樂於寂靜的行者了。寂靜,就是徹底清淨的人,喜歡住山,自然就有一個寂靜的廟,廟在那裡?廟就在你心中,也就是我們經常提到古人的一首詩:

「人人自有靈山塔,好向靈山塔下修。」

這一品就是說明四果羅漢的修法,金剛經上所討論的重點在什麼地方?無所住,到了這個極果,心中還有這個得道的觀念,那就已經有所住,那就錯了。所以我給他的結論偈語是這樣的:

第九品偈頌

四果階梯著意成　由來一念最難平
兒啼黃葉飄然落　誑捏空拳大小擎

「四果階梯著意成」，羅漢有四個果位，大乘菩薩道有十地，這些是如何區分呢？其實都是見地問題，所見的範圍，所見的程度，也是一念的關係。四果這個階梯怎麼來的？是由作意而成。

「由來一念最難平」，人生學佛修道，這一念能平靜，則萬法皆空。但是這一念最難平，這一念就是當下一念，由於貪瞋癡慢疑的感受及執著，當下這一念不能平，因此所有的修持都是白費了。

「兒啼黃葉飄然落」，這是法華經上的典故。金剛經上教人不能夠執著佛的法，執著了佛法就不是眞正學佛的人。在法華經上，佛用另外的方法表達，佛說他說的法，等於指黃葉爲黃金，爲止兒啼而已。那個小孩哭了，怎麼辦呢？爲了使他不哭，順手撿了一片黃葉來逗他，這個好玩啊！這個是金子。只要把小孩哄住了，不管它是雞毛也好，樹葉也好，只要小孩不哭就行了。佛告訴我們，他講的佛法，也就是這個樣子，指黃葉爲黃金，爲止兒啼而已！其實任何一法都是黃葉，都是爲止兒啼而已。如果一念停了，黃葉就不要了。

禪宗祖師有四句話：「佛說一切法，爲度一切心。我無一切心，何用一切法。」達到這個境界就是佛，什麼參禪啊！打坐啊！念佛啊！念咒啊！觀想啊！管它白骨紅粉都可以觀；白骨觀不起來，觀紅粉，紅粉觀不起來，觀白骨。佛說一切法，爲度一切心，我無一切心，何用一切法。這是金剛經徹底的意義，佛都告訴你了，你還要求這個法，求那個法，千里迢迢從外國跑回來，非要在這裡學不可。那當然！因為你有一切心嘛！你就必須要回來求一切法。

「誑捏空拳大小擎」，佛說他說法，如空拳哄小兒。小孩子哭，你只要能使他不哭，我裡邊有糖，我給你一毛錢，實際上都沒有，都是哄那個小孩子罷了。禪宗有個祖師五祖演，編了兩個故事，說明佛法修行的道理。

小偷與越獄的人

一個是小偷的故事，大概很多人都聽過的，我們再重複一次。有一個小偷本事高強，兒子長大了，就纏著要他傳衣缽。有一天被兒子纏不過了，就答應當天夜裡帶他去偷。父子偷偷摸進了一家人家，發現房間內有個大櫃子，這個父親想辦法把鎖打開了，叫兒子進去拿東西。兒子進了櫃子，這個父親立刻把櫃門關上鎖住，并且大叫有賊啊……然後自己跑掉了。這一家人被吵醒都起來了，點起燈火到處找，有個丫頭拿著蠟燭進了房間，櫃子中的兒子情急智生，就用口技學老鼠打架，吱吱吱吵個不停。丫頭叫了起來，太太，不得了啦！小偷沒看見，櫃子裡有老鼠作窩啊！立刻拿鑰匙開鎖，這個小偷的兒子衝出來，一口氣把蠟燭吹滅，就跑掉了。跑回家中看見老子躺在那裡睡覺，兒子就把他叫醒，質問他爲什麼這樣害自己的兒子！這個父親說：你不是出來了嗎？你成功啦！衣缽傳給你啦！他說小偷無定法，只要你逃得出來，就成功了。所以五祖演第一個就告訴徒弟們，要成佛沒有定法，隨便修那一樣，自己想辦法。

有一次，五祖演對徒弟們說，佛法大乘、小乘，還來個金剛經，唉呀！不要那麼囉嗦！我告訴你們一個故事：

有一個犯人坐牢，判了無期徒刑，他想逃出監牢，就與有些同牢的難友商量，那些做小偷的都不說話；可是不久小偷慢慢挖地洞，一天挖一點，最後成功了。等到小偷逃走，這個犯人就把地洞蓋好，他自己呢！不想逃，反而跟那個看守變成好朋友。家裡送來好吃的，大家一起吃，好玩的一起玩，後來與看守人無話不談，大家放心他，曉得他不想逃。慢慢的，有一天家裡大拜拜，送來很多的蝦啊魚啊！肉啊！白蘭地酒、金門高粱、啤酒都有。他請這個牢裡的看守一起來慶祝，等到看守的人酒喝醉了，他就從看守身上把鑰匙取出來，打開自己手銬腳鐐，穿上看守人的制服，把牢門打開，他就大搖大擺的走了。

五祖演說，那個學小乘的呀！就是學那個小偷，花了很大的功力挖個地洞逃出來，逃出來以後，還很可憐的，東躲西躲。學大乘的啊，想要跳出這個世界的牢籠，要跟牢犯、閻王、看守都變成朋友才行，學大乘就是這個樣子。佛法講三界如牢獄，至於什麼方法逃出來，不論唸佛，拜佛，還是唸咒子，是密宗還是顯教，都不管，你只要有辦法出得來就行。這就是佛說無定法的道理。

無極無法以正常法為依歸，有正善為本為前題，何需理會何宗何教。蕙蓉

第十品 莊嚴淨土分

佛告須菩提。於意云何。如來昔在然燈佛所。於法有所得不。不也。世尊。如來在然燈佛所。於法實無所得。須菩提。於意云何。菩薩莊嚴佛土不。不也。世尊。何以故。莊嚴佛土者。即非莊嚴。是名莊嚴。是故須菩提。諸菩薩摩訶薩。應如是生清淨心。不應住色生心。不應住聲香味觸法生心。應無所住。而生其心。須菩提。譬如有人。身如須彌山王。於意云何。是身為大不。須菩提言。甚大。世尊。何以故。佛說非身。是名大身。

心空及第歸

現在講第十品經文之前，先講一下莊嚴淨土，這是大般若的淨土，佛的淨土，不是僅指西方極樂淨土。所謂莊嚴淨土就是一念不生全體現，是心清淨，心空，眞淨土。

說到這裡，想到禪宗丹霞祖師的一副對聯；丹霞祖師與呂純陽一樣，是唐朝人，都是去考功名，半途改去修道。這位丹霞在趕考的路上，遇到一個人與他閒談，後來對他說，看你這個人的志氣才華，何必要考功名，你到江西的考場找馬祖，可以成佛，比這個功名好。後來丹霞就去找馬祖了，這是丹霞禪師的公案。

丹霞的禪堂有一副對聯：「此是選佛場，心空及第歸」。等於說我們這個禪堂也是考場，是選佛的考場，心空就是淨土，就考取了。眞能夠空此一念就考取了，心空及第歸。學佛的究竟，就是空此一念，俗名叫做現在的現實淨土。所以佛在維摩經上說，「隨其心淨則佛土淨」，處處都是淨土，處處都是極樂世界，只要心淨就是淨土了。

金剛經的這一品，梁昭明太子給它的標題是，莊嚴淨土分。

佛告須菩提。於意云何。如來昔在然燈佛所。於法有所得不。

前面這一分是佛與須菩提的對話，討論修小乘四果羅漢的境界，討論到這裡爲止。

現在佛拿自己的經驗來談了，他說，我當年在然燈佛那裡，得了個什麼法嗎？這個「當年」很早了，不是前生的事，是很多生以前的事，第一個給佛印證的老師就是然燈佛，後來小說封神榜上寫成然燈道人。這個然燈佛是古佛，非常遠古，地球沒有形成以前那麼古。佛說他當年在然燈佛那裡修行，然燈佛給他授記印證，他得到了一個什麼東西嗎？

不也，世尊。如來在然燈佛所。於法實無所得。

須菩提說：不是的，據我的瞭解，你當時在然燈佛那裡，你眞正的境界，了無所得，一切都空，空到極點，連有所得、無所得、空的境界都沒有了。須菩提答覆到這裡，佛不講話了，第二個問題來了。

莊嚴佛土在那裡

須菩提。於意云何。菩薩莊嚴佛土不。不也。世尊。

他說我問你，你認為一切菩薩有一個另外的世界，譬如天堂，天堂外面的國土等，一個另外非常莊嚴，好看，漂亮的佛土嗎？

根據金剛經這一句，我經常對同學們說，你們可以寫一本比較宗教的書，把各個宗教描寫天堂，佛國的書，寫出來作一個比較，這些資料都有。西方人講的天堂，其中佈置都是西方式的，而且你注意，都是歐洲式的，那個神啊，空中的天使，也是歐洲形式的；印度人講的是印度形式的，中國人講的，穿的衣服是中國式的。

究竟天堂或者佛土是什麼形狀呢？那就是說，隨便你愛畫成什麼形狀就什麼形狀，反正大家都沒有去過。

所以一般人心中的佛國世界及莊嚴佛土，都是因人而異的，愛黃金的人想到的是黃金遍地；愛山水的人，一定夢到佛站在高山頂上，好清淨！好美！這叫作各如其所好，也就是楞嚴經上的四句話，「隨衆生心，應所知量，循業發現，寧有方所」。

世界上一切知識的範圍，宗教哲學的境界，都是依一般人自己的心靈造成的。隨衆生心量的大小，你那個天堂，你那個佛土，也有大小。應你所知的範圍，量的大小，佛國就有多大小。

循業發現，有些人同樣的學佛打坐，但所看到的佛都不一定，你那個佛鼻子高一點，我那個佛鼻子塌一點，總有點不同。這是什麼道理？是個人心境業力的發現不同。寧有方所，沒有一個固定的方向，沒有一個固定的心所作用，是絕對的唯心，純粹的唯心。

所以佛在這裡問，「菩薩莊嚴佛土不？」須菩提說不是的，他否認所謂的莊嚴佛土世界存在。

何以故。莊嚴佛土者。即非莊嚴。是名莊嚴。

金剛經常用這種論辯方法，所謂莊嚴佛土，只是一句形容的話；即非莊嚴，實際上不是我們想像的那種莊嚴。我們想像的莊嚴，一定是地方清淨，大家閉著眼一想啊，一定想一個什麼都沒有，空空洞洞的境界。但是這只是你想像的，有這麼一個境界相，已經是不莊嚴了。絕對的清淨，絕對的空，絕對不是你想像的，是名莊嚴，所以叫做不可思議。

這三句話，正，反，最後的綜合，告訴你畢竟的空靈，而你所講的空，想像當中的空，已經是不空了。眞正佛土的莊嚴，你沒有親自證到過，不要空洞的想。這是須菩提回答的道理。

打火機

是故須菩提。諸菩薩摩訶薩。應如是生清淨心。不應住色生心。不應住聲香味觸法生心。應無所住。而生其心。

教我們修行的方法來了，注意啊！金剛經講到這裡，就告訴我們一個修行的方法，是第二等的方法，因爲第一等的大家不懂，是沒有字的；第二等是有字的，應無所住。什麼叫無所住呢？應隨時生清淨心。譬如有人講，老師啊，這兩天修行很好呢！有清淨心。現在大家聽過金剛經，很內行了，他只要有一個清淨心，已經是所知量，範圍很有限了。

現在佛解釋什麼叫清淨心？「不應住色生心。不應住聲香味觸法生心。應無所住。而生其心。」禪宗六祖初步悟道，就是這一句話，聽到了「應無所住而生其心」就開悟了。此心本來無所住的啊！因爲你不明白此心無所住，無所住是畢竟空；有個空的境界，就不對了，就有所住了，就住在空上了，那是住法而生心，住在空法上。

所以眞正的清淨心，不是有個光，有個境界，而是不住色，不住聲香味觸法，他說眞正的修行，應無所住而生其心。應該隨時隨地無所住，坦坦然，物來則應，過去不留。用我們常談的這兩句話，勉強來描寫，就是此心無事，像個鏡子，心如明鏡臺，有境界來就照，用過了就沒有。當年我有個朋友，學佛有點心得，那個時候剛剛有打火機，人家問他，佛是什麼？他說就像個打火機一樣，卡達！用它就有，不用就沒有。

因師而瞎的眼

須菩提。譬如有人。身如須彌山王。於意云何。是身為大不。須菩提言。甚大。世尊。何以故。佛說非身。是名大身。

「譬如有人，身如須彌山王」，注意這一句話喔！須彌山王就是講法身，得到應無所住，而生其心，可以初步證到一點法身了。法身是不生不滅，不垢不淨，不增不減，所以法身也是大身，也叫做無邊身。他說你要得到應無所住而生其心啊！對佛的法身莊嚴淨土，都知道了，佛的世界，佛的淨土，就是這個樣子。他說，我再告訴你啊！假使我講一個人，身體大得像須彌山一樣，像喜馬拉雅山那麼大，胖得比崑崙山還要胖，你說他大不大？那是一個譬喻，是說法身無量無邊的大，永遠的不生不死。佛告訴他最後的結論，「佛說非身，是名大身」。擺脫了我們肉體的身見，身見就是八十八結使第一個解脫不了的疙瘩，把身見空掉了以後，就可以證得不生不死的法身。

不生不死的法身，也是一句抽象的話，佛法只有實證，你證到了以後才知道，是法不可說，不可說，凡是說的都不對，這個就是法身。所以禪宗講的悟道，第一步就是要證得這個空性的法身，身見才能夠脫掉，才可以說學禪。

這兩天你們考試的題目禪是什麼？大家答的都是牛頭不對馬嘴；禪是佛的心法，根據楞伽經，或根據金剛經，佛講得很清楚；可是大家沒有留意，隨便說要學禪，觀念、見地上都不清楚。這個見地不清楚就一錯再錯，所有的修持做功夫，走的都是歪路，因爲起步走錯了。這不能瞎搞的，不能亂玩的，所以禪宗祖師有一句話：「我眼本明，因師故瞎。」這是一個大禪師悟道後講的兩句話，因爲原來的師父指導錯誤，以致本來明亮的眼睛，等於被老師弄瞎了，看不清楚。所以那些亂七八糟的著作，與我一樣，亂搞的，經常會把人家的眼睛搞瞎了的，這一點要注意，要特別注意！

這一品莊嚴淨土，我們給它的結論偈子如下：

第十品偈頌

外我無身是大身　若留淨土即留塵
然燈吩咐莊嚴地　掛角羚羊何處尋

「外我無身是大身」，外我無身是引用老子的話，「外其身而後身存」。我們學佛修道，先把身見能夠解脫了，所以外我無身，到達了無身見的境界，那第一步的學佛，已經證得了。法身也就是大身。

「若留淨土即留塵」，你心中還有一個淨土，認爲是佛境界，這個清淨就是塵，留塵就是障礙。

「然燈吩咐莊嚴地」，佛不是說嗎？他在然燈佛那裡悟道，所以然燈佛給他授記，說他悟了，再轉身修持，將來在這個世界上成佛，作教主，說這個證道是莊嚴淨土。名辭上叫做淨土，叫心淨，叫心印，並沒有個實際的境界啊！若有個實際境界，若留淨土即留塵。所以然燈吩咐莊嚴地，就像禪宗祖師說的：「掛角羚羊何處尋」。據說羚羊睡覺的時候，把身體一翹，羊角掛在樹上就睡覺了，打獵的人不知道，在地上找這個羚羊也找不到。所以說我們一切應無所住而生其心，此心本如羚羊掛角。其實，只是譬喻而已。

譬如我們兩個鐘頭來研究金剛經，這一百二十分鐘的時間，所說的，所聽的，都是掛角羚羊何處尋，現在就在淨土中了。

第十一品 無為福勝分

須菩提。如恒河中所有沙數。如是沙等恒河。於意云何。是諸恒河沙。寧為多不。須菩提言。甚多。世尊。但諸恒河尚多無數。何況其沙。須菩提。我今實言告汝。若有善男子。善女人。以七寶滿爾所恒河沙數三千大千世界。以用布施。得福多不。須菩提言。甚多。世尊。佛告須菩提。若善男子。善女人。於此經中。乃至受持四句偈等。為他人說。而此福德。勝前福德。

不可數的福

今天金剛經說到第十一品了，是無爲福勝分。這個題目，雖然都是後世加的，但是重點都標出來了。

無爲福屬於清福之類，無爲福勝就是說清淨的福氣高過世間一切功名富貴的福氣。勝就是超過，超越的意思。

上一品講到大身的問題，就是指一切衆生的生命，肉身後面，那個形而上的那個根本的身，叫做法身，不生不死的大身。

現在就轉到福氣的問題！人要找到自己生命的本源，得到那個不生不死的大身，那是需要多大的福氣啊！這個福氣是無爲之福，這一品就是討論這個問題。

須菩提。如恆河中所有沙數。如是沙等恆河。於意云何。是諸恆河沙。寧為多不。須菩提言。甚多。世尊。但諸恆河。尚多無數。何況其沙。

恆河是印度一條主要的大河，就像中國的黃河一樣。現在佛提出來一個問題，恆河裡頭沙子有多少？數也數不清，多到沒有辦法計算，這是第一句的一個觀念。

第二個觀念，「如是沙等恆河」，還有很多條恆河，像恆河沙那麼多條的河，這是第二個觀念。「於意云何」，你的意思看看，「是諸恆河沙」，是所有這麼多條恆河裡頭的沙子，「寧爲多不」？是不是很多？「須菩提言，甚多，世尊。」須菩提就說了，世尊，佛啊！這當然很多很多啦！

佛又說：「但諸恆河，尚多無數，何況其沙。」這個世界裡，我們這個宇宙裡，在印度是看到一條恆河！在中國還有一條黃河呢！在歐洲，在其他各地，都有一條極大的河，很多像這樣的大河，還多得很。

這裡我們看到兩個觀念，第一個就是佛說的三千大千世界，佛的世界宇宙觀，每一個宇宙裡河流多少？佛經上常說，我沒有辦法告訴你，因爲你們的知識不夠，無法瞭解。過去我們聽了好像說空話，現在因爲科學的證明，就曉得他所說是老實話。

其次第二點，他就告訴須菩提，像恆河一樣的河流都多得數不清了，何況每一條河流的沙子呢？更數不清了。

須菩提，我今實言告汝。

講到這裡，他又叫一聲須菩提，我老實告訴你：

若有善男子。善女人。以七寶滿爾所恆河沙數。三千大千世界。以用布施。得福多不。

這幾句話連起來是一個問題，我現在要老實告訴你，假定現在所有世界上不管男的女的，用人世間最貴重的七寶，「滿爾所」，裝滿了你所住的這個像恆河沙數多的三千大千世界，都拿來布施給人家，救濟世界上所有的眾生，你想這個大好人，得福多不多？他所得的善報多不多？

須菩提言。甚多。世尊。

這當然太大了，這個人做了這樣的善事，這福報太大了。

受持四句偈

佛告須菩提。若善男子。善女人。於此經中。乃至受持四句偈等。為他人說。而此福德。勝前福德。

這就很嚴重了，他說假使這個世界上，有一個善人，對於金剛經的內容完全瞭解了；乃至「受持」，這兩個字特別注意啊！意思是接受了，并且照著經典上去修持。進一步說，對於金剛經的道理義理瞭解了，功夫證到了，有所領受；道理上領受沒有用，是眞的懂了佛法，身心有感受，有轉變了，這個才叫受。光是受還不算數，要永恆保持那個狀況，那個境界，所以叫做受持。

受持二字不要隨便把它看過去了，有人天天一卷金剛經，也叫受持，那是普通的，因爲唸完金剛經，你就不管了。

如果懂了經的扼要，等於吃飯吃菜一樣，最精華的營養，你已經吸收到了，用不著管那些渣子。金剛經中也講過，佛所說的法，像過河的船一樣，你已經過了河，這個船就不要了；你金剛經不唸都沒有關係，就是要你眞懂得，那才叫受持。

假使有這樣一個人，不要說受持全部的金剛經，只要中間的四句偈，能夠眞正領悟了，有所領受，而保持境界，然後再來教導別人，爲他人解說，這個人的福報，比用全宇宙財寶布施的福報還要大。這個很嚴重啊！這樣說來，那講金剛經的人，福報就大得不得了啦，大得沒有辦法裝了，連宇宙都裝不下了吧！這個福報是無爲之福，清淨的福，可不是世間的鴻福。

關於這個四句偈等，前面已經提過，是千古以來研究金剛經經常問的！因爲金剛經四句偈不止一個，經裡頭好的句子，都是四句連起來的，沒有說究竟是那個四句偈，這是一個大問題。

我們可以告訴年輕人作參考，我的話不一定對，你們諸位用自己的般若去參究。佛說過的，他說的話不算數，他的話就是醫生開的藥方，治你的病，你的病治好以後，如果你還捏著這個藥方不放，那你就變瘋子了，這是金剛經裡他自己講的。

禪宗各宗各派，經常提到一句話，要「離四句，絕百非」才能夠研究佛法。離開了四句，絕掉了百非，一切都不對，都要把它放掉。

離四句絕百非，也就是一切的否定。那四句也在金剛經上，也不在金剛經上，就是「空」「有」「即空即有」「非空非有」，這四句。世界上的事情、道理，都是相對的，正，反，不正不反，即正即反。

所以說，離四句絕百非，才是眞正受持了金剛經的要義，四句偈的道理，就是這個要義。

這一品是說明無爲福的重要，也就是說學佛修道的結果，是求無爲之果，中文翻譯叫無爲，梵文就叫涅槃，涅槃就是無爲的意思。無爲之道就是最上等的成就。

從這一點說起來，大家在那裡打坐做功夫可不是無爲啊！相反的，那是非常有爲！在那裡打坐做功夫，深怕功夫掉了，深怕境界跑了，有時候偶然來一點清淨，把清淨抓得比七寶還要牢，深怕清淨跑掉了。

有些人打坐，兩個眼睛看著地下，我在年輕的時候就過來問，你丟了什麼東西？他說沒有丟什麼呀！我說那你爲什麼老是盯在地上看，好像東西掉了一樣。

可見都在有爲之中，達不到無爲；眞達到了無爲，那就是成道的境界。

資糧

那麼，要怎麼樣才能成道呢？要依循行爲上的善行成就，福德成就，自然可以成道。所以學佛只有兩種要事，一個是智慧資糧，一個是福德資糧。譬如我們現在研究金剛經，以及所有的佛經，都是找智慧，就是儲備智慧的資糧。諸惡莫作，衆善奉行，是找福德的資糧，智慧不夠不能成道，雖有智慧，福報不夠也不能成道。

但是在這個有缺陷的世界上，沒有一個人的人生是圓滿的，假使圓滿他就早死掉了，因爲佛稱的娑婆世界，是一個缺陷的世界；所以要保留一點缺陷才好。曾國藩到晚年，也很瞭解這個道理，他自己的書房叫做求缺齋，一切太滿足了是很可怕的，希望求到一點缺陷。

因此在這個有缺陷的世界上，有福報的人沒有智慧，有智慧的人沒有福報。書讀得好的，多半是福報差一點；命運好一點的人，多半在知識上少一點，有了這一面就少掉那一面。要想什麼都歸了你，那只有成佛才行。

可是成佛求的不是這個福報，而是無爲之福，無爲之福是很難的。

現在看無爲福勝的偈子：

第十一品偈頌

萬斛珠量鬥富豪　江山無主月輪高
娑婆淚海三千界　爭入空王眼睫毛

這是我給這一品的結論，這個偈子的意思就是說，古代有錢的人用斗量珠鬥那些豪富。譬如魏晉時候，一個有名的大富豪叫石崇，家裡財產不曉得有多少，金剛鑽、珍珠都是用斗來量。有錢人家都愛跟別人比鬥自己的財產，就是「萬斛珠量鬥富豪」。在普通人眼裡，這個人福氣大，有那麼多財產；不過，有人比他還厲害，就是皇帝。如果皇帝發了脾氣的話，一概沒收，他也就沒有了，所以皇帝的福報比他還要大。

「江山無主月輪高」，但是我們看看歷史，大福報的皇帝，現在都過去了，也沒有了。這個江山世界，誰能夠做得了主啊！一代一代，一個一個都換過去了。但是幾千年前那個月亮，今天出來，明天還是出來，漢朝出來，唐朝還是出來，它管你世界上的人鬧些什麼！以帝王之富貴，也不過是一場春夢。

「娑婆淚海三千界」，可是這個世界上的衆生，對於富貴的福報，看得很重，由生追求到死，到死還不肯放手。所以，常啼菩薩永遠在哭，悲痛這個衆生的愚癡、愚蠢。這個世界叫娑婆世界，娑婆淚海啊！個個都是可憐人。

「爭入空王眼睫毛」，空王就是釋迦牟尼佛，成佛了的人稱空王。成了空王的人，眼睛這麼一眨，看一下，一切皆空；一萬年的歷史也是彈指過去了，這一切的富貴像灰塵一樣的過去了。但是，要想證到這個道果，就要超越人世間的福德，要有眞正大福報的人，才能了解金剛經的經義，有智慧成就的人，才能成佛。

由此我們可以瞭解，這一品裡所講的福德，才是眞正的福德，是智慧的福德，大智慧就是大福德，這個智慧的福德不是錢可以買的。世界上最値錢的東西也最不値錢，最値錢的東西沒有價錢，智慧絕對無價；但是智慧也一毛錢都不值，這就是佛常說的衆生顚倒。爭入空王眼睫毛，大家爭先恐後的想成佛。

第十二品 尊重正教分

復次。須菩提。隨說是經。乃至四句偈等。當知此處。一切世間天人阿修羅。皆應供養。如佛塔廟。何況有人。盡能受持讀誦。須菩提。當知是人。成就最上第一希有之法。若是經典所在之處。即為有佛。若尊重弟子。

放金剛經的地方

復次。須菩提。隨說是經。乃至四句偈等。當知此處。一切世間天人阿修羅。皆應供養。如佛塔廟。

這是佛吩咐的話，我們要特別注意。他說須菩提啊！「隨說是經」，再次告訴你，這個金剛經，乃至金剛經裡面的四句偈等，它有多大的威力呢？當這一本經放在這裡，「當知此處」，你應該要瞭解這個放經的地方，只要有這個經擺在那裡，或者經裡的四句偈放在那裡，他說不管天、鬼、神、阿修羅等，都要磕頭膜拜，就應當供養。他說這一本經，或者裡頭的四句要義，就代表了佛的塔廟，好嚴重啊！可是幾十年來用金剛經包燒餅油條的也很多呢！那個時候金剛經不是塔廟，而是燒餅油條了。

何況有人。盡能受持讀誦。須菩提。當知是人。成就最上第一希有之法。若是經典所在之處。即為有佛。若尊重弟子。

這本經典乃至四句偈在那裡一擺，就代表了釋迦牟尼佛本身在此，有那麼嚴重！一切天、人、神、魔鬼，不能不頂禮膜拜。更何況還有人能夠研究這個經典，懂了這個經典，進而修行，領受在心，保持佛的境界；乃至有人，每天唸一卷，或者一節金剛經，這個功德大得不得了，威力也大得很。

須菩提啊！我告訴你：

「當知是人成就最上第一希有之法。若是經典所在之處，即爲有佛，若尊重弟子」。你要知道啊，這個人如果能夠照樣的印出來；古代是靠寫經的，有的出家人還刺血寫經，大陸上常有人這樣寫經，不過只能拿來供養，因爲白紙上用血寫起來呈半咖啡色，并不清楚。

我年輕時皈依一位普欽大法師，他刺血寫了一部華嚴經，八十卷啊！金剛經才一卷！他寫了三年，也是八指陀頭，兩個指頭燃了供佛的。燃指供佛是用棉花包起手指，放在油裡泡，然後用火點燃供佛。要跪在那裡聲色不動，臉都不紅，所以說，不能不使人肅然起敬。後來他閒談時告訴我，血刺出來，馬上拿筆蘸去寫是不行的，因爲血會凝結成塊，所以血滴下來以後，馬上用中藥店買的白芨，一起像研墨一樣研開才能用。古人經典要靠抄寫，所以寫經的功德很大，現在是靠印刷就行了。

金剛經放在何處

佛告訴須菩提，一個人能夠喜愛金剛經，研究它又使它流通，這個人已經成功了，在這個世界上是第一等人，成就了最爲希有之法。是人中少有的了不起，成就第一希有之法。在四川、湖北經常用的一句土話，對於很久沒有來的朋友，偶然來了，稱他爲希客，難得來一次的希客。也就是稀少之稀，兩個字通用。

剛才說，這本經典所在的地方，就等於代表了佛，等於佛就在這裡，甚至代表佛的弟子們，須菩提、舍利佛、目連、迦葉等等，這個經典多嚴重啊！可是我剛才向大家報告，包油條也經常看到，就像當年我印禪宗的指月錄這本書的故事一樣。還記得是請蕭先生和好多人幫忙，印好了指月錄，但是銷不掉，有個朋友向屠宰公會推銷，一共銷了二三十部，等到後來指月錄沒有了，我就請他趕快想辦法把那些書收回來，他跑去只要到了三五部，原來他們用來包豬肉包掉了。

天下有這樣的事情！佛經拿來包豬肉，這都是現在的公案。前面說到金剛經有這麼嚴重，這麼偉大，我們現在人各一本，不知道有多少塔廟啊！

大家千萬注意！讀金剛經，讀佛經，千萬不要被文字騙過去。這本經典在這裡眞有那麼大的威力嗎？

我講一個故事，這是中國讀書人過去所講的，說易經有八卦可以驅鬼，所以有個年輕人跑到深山裡頭讀書，除了讀的書以外，特別帶了一本易經，放在枕頭下因爲怕鬼。夜裡聽到鬼叫，他就拚命拿易經出來搖，越搖鬼越叫得響，一夜嚇得半死，等到天亮跑到屋外一看，原來是窗外一條繩子，掛在樹上，夜裡大風一吹發出聲響，他當成鬼了。

所以易經連繩子都趕不跑的，一本金剛經是不是同樣的道理呢？當然也一樣。

那麼這怎麼解釋呢？這是說要變成你自己，經義在你自己心中才行。佛所說經典在的這個地方等於是塔廟，但是他沒有講是這一本印的書啊！他也沒有講在什麼地方啊！

所以我們要重複古人的偈子，這個偈子是很有道理的：「佛在心中莫浪求，靈山只在汝心頭，人人有個靈山塔，只向靈山塔下修」。佛在靈山，你不要跑去找了，靈山只在你心中，就是這個道理。

所以經典上面教你受持，這個經典在這裡等於佛，即心即佛，你眞悟到了金剛般若波羅密多是智慧的成就，悟道了，你這個心地的本處就是佛，就是佛的塔廟，一切天人、阿修羅，沒有不皈依，不供養的，道理就是這個。

現在我們給它的偈語：

◆第十二品偈頌◆

天人針砭一言師　尊敬方知無可疑
涕淚感恩拜未了　萬緣放卻袛低眉

這個偈語給它的結論，也沒有什麼，只是一種禮拜，一種感慨。說到眞正的佛法，這一段話就是佛法，你要想開悟，就在這一品。

這其中的道理就告訴我們，作人作事就是一個恭敬的敬，就是儒家所講的敬。一個人能夠敬己，然後才可以敬人；敬別人，恭敬別人，也就是可以敬自己。一念的誠敬，當下就可以證到佛的境界，所以這一段的道理，是叫我們正信。

任何的宗教徒，不管是佛教、回教、基督教、天主教，當你一看到塔廟，眞正很誠懇無所求而拜佛，那一念的尊敬，就是佛境界。第二念就不是了，拜一下然後想想，唉喲我的香蕉放在這裡蠻可惜，水果在這裡恐怕爛了，廟上恐怕吃不完，最好分一點給我帶回去，這第二念就不是佛了。

「天人針砭一言師」，這是天人一針救命的針，中國的中醫學本來是一砭二針三灸四湯藥。現在所謂刮砂子、拔火罐等方法，都是砭法的遺傳，原來的方法是石頭來刮的，病深一點時只好扎針。第三步就是用灸，就是拿火燒，病深進入了內臟，再吃湯藥。

所以針砭兩個字經常合起來用，就是由這個道理來的。當然中國後世醫學，針是針，灸是灸，砭是砭，分開了，開藥方的儘管開藥方，實際上，中醫是連貫一套。

佛說的話是向人天下了一針，針砭就是這一念，一句話。所以我們稱佛爲天人師，這一句話是什麼呢？

「尊敬方知無可疑」，就是尊重，尊重就是恭敬。一尊重啊，當下可以悟道，所以只有感謝這一句話。

「涕淚感恩拜未了」，感謝懂了這一句話以後，放下萬緣，佛的塔就在這裡，佛的廟在那裡？就在這裡，佛法在那裡？就在這裡。

所以「萬緣放卻祇低眉」，菩薩慈目低眉，眼睛一閉，一打坐，萬緣放下。

第十三品 如法受持分

爾時須菩提白佛言。世尊。當何名此經。我等云何奉持。佛告須菩提。是經名為金剛般若波羅密。以是名字。汝當奉持。所以者何。須菩提。佛說般若波羅密。即非般若波羅密。是名般若波羅密。須菩提。於意云何。如來有所說法不。須菩提白佛言。世尊。如來無所說。須菩提。於意云何。三千大千世界所有微塵。是為多不。須菩提言。甚多。世尊。須菩提。諸微塵。如來說非微塵。是名微塵。如來說世界。非世界。是名世界。須菩提。於意云何。可以三十二相見如來不。不也。世尊。不可以三十二相得見如來。何以故。如來說三十二相，即是非相。是名三十二相。須菩提。若有善男子。善女人。以恆河沙等身命布施。若復有人。於此經中。乃至受持四句偈等。為他人說。其福甚多。

再說大智慧

現在開始金剛經的修法了。大家不要忘記前面說過，從第一品到了第十品已經告一段落，佛已經告訴我們一個修道的方法，就是應無所住，一切不住的這個方法。你做到了一切不住，你就懂了般若波羅密。十三品說修法之前，插進來十一、十二兩品，說明這個重要性，以及要如何尊重；說完以後，佛另起爐灶，開始又告訴我們一個方法。

爾時。須菩提。白佛言。世尊。當何名此經。我等云何奉持。

佛的經典都是與弟子們當場商量，來決定這一本經的經名。這裡須菩提就提出來問，將來這個記錄要如何定名？我們將來（也代表將來的人）看了這個佛經，怎麼樣依您所教來奉行？怎麼樣修行？

佛告須菩提。是經名為金剛般若波羅密。以是名字。汝當奉持。

你可以把這一次的對話記下來，這一本經典，叫做金剛般若波羅密，你就用這個名字來奉持就好了。

佛無定法

所以者何。須菩提。佛說般若波羅密。即非般若波羅密。是名般若波羅密。

金剛經經常碰到這些話，就是儒家經常反對的，認爲這樣一句話，翻來覆去，般若波羅密，不是般若波羅密，就是般若波羅密，好像很不合理。

實際上，金剛經是無上智慧法門，佛自己說，什麼理由呢？須菩提你要知道，眞正的佛法沒有定法。

你說非要拜佛不可，西藏密宗非要吃葷不可，中國顯教非要吃素不可，非要這樣不可，那樣不可，這都是定法，不是佛法；那些說法只是教育法一時的方便，不是究竟。所以佛在這裡充分的告訴我們，不可執著一法爲佛法，那都搞錯了，那都是譭謗佛，因爲佛無定法。

這個意思也就是說，不一定這個形式就叫佛教，那個形式也是佛教。所以你們青年們要弘法，能夠一句佛話也不講，一個佛字也不提，就能將這個道理教導別人，就是佛法！何必要加一個「佛」字呢？那只是外衣呀！這個外衣是可以脫掉的。

所以，開始我們已說過，眞正的佛法是超越一切宗教、哲學、一切形式之上的。也就是佛說，眞正的智慧成就，即非般若波羅密；智慧到了極點啊，沒有智慧的境界，那才是眞智慧。這也等於老子說的，大智若愚；智慧眞到了極點，就是最平淡的人。世界上最高明的人，往往就是最平凡，相反的，平凡就是偉大。

有些同學們常問，那悟道的智慧在那裡呀？我說就在你那裡，「小心啊！」這一句就是「道」；「留意啊！」這一句話就是「道」。因爲你的「意」就是留不住，你能留到意就得道了。小心！你就是小不了心，你小到那麼小心，就得道了。不要看到世界上這些都認爲通俗，這都是金剛般若波羅密。最平凡的一句話，你能懂得了，就是聖人在說法。留意，誰能把意留得住？小心，誰能把心小得了，做到了，就得道了。般若波羅密，即非般若波羅密。

黄山谷與晦堂

剛才我們講到，佛說般若波羅密，即非般若波羅密，是名般若波羅密。這其中還有一層意義，我們需要瞭解；因爲佛講這個大智慧成就，般若波羅密，就是智慧到彼岸，所以有些學佛的人，就天天去求智慧。般若波羅密，即非般若波羅密，成佛的那個智慧，不要向外求啊！它並不離開世間的一切。世間法就是佛法，任何學問，任何事情，都是佛法，這一點要特別瞭解，千萬不要認爲般若波羅密有一個特殊的智慧，會一下蹦出來開悟，很多人都有這個錯誤的觀念。佛告訴你般若波羅密，即非般若波羅密，是名般若波羅密。一切世間的學問、智慧、思想，一切世間的事，在在處處都可以使你悟道，所以禪宗悟道的人，有幾句名言：「青青翠竹，悉是法身，鬱鬱黃花，無非般若。」般若在那裡？到處都是。中國的禪宗，專以金剛經爲主體，有人因而開悟，並不是唸金剛經開悟，很多人隨時隨地開悟，這是開悟以後講出來的話。

其實，我們現在看馬路上，車如流水馬如龍，那個就是般若，你看到了，瞭解了，當下悟道，也就是青青翠竹，悉是法身，到處都是這個不生不死的法身。鬱鬱黃花是形容之辭，開的是韭菜花也行，也無非般若。他說在看花中就能悟道了，在風景中也能悟道，就能成佛。這些就是禪宗的公案。

宋朝與蘇東坡齊名的一位詩人，名叫黃山谷，跟晦堂禪師學禪。他的學問好，金剛經更不在話下，但是跟了三年還沒有悟道。有一天他問晦堂禪師，有什麼方便法門告訴他一點好不好？等於我們現在年輕人呀！都想在老師那裡求一個祕訣，這樣他馬上就可以悟道成佛了，黃山谷也一樣。晦堂禪師說：你讀過論語沒有？

這一句話問我們是不要緊啊！問黃山谷卻是個侮辱，古代讀書人，小孩時代就會背論語了。既然師父問，黃山谷有什麼辦法，只好說：當然讀過啦！師父說：論語上有兩句話，「二三子，我無隱乎爾？」二三子就是你們這幾個學生！孔子說，不要以爲我隱瞞你們，我沒有保留什麼祕密啊！早就傳給你們了。

黃山谷這一下臉紅了，又變綠了，告訴師父實在不懂！老和尚這麼一拂袖就出去了。他啞口無言，心中悶得很苦，只好跟在師父後邊走。這個晦堂禪師一邊走，沒有回頭看他，曉得他會跟來的。走到山上，秋天桂花開滿，香得很，到了這個環境，師父就回頭問黃山谷：你聞到桂花香了嗎？文字上記載：「汝聞木樨花香麼？」

黃山谷先被師父一棍子打悶了，師父在前面大模大樣的走，不理他，他跟在後面，就像小學生挨了老師處罰的那個味道，心裡又發悶；這一下，老師又問他聞不聞到木樨桂花香味！他當然把鼻子翹起，聞啊聞啊！然後說：我聞到了。他師父接著講：「二三子，我無隱乎爾！」這一下他悟道了。所謂般若波羅密，即非般若波羅密，是名般若波羅密。這是有名的黃山谷悟道公案。

黃山谷與黃龍死心悟新

他悟道以後，很不得了，官大、學問好、詩好、字好，樣樣好，道也懂、佛也懂，好到沒有再好了，所謂第一希有之人。第一希有就很傲慢，除了師父以外，天下人不在話下。後來晦堂禪師涅槃了，就交代自己得法弟子，比黃山谷年輕的黃龍死心悟新師說：你那位居士師兄黃山谷，悟是悟了，沒有大徹大悟，只有一半，誰都拿他沒辦法，現在我走了，你拿他有辦法，你要好好教他。黃龍死心悟新馬上就通知，叫黃山谷前來，師父涅槃了，要燒化。

當和尚死了，盤腿在座上抬出去，得法的弟子，拿一個火把準備燒化，站在前面是要說法的。這個時候，黃山谷趕來了，一看這個師弟，小和尚一個。黃龍死心悟新雖然年輕，卻是大徹大悟了的，比黃山谷境界高，又是繼任的和尚，執法如山。黃山谷一來，黃龍死心悟新拿著火把，對這位師兄說：我問你，現在我馬上要點火了，師父的肉身要燒化了，我這火一下去，師父化掉了，你跟師父兩個在那裡相見？你說！黃山谷答不出來了，是呀！這個問題很嚴重，師父肉身化掉了，自己將來也要死掉的，兩個在那裡相見？

你們在座大家也說說看！有人一定說西方極樂世界見面，黃山谷不會那麼講。不要說別的，我們大家坐在這裡，都是現在人，你們大家回去，夜裡睡著了，我夜裡也睡著了，我們那裡相見？就是這個問題。

這一下黃山谷答不出來了，不是臉變綠，是變烏了，悶聲不響就回去了。接著倒楣的事情也來了，因爲政治上的傾軋，皇帝把他貶官，調到貴州菸酒公賣局那個鄉下地方，當個什麼小職員，從那麼高的地位，一下摔下來，一般人怎麼忍受啊！

剛才講到無爲福勝，倒楣了，他正好修道。在到貴州的路上，有兩個差人押著去報到，差人怕他將來又調高官，也不太爲難他，他就沿途打坐，參禪。有一天中午很熱，他就跟這兩個押解的人商量，想午睡休息一下。古人睡的枕頭是木頭做的，他躺下去一下不小心，那個枕頭蹦咚掉在地下，他嚇了一跳，這下子眞正開悟了。他也不要睡覺了，立刻寫了封信，叫人趕快送到廬山給黃龍死心悟新禪師，他說：平常啊！我的文章，我的道，天下人沒有那個不恭維我，只有你老和尚—現在叫他師弟老和尚，客氣得很啦！只有你老和尚不許可我，現在想來是感恩不盡。

所以啊！般若波羅密，即非般若波羅密。眞正的，另一層的，我們從道理上解釋，一切世間法都是佛法；學佛法，不要被佛法困住，這樣才可以學佛。如果搞得一臉佛氣，滿口佛話，一腦子的佛學，你已經完了，那就是般若波羅密了。我們把這個重要的先解決，下面的慢慢就懂了。

微塵　外色塵　內色塵

須菩提。於意云何。如來有所說法不。須菩提白佛言。世尊。如來無所說。

我再問你，佛眞正說過法嗎？須菩提當場答話，就向佛說，世尊，據我所瞭解，你沒有說過法啊！沒有傳過法啊。

你看，兩個人當面扯謊！釋迦牟尼佛三十一歲悟道，三十二歲出來就開始教化了，他說了四十九年法，現在師生兩個對話，卻說沒有說過。

須菩提。於意云何。三千大千世界所有微塵。是為多不。須菩提言。甚多。世尊。

這第二句問話，好像與前面不連貫似的，實際上是相連的。須菩提說了沒有說法之後，佛又問了；你的意思怎麼看法，這個三千大千世界，這個物質的宇宙，所有的微塵合起來，多不多啊？須菩提言。甚多。世尊。

須菩提。諸微塵。如來說非微塵。是名微塵。如來說世界。非世界。是名世界。

這是講什麼話？微塵不完全是灰塵，我們先叫它灰塵來講，如來說一切的微塵非微塵；我說沒有灰塵，不是灰塵，姑且叫它做灰塵。佛說這裡告訴你，三千大千世界，沒有世界，姑且叫它做世界。你說這講的是什麼啊？怪不得儒家認爲金剛經不能看，不曉得講些什麼，般若波羅密，即非般若波羅密。三千大千世界，又非三千大千世界。你說了沒有？我沒有說。不曉得搞些什麼！

微塵是佛學裡的名辭，微塵又叫外色塵，過去佛經所講的外色塵，等於現在說電子、核子、原子之類。除了外色塵，還有內色塵，內色塵厲害極了，學佛的人假使唸佛唸到一心不亂，或者修觀想的人，觀成功了，心物一元，可以變成另外一個人站在前面。大家還可以看得到，也能說話，也能作事，這就是一切唯心所造，這是內色塵的力量把它發出來的。當然，現在世界上很少有人證到這個道理，但是這是絕對的眞理，是可以證到的，也就是緣起性空，性空緣起。

現在佛說的這個外色塵的微塵，再分析下去，又分成七分，就是色、聲、香、味、觸、法、空。所以啊！過去兩千年來的佛學很難講，大部分的佛學家和大法師們，說到這裡就不說了，因爲無法講。現在科學昌明了，勉強還可以解釋一下，這些，佛在兩千多年前，就知道了。

核子、原子，爆發了，完全空，空了以後能夠發光，能夠震動聲音，能夠死人。所以原子一爆炸，那個空的力量一過來，人都變形了，原子塵沾到的不死也醫不好了。原子、核子最後分成空，所以微塵分七分，色、聲、香、味、觸，法、空。

換句話說，佛告訴你，這個世界一個一個灰塵，一粒一粒灰塵，一個分子一個分子，組合攏來，構成了一個物理世界。你把地球物理世界打爛了，分析了，本來就是空的，沒有世界的存在，也沒有微塵的存在，一切本空，這個物質世界的空，同般若波羅密，智慧、心念最後的空是會合的，是心物一元。

會合最後是眞空，那個空的境界，是佛的境界，就是悟道；那個時候的悟道，是修證到的，不是理論，要功夫證到。那個境界，不可說，不可說，說了半天，都不是，所以佛才說沒有說法。須菩提講：是啊！你沒有說啊！因爲實在沒有辦法說，說不出來的，說個空已經不是它了！說它是有，世界上有的東西又終歸空的，所以空有都不能講，即空即有，非空非有。

金剛經文字非常流利，很容易懂，不是理論上難懂，是修證到最難，修證到這個境界，才是眞正算是學佛。

這一段說了以後，他又轉到另外一個問題。

你我的三十二相

須菩提。於意云何。可以三十二相見如來不。不也。世尊。不可以三十二相得見如來。何以故。

我們學佛不能著相，也等於其它宗教反對拜偶像一樣；什麼是偶像？佛經上講的佛不得了，每一個佛成功了有三十二相，三十二種與人不同的相貌；八十種隨形好也是別人所沒有的。這個問題很大，這就是話頭。

比如我們塑的佛像，眉間鑲顆珠子，頭上鼓起來有個包包，眉間鼓起來有根白毛。這根白毛不是亂長的，平常收攏來，「白毫宛轉五須彌」，向右轉圈的，白毫這根毛拉出來有多大呢？有喜馬拉雅山五倍那麼大。「紺目澄清四大海」，那兩顆眼睛發藍的，眼白發碧青的顏色，比四大海水還清，四大海水並不清，不過形容它的清。

譬如我們講過的，因爲佛修行三大阿僧祇劫，沒有講過一句謊話，因此他的舌頭吐出來，可以遍布三千大千世界，我們衣服都不能曬了，他舌頭一吐出來，太陽都被他遮住了。所以佛有三十二種相，皮膚都是平滿的，無一不好，出來一身都是亮光。

當年有人問我們，你們禪宗開悟了就是佛，怎麼沒有三十二相呀！我們看看自己，還是那個手，也沒有長根毛；說開悟了，一點都沒有變嘛！牙齒掉了也沒長出來，頭髮白了也變不黑，這個悟靠不住啊！

後來再看一看，每個人都有三十二種相好，你的相，我絕對沒有，我的相你也沒有，你長成我那個相，你也不是你了。然後看一切衆生，各有各的三十二相，八十種好。如果眞執著三十二相的觀念，那只能說宗教信仰則可，眞正的佛法被你蹧蹋了。學佛法不能著相，所以他自己提出來，問須菩提，能不能以三十二相八十種好這樣的觀念來看佛，須菩提回答說不可以，不可以以三十二相見如來。

如果你們打坐看到那個佛放光，或者昨天夜裡夢到，佛告訴你此什麼，那是做夢，你千萬記住，不能以三十二相見如來。那個夢中見的是眞的假的呢？夢中見的也是眞的，那是你阿賴耶識所變，不是假，自他不二，也是眞的，但是你不能執著。佛說：何以故。什麼理由呢？

如來說三十二相，即是非相。是名三十二相。

我確定的告訴你，佛說一切人成佛功德圓滿，都有三十二相。這不是法身的相，法身無相，所以，可以叫他三十二相，也可以叫他六十四相。你懂了金剛經這個道理，你就悟到了中國的易經；易經有六十四卦，也就是六十四相，道理是完全一樣的。所以啊，易經八八六十四卦，其實一卦都不卦，因爲卦不住的，卦者變也，都是變相。講到這裡，想到一個禪宗的典故，你能理解了，你們年輕智慧高的也可以開悟。

夾山大師

有個禪宗大師叫船子誠，又名船子和尙，船子是外號，就像我們說濟顚和尙，濟顚是外號，法名叫道濟，因爲瘋瘋顚顚，大家叫他濟顚和尙。那個船子和尙開悟後，與其他兩個師兄弟下山去，有人到湖南去教化，有人到江西去教化，最後就問船子誠準備到那裡去？

船子說：師兄啊！我看你們這一生有好福報，將來可以做一方的大師，我這個苦命人，此生做個平凡的人，多做一點好事再說吧！不過我拜託你們兩位，將來有第一等的人材，給我送一個來，接接我的這一支。師父把學問傳給我，我不交代下去，上對不起歷代先聖先賢，也對不起師父啊！只要有人接我的法，我就心滿意足了。

所以他就跑到江蘇華亭，一個小地方，做個渡船人，一隻小船整天渡人過河來去，給他錢，他收兩個，不給錢也沒有關係。

後來有個大法師夾山和尚，佛法好，學問好，講經說法，聽眾極多，名氣大得很。船子誠的師兄道吾和尚聽到了，心想那個師弟船子，還天天在搖渡，道吾也是禪宗的大師，穿了件破破爛爛的和尚衣服，臉不壓眾，貌不驚人，就去聽夾山講經。到夾山道場找個後面的角落坐下。聽見有人起來問：「如何是法身？」夾山和尚回答：「法身無相。」又問「如何是法眼？」他說：「法眼無瑕。」答的多好。法身無相嘛！根據金剛經，三十二相皆是非相。法眼是沒有一點瑕疵的啊！心如明鏡臺，無所不照，無所不知。照佛學的理論，這個回答的確沒有問題。

可是坐在那個角落的道吾，嘻！就給他那麼一笑！這個笑是冷笑。夾山受不了啦，趕快下堂，經也不講了，下來把和尚的大禮服袈裟一披，就去找這個破破爛爛的道吾和尚頂禮。他說老前輩啊！我剛才答話，那裡錯了？道吾說：錯倒沒有錯，可惜沒得師承。換句話說，你理論是對，你功夫上沒有到，你不要瞎說。夾山就問當今天下，那一位是明師啊？道吾說，明師是有，但是你今天名氣那麼大，恐怕作不到，除非把招牌丟掉，名利不要，我再指給你一條明路。像道吾這種和尚，給師兄弟找徒弟，多有本事。

夾山果然丟棄既得的盛名地位，捆一個小包袱就去了，夾山在聲名顯赫時居然能為道而捨棄一切，證明他後來的大徹大悟是有道理的。道吾說：我說的這個人啊！「上無片瓦，下無卓錐。」上無片瓦，下無立錐，就是住在船上嘛！他說你到華亭三十里外，那個河邊去找一個和尚。後來夾山就找到這個船子誠，中間我們就不詳細報告了，大家可以參考指月錄。

夾山見船子

船子誠一看這個夾山啊！將來一定是個大師，知道是師兄搞來的，夾山上船以後，也沒有說出道吾，也沒有自我介紹，他們兩個人彼此考察。

船子和尚就問夾山：「大德高棲何寺？」當時他們兩個人的學問都很好，說話滿口的字句文雅，夾山說：「寺即不住，住即不似。」喝！那都是開悟了的話。就是我們普通講：你貴寺在那裡？夾山答話：「寺即不住，住即不似。」這似乎是應無所住而生其心嘛！還有所住就不是了！所以禪宗叫機鋒，一句話，不等你考慮一下講出來，等你考慮了一下再答，就已經不是了，那就住即不似了。

這兩個人學問都好，佛學都呱呱叫，平常大概都在佛教刊物上登文章的！（衆笑）最後沒有辦法船子和尙就拿起那個船槳，一下子就把夾山打下水去了。人掉下水去，不會游泳，咕嚕嚕……狼狽不堪，剛冒上來，船子誠就說：你說你說！夾山正準備張嘴，船子又把他按下去了，來往一共按下三次。人掉到河裡去了，咕嚕嚕水呑下去，剛剛冒上來一點，又把他按下去，你快說，一定又講道理，寺即不住，住即不似，趕快又把他按下去，不等他講。

最後，把他滿肚子學問、道理給水泡光了，再一次冒上來，夾山說我懂了，再不要把我按下去了。這一下開悟了，船子說：我告訴你，佛法就是這樣，你可以走了。

當然夾山在船上幫師父划船划了多久，就不知道，後來師父叫他走，他告辭師父走了，一邊走，一邊回頭看這個師父。我們一定覺得他未免有情，戀戀不捨，但是這個師父一看到，說：「和尙，你以爲我還沒有教完你啊！」把船弄翻自己就沈下去了，這樣堅定夾山的信心。不過他吩咐過夾山，從此不許住在鬧市裡當法師，要好好到深山裡頭，沒得吃的都可以，古廟冷湫湫的，好好去修行，修成功了再出來。

後來不知過多少年，夾山再出來做大師，有前輩又出來請問他，如何是法身？答以法身無相。如何是法眼？答以法眼無瑕。還是這兩句話。同樣是這兩句話，悟後是證到了這個境界，開悟前只是理念上的話。理念上雖對，但是，你嘴巴上會說，叫作口頭禪，身心沒有證進去。所以，有關這個相的問題就是這樣，你著了相，總以為外面有個佛像，看到有個佛來，是打坐也好，入定也好，作夢也好，你看到佛在顯身，你就著相了，就不是佛法。三十二相即是非相，就是這個道理。

大的功德

講到這裡，有一點很重要的交代，這個世界最高的東西，不是唯物的，是絕對唯心，但是這個心是心物一元的心，不是與唯物相對的唯心。這個心物一元的心是看不見的，不著相，不能著相。真正的佛法是破除迷信的，是不著相而起正信的，法身無相正是悟道；這就是前面講的兩個重點，講完了，他就告訴須菩提：

須菩提。若有善男子。善女人。以恆河沙等身命布施。若復有人。於此經中。乃至受持四句偈等。為他人說。其福甚多。

假使這個世界上有一個人，拿恆河沙一樣的生命，布施給人家了，這個功德比把充滿宇宙的財富布施還要大。

人生最捨不得是兩樣東西，第一是財，第二是命。當有命的時候，錢財是最捨不得的！所以有命活著的人，肯布施錢財就很了不起了。若是掉到河裡馬上要死的時候，你只要救我上來，什麼都可以給你啊！那個時候命捨不得的；所以，命比錢財還要重要。

上一節講到拿宇宙一樣多的財寶布施，得福很多，這一品更嚴重了，拿恆河沙那麼多的身命來布施，你看這個福報大不大？當然很大，但是，卻比不上懂得金剛經四句偈，能夠受持，修證，甚至自度度他，自悟悟他，為他人說的這個大福德。

這是什麼大福德？是無為之福，是正信之福。

這一品我們給它的偈語結論：

◆第十三品偈頌◆

世界微塵漚沫身　懸崖撒手漫傳薪

黃花翠竹尋常事　般若由來觸處津

「世界微塵漚沫身」：這個世界是物理、物質的微塵累積所造成的。微塵質量沒有形成之先是空的，形成以後，變化到最後沒有世界物質存在時，又歸於空的。

何況衆生偶爾暫存的生命，只如水上浮漚泡沫，空作有時有亦幻，幻有滅去還歸空。

「懸崖撒手漫傳薪」：如果證悟到「緣起幻有，性自眞空。空生幻滅，緣起無常。」便知有亦不假，空亦不眞。到此猶如古德所說：「懸崖撒手，自肯承當。絕後再蘇，欺君不得」。便可此心安住，得大自在了。

「黃花翠竹尋常事」：然後回觀古德所說：「青青翠竹，悉是法身。鬱鬱黃花，無非般若。」便知本來平實，一切現成。

「般若由來觸處津」是說：原來般若波羅密多，是處處現在，時時現成，便登彼岸了。佛與衆生，性相平等，福德性空，宛然如是。

第十四品 離相寂滅分

爾時須菩提。聞說是經。深解義趣。涕淚悲泣。而白佛言。希有世尊。佛說如是甚深經典。我從昔來所得慧眼。未曾得聞如是之經。世尊。若復有人。得聞是經。信心清淨。即生實相。當知是人。成就第一希有功德。世尊。是實相者。即是非相。是故如來說名實相。世尊。我今得聞如是經典。信解受持。不足為難。若當來世。後五百歲。其有眾生。得聞是經。信解受持。是人即為第一希有。何以故。此人無我相。無人相。無眾生相。無壽者相。所以者何。我相即是非相。人相眾生相壽者相。即是非相。何以故。離一切諸相。即名諸佛。
佛告須菩提。如是如是。若復有人。得聞是經。不驚不
怖不畏。當知是人。甚為希有。何以故。須菩提。如來
說第一波羅密。即非第一波羅密。是名第一波羅密。須
菩提。忍辱波羅密。如來說非忍辱波羅密。是名忍辱波
羅密。何以故。須菩提。如我昔為歌利王割截身體。我
於爾時。無我相。無人相。無眾生相。無壽者相。何以
故。我於往昔節節支解時。若有我相人相眾生相壽者
相。應生瞋恨。須菩提。又念過去於五百世。作忍辱仙
人。於爾所世。無我相。無人相。無眾生相。無壽者
相。是故須菩提。菩薩應離一切相。發阿耨多羅三藐三
菩提心。不應住色生心。不應住聲香味觸法生心。應生

無所住心。若心有住。即為非住。是故佛說菩薩心。不應住色布施。須菩提。菩薩為利益一切衆生故。應如是布施。如來說一切諸相。即是非相。又說一切衆生。即非衆生。須菩提。如來是眞語者。實語者。如語者。不誑語者。不異語者。須菩提。如來所得法。此法無實無虛。須菩提。若菩薩心。住於法而行布施。如人入暗。即無所見。若菩薩心。不住法而行布施。如人有目。日光明照。見種種色。須菩提。當來之世。若有善男子。善女人。能於此經受持讀誦。即為如來。以佛智慧。悉知是人。悉見是人。皆得成就無量無邊功德。

我們今天講金剛經第十四品，金剛經開始到現在，講了十三品，這其中再提起大家注意，金剛經雖然在說大般若的修持，這個般若不是純粹的般若，他講的是般若的體，就是道體，及見道之體的修行方法。開始先告訴我們，如何是修戒的般若，就是「善護念」這個要點，由開始發心修行到最後的成佛，就是善護念。接著下來，就說善護什麼念？無住。無住就是定，善護念就是戒，金剛經的般若，本身就是慧，這是拿戒定慧的道理，來說明金剛經的本身，般若法門就是如此。

如果以六度來講，金剛經首先講的無住，所以令一切衆生入無餘依涅槃而滅度之。這是布施，布施度，由布施而到達般若的成就，證得阿耨多羅三藐三菩提，就是大徹大悟而成佛。布施以後持戒，持的什麼戒？持的菩薩大戒，無我相，無人相，無衆生相，無壽者相，善護此念就是持戒波羅密，而到達般若波羅密，到達智慧得度，智慧的成就，這是一個基本修持的階段；由此而學佛，由此而修行，由此而成佛。說到十三品這裡，差不多作了一個結論。

現在第十四品開始，是講由忍辱波羅密，到達般若波羅密，我們今天這一段，重點就在這裡。

解悟 喜極而泣

爾時須菩提。聞說是經。深解義趣。涕淚悲泣。而白佛言。希有世尊。佛說如是甚深經典。我從昔來所得慧眼。未曾得聞如是之經。世尊。若復有人。得聞是經。信心清淨。即生實相。當知是人。成就第一希有功德。

這裡只有三個小節，是另起一個階段，前面都是須菩提與佛的對話，一問一答，記錄下來，就是經典。

「爾時」，這時候，就是當問話的時候，須菩提聽了這個經典的感受，聽了佛說般若成就法門的感受。「深解義趣」，希望大家特別注意這四個字，大家唸經時，很容易輕易把它唸過去，深解義趣是深深的，很深刻的理解到了。這個理解到是我們現在講的話，就是眞正的悟到了那個道。

後世禪宗門下，把它分成兩個階段，一個叫解悟，一個叫證悟。解悟就是知見上的，所知所見到達了，但是還不是普通的學術思想所說的理解，而是這個身心馬上感受到有一種脫落感，脫滯感，這就是解悟的一種境界。所以他說深解義趣，深深的得到解悟，不談證悟。

「義」就是解悟到佛法修證至高無上的道理，義也就是義理，義在古文就代表理，最高的道理。「趣」不是興趣的趣，而是趨向的趨，就是向那個方向，到那個路上，目標的趨向。佛經上經常看到這個「趣」字，趨向，已經到達這個境界，已經進入了這種情況。深解義趣是一件事實，不是文學上空洞的讚嘆名辭。須菩提深解義趣以後哭了，他爲什麼哭呢？人往往喜極而泣，高興到了極點，會痛哭流涕。人所追求的，始終沒有追求到的，忽然追求到了，會哭起來；這個哭是無上的歡喜，所以也是一種悲心的流露。

學佛修道的人，在自己自性清淨面快要現前的時候，自然會涕淚悲泣，這是自然的現象，否則就是一個瘋子了。當這個人性自然的清淨面，所謂本性，本來的面目呈現的時候，自己有無比的歡喜，但是找不到歡喜的痕跡，自然會哭起來。而你問他哭什麼？他並不傷心，而是自然的，天性的流露。等於說，自己失掉的東西忽然找到了，那個時候就有無比的歡喜，但是也沒有歡喜的意思，是自然涕淚悲泣的感受。

因此，須菩提一邊哭一邊講，希有世尊啊！偉大了不起的佛啊！希有難得的佛啊！這都是讚嘆之辭。「佛說如是甚深經典」，他說，你現在講這樣高深的道理，什麼道理？就是般若，智慧的解脫，智慧的成就，這個經典重點在這裡。「我從昔來所得慧眼」，這位須菩提，是佛弟子有名的談空第一，他天生有慧眼，所以在佛的修持行列中，般若智慧成就最高。所以他說，自從我有慧眼以來，「未曾得聞如是之經」，從沒有聽到過這樣深刻究竟道理的經典。

信心清淨

講到這裡，又加上稱呼了，等於我們講話，經常說老兄啊！老弟啊！「世尊。若復有人。得聞是經。信心清淨。即生實相。」他說：假定有一個人，聽到這個般若波羅密經，聽到佛說的如何以智慧來自度，成佛的這個法門，「信心清淨，即生實相。」這八個字是這一品重點的中心，千萬記住。也就是我們後世衆生，要想成佛的必經之路，必要的法門。達不到這個程度，與成佛的距離還很大，只能說你剛開始在學，一點影子都沒有。達到了這八個字的程度，也可以說你進入了般若之門，建立學佛的基礎了。

信心清淨有兩種意義，一種是專講個人的信仰，因爲眞正的信仰并不是迷信。爲什麼不是迷信呢？因爲是深解義趣，把道理徹底瞭解了來學佛，才是一個眞正學佛的人。假定說佛學的理不透，盲目的去信仰，盲目的去禮拜，那不能說他是不信；不過，嚴格的說，還屬於盲目迷信的階段。眞正佛法的正信，是要達到深解義趣這四個字；先懂得理論以後，再由這個理論著手修持。所以說，一個眞正學佛的人，必須要深解義趣，這個信心才是絕對的正信，這一個法門，才是眞正的佛法，才是宇宙中一切衆生，自求解脫成佛之路。

所謂正信，要信什麼呢？信我們此心，信一切衆生皆是佛，心即是佛，我們都有心，所以一切衆生都是佛。只是我們找不到自己，不明我們自己的心，不能自己見到自己的本性，因此隔了一層，矇住了，變成凡夫。

凡夫跟佛很近，一張紙都不隔的，只要自己的心性見到了，清楚了，此心就無比的清淨。佛的一切經典，戒、定、慧，一切的修法，不管是顯教的止觀、參禪、念佛或是密宗的觀想、唸咒子各種修法，都是使你最後達到清淨心。清淨有程度的不同，所以有菩薩階級地位的不同，修學程度深淺的不同，也就是瞭解自心的差別程度不同。

說到信自心，我們都信得過啊！我的心煩得要死，這個信心煩惱，就是絕對的凡夫。無煩惱，無妄想，就是信心清淨，自然達到清淨的究竟；立刻可以見到形而上的本性，即生實相。實相般若就是道，明心見性就是見這個。

所以說要想明心見性，必須先要做到信心清淨，能夠生出實相。看了這個經文，知道須菩提明白的告訴了我們，因爲他自己瞭解，才能說出這個道理，讓別人以及將來的人，聽到佛說這個道理，信心清淨，能生實相。

希有的功德

「當知是人。成就第一希有功德。」假定有一個人，研究這個經典，而到達這個程度，他說，這個人已經成就了第一希有的功德。第一希有功德的人是誰？我們在本經前面已經看到，須菩提讚嘆佛：「希有世尊」。換句話說，這個人學佛就可以到達佛境界，因爲這個人已成就了第一希有的功德，這個道理我們先要把握住。下面，他解釋什麼叫實相。

我們講金剛經開始，就解釋了般若智慧，一共有五般若，最難的就是實相般若，就是見道之體。實相般若就是菩提，涅槃，自性，眞如，各種名字都是講這個東西。你如果認爲實相般若不曉得有多大，有沒有鳳梨那麼大，有沒有蘿蔔那麼大，那你就著相了，那就很糟糕。須菩提叫了一聲世尊，自己又加解釋，說出他自己的心得。

世尊。是實相者。即是非相。是故如來說名實相。

這個「是」，青年同學們特別注意，這是古文的寫法，拿現在白話文說，這個「是」就是這個，所謂這個實相這個東西啊，是無相，即是非相。我們應該還記得，前面在金剛經中佛也說過，「若見諸相非相，即見如來。」所以，不著一切相，無我相，無人相，無衆生相，無壽者相等等，都不著相，乃至無佛相，也無非佛相，一切相皆不著，連不著相的也不著了。

實相又是什麼呢？即是非相。分析開來講，無我相，無人相等等；歸納起來講，若見諸相非相，即見如來。所以他報告心得說，所謂實相，就是一切無相。在無相的這個成就中，佛勉強給他一個名稱，叫做如來實相。

世尊。我今得聞如是經典。信解受持。不足為難。

須菩提的意見，再度的報告說：我啊，就是在佛在世的時候，能親自跟著佛，今天能聽到這種經典道理，「信解受持」，信得過了，解悟到了，再經常領受這個實相境界，隨時隨地在這個境界裡，以此悟後起修。

「信解受持」，也是四個修行的階段，就是後世所有對佛經的解釋。信解受持，也就是教、理、行、果。「信」，把佛經的所有的教理信得過了。「解」，解悟到佛學的各種義理。「受持」，悟道了以後起修，修行以後證果，教理行果。也有一個說法，叫做信解行證。自心信這個理，解悟到了，悟道以後修行，修行以後最後證到佛的道果。所以信解受持，教理行果，信解行證，是同一個修行的情形，這四個字不能隨便當一句話唸過去。須菩提說，像我們現在親自跟著佛，聽到這個道理，信解受持，不足爲難，不稀奇。因爲他們當時親自見到佛，有佛親自指導，當然是不足爲難。

誰是五百年後希有人

若當來世。後五百歲。其有衆生。得聞是經。信解受持。是人即為第一希有。

將來過了五百年，爲什麼說五百年呢？爲什麼不說一千年呢？或者三百年呢？這就是佛自己對於佛教的說法。佛在世的時候，叫做正法住世；佛涅槃以後，而有些大弟子們還在，仍算是正法住世。五百年以後，是像法住世，那時佛的大弟子們活得最久的，五百年也都要涅槃了，不住世了。自此以後，只有經典、佛像等住世，所以說是像法時代。據說像法也不過五百年到一千年，以後就是末法時代，就是尾巴啦！尾聲啦！末法並不是說沒有，是說眞正佛法的修持，快要到尾聲，快要向末了，這是在各種戒律上，各種寓言上所記載佛所講的。

但是也不盡然，譬如說在許多大經中所講，如在華嚴經裡，佛就承認佛法沒有沒落的時候，什麼道理呢？因爲佛法是眞理，眞理是永恆的，眞理只有一個，不會變的，是不生不滅，不增不減的。所以大家可以放心，否則現在早過了五百年，大家豈不是更難了嗎？這裡須菩提說，假使後五百歲，有人在像法末法時代，看了這個經，研究了這個經，也能與古人與須菩提及佛大弟子們一樣，達到了信解受持，他說這個人就是第一希有。第一希有是金剛經特別提出來的，第一希有就是了不起，超凡而入聖；第一希有就是幾乎等同於佛。

何以故。此人無我相。無人相。無眾生相。無壽者相。

在佛及大弟子們都不在世的時代，有人研究這個經典，這個人當然已經進入無人，無我，無眾生，無壽者相的境界。四相皆離，不著一切相的境界，他本身已經到達了。

為什麼我不是我

所以者何。我相即是非相。人相眾生相壽者相。即是非相。何以故。離一切諸相。即名諸佛。

這兩句話千萬注意！如果參加佛學考試，一定會考到的。「所以者何」，這是什麼理由？所謂我相，本來是非相，是假相，下面接著人相眾生相都是假相。佛學說的這個「我」，就分析來看，我們現在一定是有個我，有個身體，佛學說這個身體是四大假合之身，骨頭呀，肉呀，這些東西湊攏來而成的暫時的我。而且生下來到了第二天，那個第一天的我已經衰老了，滿月以後，與第一天生下來也完全不同，十歲與一歲也完全不同。總而言之，我們今天坐在這裡，十二年以後的我們，全身連骨頭都換了。所以這個肉體不是我，是假我，這是個工具，暫時借來用。等於這個電燈泡，暫時借來用一用。所以此身非眞我，是非相，假相，不要認假爲眞了。

身體的我既非眞我，那麼我們的思惟意識，念頭是不是我呢？也不是，因爲每一分，每一秒思想意識都會變去；尤其年齡大的時候，過去幾十年，甚至現在說的話，都隨時忘記，所以說能夠思惟、意識、念頭也非我，這些都不是我。「我」都尚且非我，那裡還有你、我、他，那都是非我，一切無相。萬有的相是因緣湊合，是假合的虛妄相，不是眞實。但是虛妄不是沒有，只是偶然暫時的存在而已。所以說我相即是非相；推而廣之，人相衆生相壽者相也都是非相。金剛經使我們同時認清，不要被虛妄的人生，和物理世界的暫時現象，騙去了自己的智慧，騙去了自己眞性的情感。

眞性的情感這句話，有沒有問題呀？有問題！眞性怎麼會有情感，眞性不是沒有情感嗎？所謂情感者，即非情感，是名情感。情感也是虛妄相；但是，如果佛沒有情感，佛不會發大悲心，大悲心即是情感心。不過，佛的情感不是癡迷的，一切相即是非相，眞正的悲心，沒有悲心的痕跡，只是理所當然而行去，道理就是如此。

如何見佛

接著是一句非常重要的話，大家要學佛，去那裡見佛啊！「離一切諸相，即名諸佛」，離開了一切的相就是佛，這是眞正的佛。那麼你說我們在大殿上不需要拜佛了！要拜呀！即假即眞。相是虛妄，因爲禮拜這個虛妄相，你自己此心有眞正的誠懇，發起了眞實的誠敬，那就是「信心清淨」，就可以「即生實相」。這個實相的境界就是離一切諸相，一切相皆不著。所以，有人不著相的禮佛，就是一念之間，也不必合掌，也不必跪拜，他一念之間，已經頂禮了十方三世一切諸佛。

有一個禪宗公案，說有一個小孩子要小便，跑到大殿上轉來轉去，後來對著佛的正面，他就小便了。有個法師出來看到說：你這個小孩太沒有禮貌，怎麼對著佛就小便？小孩說：十方三世都有佛，你叫我向那一方小便呀？

反過來說，十方三世都有佛，方方都是佛，中央是毗盧遮那佛，中心一念誠敬，十方三世諸佛皆在目前。怎麼樣在目前？離一切諸相，即名諸佛，這個道理必須要搞清楚。

這多半是須菩提在那裡演講，講給佛聽，佛是聽衆。換句話說，是他向佛報告，接著是佛的印證，佛的獎狀發下來了。

難得的人

佛告須菩提。如是如是。若復有人。得聞是經。不驚不怖不畏。當知是人。甚為希有。

佛說，是的，就是這樣，你講得很對，就是這樣。未來世的衆生，有人聽到金剛經的道理，沒有被嚇住，那就是一個希有的人。驚是嚇住了，怖是精神恐慌，非常恐慌；譬如我們走夜路，看到一個黑影子，一下子嚇住了，那個是驚。怖呢，非常恐慌，持久的心裡恐嚇，那個是怖。畏，時間更長了，不停的害怕。像我們在座的，個個都是第一希有，聽了金剛經不驚不怖不畏，而且沒有不懂的人，個個都懂了。

事實上有沒有又驚又怖又畏的人呢？這在修持佛法的時候就看到了。我們很多人學佛，都想求空，等到空的境界一來，反而嚇住了。許多人說：我嚇死了，嚇得我的汗啊，像黃豆那麼大，因爲我沒有了。我說你學佛不是想求個無我嗎？怎麼還嚇住了呢？所以說慧，這個佛學名辭，用的非常好，慧是要力量的，慧力不夠，功德的功力不夠，就有驚、怖、畏的現象。

將來的時代，有人成就金剛經般若這個法門，不驚、不怖、不畏，佛說，這個人，眞是非常難得了。佛說這個希有，就很重，佛給我們的這個價錢，獎金就很重了，非常希有，幾乎不可能，如果可能了，就是超凡入聖。

何以故。須菩提。如來說第一波羅密。即非波羅密。是名第一波羅密。

何以故？什麼理由呢？金剛經的特點，是使我們知道無住、無相、無願，這是大乘的心印。此心要隨時無住，隨時不著相，隨時隨地的無願。你說正要我們發大願，怎麼無願呢？大慈悲當然是願力，慈悲過了就不住，沒有叫你一天到晚坐在那裡哭啊！過了就不住，所以說願而無願。

第一波羅密是大智慧成就，大徹大悟，成佛，也就是般若實相。般若實相本來無住，本來無相，本來無願。當然大家不要會錯了意，青年同學們根本發不起願力，以為你本來無願，已經合於佛法了，那就很糟糕。無願，就是一切大慈悲用過了便空，無住。因此說，第一波羅密，即非波羅密，是名第一波羅密。第一波羅密也就是般若，大智慧；而般若裡的實相般若，就是見道體，也就是我們後世禪宗所謂的明心見性。

什麼是忍辱

須菩提。忍辱波羅密。如來說非忍辱波羅密。是名忍辱波羅密。

問題來了，前面一路下來都是講般若，是菩薩六度裡最後的一度—智慧成就。所謂的六度也已經說過，就是布施、持戒、忍辱、精進、禪定、般若。換句話說，這也是學佛的一個次序。

首先，學佛的要學布施，布施就是能夠捨；捨並不是叫你光把口袋裡的錢掏出來，而是一切的習氣都要捨掉，改變，丟掉，把整個人生轉化。放下也是捨，萬緣放下就是布施，這是內布施。眞布施了，此心清淨，才算眞持戒；心不清淨的持戒，那是小乘戒，是有意去造作的。作到了此心清淨，念念心清淨，不需要持戒了，因爲他本身就是戒了。戒者，戒一切壞的行爲，惡的行爲，此心念念在清淨中，無惡亦無善，是名至善。這就是持戒，持戒還好辦，忍辱最難辦。

你說自己心也很清淨，戒律也很好，那是當你沒有受到打擊的時候，打擊一來啊，就火冒八丈高了，也管不了清淨不清淨，什麼毛病都出來了。所以忍辱是六度的中心，因爲那是最難最難的。也因爲這個原故，大乘菩薩必須進入無生法忍，才能登上菩薩地。

無生者，本自無生，信心清淨，一念不生處。這個一念不生處，不是壓制的，也不是沒有思想，沒有知覺，而是一切雜念不起，信心清淨就是無生。

光是無生是不夠的，要「無生法忍」，切斷一切萬緣叫做法忍。我們中國文學的形容辭是，拔開慧劍，斬斷情絲。有時我們劍是拉不開的啊！有時候又只拉一半，有時候劍拉出來了，看看劍卻楞住了。不要說斬啦，扯都扯不斷，那個劍早就鈍了。所以說，法忍也就是六度的中心，忍辱的意思。

首先我們來了解佛學忍辱的意思，看到一個「辱」字，我們會想到受人侮辱叫做辱，譬如別人罵你啦，打你啦，各種不如意的刺激，算是辱，這是從文字上的瞭解。在佛法上講，一切不如意就是辱，受一切痛苦就是辱。譬如我們老了病了，老病就是辱，老病招來自己許多煩惱，也帶給別人許多煩惱。不要說我們人是如此，你只要看看動物，拿螞蟻來說，你仔細觀察，年輕的螞蟻經過老化螞蟻的旁邊，都走得遠一點，這樣的辱，這樣的難堪忍。

所以，這個有缺陷的娑婆世界非常難堪忍，沒有一樣事情是圓滿的，而這個世界上的一切眾生堪忍，受得了；所以這個世界叫做娑婆世界，是堪忍的世界。也因爲如此，這個娑婆世界上的眾生，才最能夠成佛，因爲生在天堂沒有痛苦，沒有刺激，天天在享福，眾生也不想修道，用不著嘛！生在地獄裡，受苦受難都來不及，沒有時間搞這一套。只有生在娑婆世界，有苦有樂，有善有惡，各有一半，所以能夠刺激你發生解脫的智慧，是成佛的捷路。

忍辱並不是完全講侮辱，大家不要搞錯了，一切的痛苦能夠忍的都是辱。譬如我們這個世界上做生意的，創事業的，乃至發財的，你問他這個日子好不好過？他一定說不好過。受不受得了呢？有什麼辦法呢？反正能夠忍得住就這樣忍下去；所以說娑婆世界的衆生堪忍，能夠忍受。

佛跟須菩提兩人對話到這裡，如果不仔細看這個經，突然看他在中間來一個忍辱波羅密，會覺得奇怪。所以剛才我先提起大家注意，這一部經把六度波羅密都講完了，爲什麼現在提出這個忍辱波羅密呢？

忍辱的榜樣

我們要想學佛，要想修行成就，「忍」是最難做到的，就像打坐修定，爲什麼定不住啊？兩個腿痛，你就忍不住了，這個忍就是忍辱裡的一忍啊！當然硬忍是很難，但是你明明知道此身兩腿兩手，四大皆空，那個時候你就是空不了，忍不過去。所以這六度的一關忍辱度，你就過不了，過不了的話，這一切皆是空談。你說我們會唸金剛經，無我相，無人相，無衆生相，無壽者相，木魚敲起來非常好聽……哈啾！糟糕，我感冒了，怎麼辦？看那個醫生好？因爲怕死掉，衆生相就來了，壽者相就來了，這一下就忍不過去了。

所以忍辱的道理，放在金剛經的中心，大家要特別特別注意！佛把自己本身修持的經驗告訴我們，做個榜樣。所以佛說，眞正智慧徹底悟道的人，才曉得忍辱波羅密本身沒有個忍。如果有堅忍的念和感受在那裡，就已經不是波羅密，就已經沒有到彼岸，也沒有成就。

何以故。須菩提。如我昔為歌利王割截身體。我於爾時。無我相。無人相。無眾生相。無壽者相。

什麼理由呢？佛又對須菩提說，以他本身做榜樣，像我從前的時候，曾經被歌利王割截身體；歌利王是過去印度一位名王，不過印度不注重歷史，這種歷史資料只有在佛經裡才找得到。

這位當時歷史上的名王非常殘暴，那個時候，釋迦牟尼是個修道的人，相當有成就，到達菩薩地了；雖然是緣覺身，無佛出世自己也會悟道，後來歌利王因鬧意見要殺釋迦。他說，你既然是修道的人，我要殺你，你會不會瞋恨？釋迦佛說：此心絕對清淨，假使我起一念瞋心，你把我四肢分解割掉後，我就不能復元，結果歌利王一節一節把他割了。釋迦牟尼沒有喊一聲唉唷，心裡頭也沒有起一念恨他的心理，只有一念慈悲心。完了以後，歌利王要求證明，釋迦牟尼說，假使一個菩薩的慈悲心是眞的話，我的身體就馬上復元，結果他立刻復元了，又活起來。

這個故事比耶穌的復活厲害多了，所以佛說，昔爲歌利王割截身體，他在當時無我相，無人相，無衆生相，無壽者相。佛把自己本身的故事，說給我們修行的人做個榜樣；當然，並不希望我們被別人割了作試驗。現在不必談割截身體了，叫你不說話你就受不了，叫你坐著不動也受不了，其實這個就是忍辱與禪定、般若的道理；只因爲智慧不夠，悟道並沒有透徹，所以你受不了。

達摩與蘇格拉底

剛才講到忍辱波羅密，我們再提起注意，所謂忍辱，包括了人世間一切的痛苦，一切的煩惱，忍到沒有忍的觀念，沒有忍的心理，忍到無所忍，自然而清淨，這才是忍辱到達波羅密成就的程度。所以佛說，當我被歌利王割截身體的時候，他說他無我相，無人相，無衆生相，無壽者相。首先他沒有覺得這個生命是屬於「我」的，這一句話特別注意啊！我們這個身體是屬於我們暫時所有，是暫時附屬於我，並不是我眞正永遠的佔有，因爲此身本來不是我。要把這個道理，不僅理解清楚，還要實際上證到，才信心清淨，才有希望證得般若實相，這是眞正的功夫。

但是功夫又是什麼地方來的呢？般若見地來，智慧不透徹不能大徹大悟。大徹大悟是智慧的境界，並不是功夫的境界，如果叫功夫的境界爲大徹大悟，那就是氣象局發的警報，路上有霧，小心撞車的那個「霧」了，就看不見了。這個悟是清朗的，智慧破除一切陰影的境界。

何以故。我於往昔節節支解時。若有我相人相眾生相壽者相。應生瞋恨。

說到這裡，先要有一個認識，佛現在所告訴我們的，不是假想，是一個實際的修持。無我相，無人相是智慧的解脫。譬如西方的大哲學家蘇格拉底，最後被人家謀害，拿到一杯毒藥，朋友們勸他不要吃，他明知道是毒藥，笑笑，仍然談笑風生，最後喝下去死掉。

又如中國禪宗達摩祖師，在中國傳道的末期，遭到其他法師們妒嫉，五次毒死他，都未成功。等到第六次毒他時，他把毒藥吃下去告訴弟子們，跟你們的因緣到了，我要走了。弟子們當然不讓他走，他說因緣已到，我已經吃下毒藥了。另外密宗的木訥祖師，最後也是被人毒死的。這些人都知道因緣已到，殺人抵命，欠帳還錢，應該走就走了。又如耶穌被釘上十字架等等，這些都是智慧的解脫。所以禪宗五宗宗派之一的法眼大祖師，有偈子說：

理極忘情謂　如何有喻齊

到頭霜夜月　任運落前谿

這個偈子有八句，我們引用要點，只說它的一半，理極就是眞正的道理，智慧的領悟，理解、悟解到達了極點；忘情，這些妄念的情沒有了。這個境界是沒有辦法描寫的，沒有辦法講，沒有辦法說，理到了極點，智慧到了極點就是理極忘情謂。後面幾句是描寫無我相，無人相等等的境界，自然而然，理到了，事也到了。

所以佛教的華嚴境界，又叫做「理無礙，事無礙，理事無礙，事事無礙」，理到了也是無有障礙，所以光是研究佛學就不能在修持上得受用。大家把三藏十二部的教理，沒有融會貫通，沒有到達理極，所以我相、人相仍在。像佛說的身體被人家殘害，而只有慈悲心，不動瞋念，到達忍受沒有痛苦的境界，這是理的境界，智慧的成就。

忍辱的功夫

說到功夫的成就，就要提到南北朝時候禪宗的二祖，他盡管是接了達摩的衣缽，最後還是受報；多生多世欠的命債，最後還是要還。佛法的基礎是三世因果，六道輪迴。

有一個祖師在被殺頭的時候，寫了一首偈子：

四大原無主　五蘊本來空

將頭臨白刃　猶似斬春風

他很慷慨的把頭伸出來，砍吧！此外像印度禪宗的祖師師子尊者，也是還債，頭砍下來沒有血，脖子裡沖出來像牛奶一樣，數尺高。這證明經過修持，色身已經轉化，再進一步白血化掉，他身體變成空的，殺頭也殺不了啦！

在色身還沒有變空以前，受報被殺了，像殺頭、受傷害，不流血只流白乳的情況，并沒有痛的感覺，所以那個不算忍辱。忍辱的時候有痛的感覺，有非常痛苦的感受，而心念把痛苦拿掉，轉化成慈悲，這才是忍辱波羅密。到達沒有痛的感覺，那是功夫境界，不能說是忍辱波羅密的功德。儘管功夫到達這一步很不容易，但是這個功夫不稀奇，等於我們上了麻醉藥，開刀不會痛，那不能說你本事好不痛啊！如果沒有上麻醉藥，極痛而能不痛，那是你眞正的智慧成就，你當場就可以把五蘊裡的受蘊與想蘊，都拿開而解脫了；學佛也是要學解脫，這個道理我們必須要加以說明。

所以菩薩道的忍辱是有形象的，痛苦是痛苦，煩惱是煩惱；能夠把煩惱、痛苦觀空而轉化了，就是道德的行為，心理上的心性，這才是菩薩的功德。因此我們學佛的人注意！別人態度不好，或一句話不中聽，馬上起計較心，乃至起瞋恨心，你所有的功夫、修道，都垮掉了。青年同學們注意，不要聽了金剛經講忍辱，就萬事不做，自以爲那是忍辱；要入世忍人所不能忍，行人所不能行，才是修菩薩道的基本精神。菩薩是積極的，不管自我，只有做利他的事，而入世利他是非常痛苦的，也是非常煩惱的。要處處犧牲自我，必須要有無我相，無人相，無衆生相，無壽者相的境界，忍人所不能忍，行人所不能行，才是眞正大乘道的忍辱精神。譬如說，佛爲什麼讓人家割他的身體？他是爲了證明給世人，修證佛法確有其事，這個道理我們一定要曉得。

須菩提。又念過去於五百世。作忍辱仙人。於爾所世。無我相。無人相。無眾生相。無壽者相。

他再告訴須菩提，回想過去五百生以前，專修忍辱。他說那一生的修行，專做忍辱功夫，的確達到了無我，無人，無衆生，無壽者，不著相。所以他強調一句話，怎麼樣學佛。

是故須菩提。菩薩應離一切相。發阿耨多羅三藐三菩提心。

這就是學佛的精神，換句話說，不要被一切現象騙了，或迷惑了。有個廟子，有個房子，有件衣服，有個地方，這些都是相；此心不要被佛堂、房子、財產、或名譽所迷戀了。所以前面曾說，要離一切諸相，即名諸佛。大乘菩薩走大乘的路，應該離一切相，發起求大徹大悟菩提之心。

無所住的心

不應住色生心。不應住聲香味觸法生心。應生無所住心。若心有住。即為非住。

學佛做功夫的人，大家就要注意了，我們在做功夫學佛，好像就在這色、聲、香、味、觸、法六樣裡面滾，就在這六根六塵之中打轉。你千萬記住，「不應住色生心」，一切境界，一切現象都不是，那是我們後天的，心理上、生理上、精神上的幻化。「不應住聲生心」，聽到聲音當成佛菩薩對你說話，耳朵裡最容易發起聲音，走上這個路子，佛都救不了你。你看戒律的部分，佛在世時，很多走上這個路子，佛只好放棄。所以不應住色、聲、香、味、觸、法生心，一句話就是重點。要學佛的人，離一切相，「應生無所住心」，要隨時觀察自己，觀心，要使此心無所住。如果心心念念住在某一種東西上，或住在某一種習氣上，始終不能解脫，已經是走入魔道了。佛法初進中國時是「磨」字，意思是折磨你的。後來齊梁時代改成魔鬼的魔，因爲講魔鬼大家會害怕小心一些，所以千萬千萬注意，離一切相，應生無所住心。

接著下去，我們很多學靜坐，及觀心法門的同學要注意了，「若心有住，即爲非住」。你們做觀心的功夫，做靜坐的功夫，心境上有一個清淨在，你心住在清淨，已經不清淨了；至少那個清淨是非常狹小的。還有些人覺得空了，他那個空啊，不過是水桶那麼大，也許比水桶還小一點，都是你意識上一個境界，不是眞正的空。這就是心住相；著相，著在一個空的現相上，有所住。所以「若心有住，即爲非住」，是錯誤的，錯誤的空觀，錯誤的住心法門。若心有住，可以訓練意識專一，比較能夠寧靜，但是認爲這個有相的，水桶那麼大的空，或者清淨就是道，那不是你騙了道，就是道騙了你，也許你騙了釋迦牟尼佛。所以若心有住，即爲非住，這是最好的觀心法門。

如何布施

是故佛說菩薩心。不應住色布施。

爲什麼講忍辱，一下子又跳到布施來了呢？就是今天講課一開始跟大家提醒的，金剛經布施、持戒、忍辱，是一貫連下來的，不像現在的文章條理化、科學化，過去的文學行雲流水，看起來漫無次序，好似一個不規律的排列，但是卻構成不規律的美。所以說，「菩薩不應住色布施」，就是不應著相，住色法的布施是有形的，非常著相。用白話文來講，就是一切受物理、環境影響的東西，都要把它放掉，萬緣放下，就是不住色布施。

須菩提。菩薩為利益一切眾生故。應如是布施。如來說一切諸相。即是非相。又說一切眾生。即非眾生。

佛再三的告訴須菩提，佛法大乘菩薩道的精神，就是爲利益一切衆生而有所作爲，一切一切的作爲，都是處處犧牲自我，成就他人；應如是布施，應萬緣放下，利益他人的身心。爲什麼人放不下呢？因爲不肯眞正布施，因爲衆生著相。

「如來說一切諸相，即是非相」，不要著相，那一相都是停留不住的，都是非相。譬如我們人最著相的，是希望自己多活幾年，尤其是中年以上的人，壽者相。但是生命留得住嗎？一切諸相，即是非相。這些現象，不是你要留就能夠留的；它本身留不住，本來無住，本來不可著相的。凡夫衆生之所以爲凡夫衆生，是明明知道這個道理，尤其是學佛的人，都非常清楚，但他心中仍在想：留不住的都是他們，我大概能留得住吧！總覺得自己不同一點，比不知的不學佛還可憐。所以我經常提到我那袁老師的詩，「五蘊明明幻，諸緣處處癡」。說學佛的人，明明知道五蘊皆空，但是啊，自己到處癡迷重重。這就是因爲行不到的原故，行不到就不是修行人。修行是行，行爲上的行。

所以佛「又說一切衆生，即非衆生」，再進一步說，不但無我，也無人，也無衆生。有些年輕人，自以爲有了大乘的精神，又不肯自修，我就常常勸他們，你先求自修啊，自修好了，再來度人，你連自修都沒有修好，怎麼去度人呢！這也是我經常感嘆自己的，本欲度衆生，反被衆生度。自己都沒有學好，度個什麼人啊！只怕你自己不成佛，不怕你沒有衆生度。衆生愈來愈多，有的是事需要你去作的，自己修行沒有基礎，何必急急忙忙去度人呢？

徹底的說，衆生不要你度，個個自己會度，有些菩薩們度衆生，決不是說法，反而加重衆生的苦頭，等他吃夠了苦頭，受不了，他自會回頭的；這也是一個度人的法門，並不一定要教他打坐學佛。

因爲有些年輕的同學們，心心念念在學佛，而且發瘋一樣的想成佛，成佛幹什麼？要度衆生；衆生自己會度，不要你度！「又說一切衆生，即非衆生」。你要曉得佛法的理，一切衆生皆是佛，你去度佛幹什麼？每個衆生都是自性自度。所以六祖悟道以後，對他的師父講：迷時師度，悟後自度。衆生都是自性自度，在佛教早晚功課中會唸到「自性衆生誓願度，自性煩惱誓願斷」，都是自性自度。

佛怎麼說話

須菩提。如來是真語者。實語者。如語者。不誑語者。不異語者。

一共五種語，佛說法是眞實的，不說假話，說的是老實話，實實在在，是什麼樣子就說什麼樣子。實語、眞語，都容易瞭解，但什麼是如語呢？不可說不可說，閉口不言，其聲如雷，這個就是如語。如者如同實相般若，生命的本來畢竟清淨，清淨到無言語可說，就是如語，所以佛是如語者。

全部的金剛經說的就是如語，所以佛在金剛經上說了半天，他又說他說法四十九年，一個字都沒有說，這就是如語，是不可說不可說。

不誑語，是不打誑語，不異語是沒有說過兩樣的話。我們把三藏十二部大小乘經典拿來看，兩樣話都非常多。但是再仔細研究，他只說過一個東西，沒有說過兩樣，這一個東西說了四十九年還說不清楚。所以佛說他沒有說過一句話，這是如語。在這部經典裡，佛爲什麼要像賭咒一樣，怕人們不相信，說他從來沒有說過不老實的話呢？這是教我們信心清淨，要切實相信，切實相信一個眞正的佛法。這個佛法是什麼樣子？

無實亦無虛

須菩提。如來所得法。此法無實無虛。

眞正的佛法就是這一句話，佛把徹底的消息都告訴我們了。有一個東西可得嗎？得到個什麼？如果買一個蘿蔔，買一個南瓜，還有個東西可以帶回來；但是得道得一個什麼都沒有！無實，沒有個東西；無虛，卻是不假的。所以形而上的道理，眞正的佛法，不眞不假，也就是金剛經的中心重點，這裡已經全部點出來了。由布施、持戒、忍辱到般若的成就，告訴你眞正佛法的修持，不住、不著相、不執著，放下萬緣。

放下就對了嗎？放下的也不對！所以馬祖告訴弟子們，放不下就提起來！提起來，心有所住；心有住，即爲非住，提也提不起來。

大家用功的人，也都是提也提不起，放也放不下。有一個同學來問：老師啊，我現在提也提不起，放也放不下。我說：那你不是成佛了嗎？我要向你磕頭了，你已經到了無實無虛嘛！這個情形不是提不起放不下，他那是鬧情緒，悶在那裡，那就不對了。眞懂得提也提不起，放也放不下，懂得了無實無虛，換句話說，到這個時候，要提起就用，不提起就放下，就是這樣簡單。所以眞正的佛法是「此法無實無虛」，佛講這一句好嚴重！他先向我們賭了一個咒：我一輩子沒有說過謊話，我說的都是老實話，你們要相信啊！你們聽我的啊！我告訴你，此法無實無虛。你懂了就是你的，不懂還是我的，就是這個話。你要懂得當然是你的嘛！他說的都是老實話。此法無實無虛。

須菩提。若菩薩心。住於法而行布施。如人入暗。即無所見。若菩薩心。不住法而行布施。如人有目。日光明照。見種種色。

他進一步告訴須菩提，他說修菩薩道的人，心執著一個佛法可得，一個佛法可修，執著了佛法的一種法就錯了。隨便舉一個例子，許多學佛修道的人，都說：唉！我萬緣放下了。問他：那你現在幹什麼？他說：現在就是修道呀！對不住，一點都沒有放下。學佛修道不是萬緣裡頭的一緣嗎？難道是萬緣以外的一緣嗎？這就是說，你是有所為修，有形象去做，這是菩薩心住於法而行，這個人永遠不會見道。

等於人閉上眼睛，到了一個黑暗的房間，他看不見了，永遠摸不出來。假使真想明心見性、見道，「若菩薩心不住於法而行布施」，一切無所住，這是真正的解脫，真正的放下，此人絕對可以見道。等於這個人有了慧眼，有了眼睛，又在太陽底下，當然萬象森羅，什麼都看得很清楚。

無量無邊的功德

須菩提。當來之世。若有善男子。善女人。能於此經受持讀誦。即為如來。以佛智慧。悉知是人。悉見是人。皆得成就無量無邊功德。

阿彌陀佛，我們跟佛客氣一下，你老人家言重了，對我們太好了。他告訴須菩提，「當來之世」，將來的時代，或者一個善男子，或者一個善女人──功德、智慧有成就者，才算是善男子，善女人。能夠接受這部經典的般若要義，照此修行，甚至於深入義趣的讀誦，這個人就等於是佛。這句話多嚴重啊！所以我說，佛啊，你老人家言重了，不敢當。應該我們唸到這裡，要加一兩句話，佛啊，對不起你老人家，實在不敢當。他說，眞能夠這樣即同如來。

但是佛的話，爲什麼講得那麼客氣？那麼嚴重？這是有道理的，我們引用楞嚴經兩句話就可以瞭解，「心能轉物，即同如來」。這是佛說的，後來禪宗的達摩祖師也說過，「一念回機，便同本得」。這就是說，能夠對金剛經的道理都瞭解了，以此修行的，相同於佛的行；並不是說你就是佛，是等同於佛。以佛的智慧，完全可以瞭解這樣的人，瞭解他對於金剛經般若智慧如此透徹，這樣的人「皆得成就無量無邊功德」。

這一篇的一個結論，就是大智慧的一個成就，理解到證悟到智慧的成就，才能夠發起心地修行的作用。以智慧悟道，起心行的作用，修忍辱行，在苦海茫茫中，作利益一切衆生的事，此人成就無量無邊功德。結論偈子：

第十四品偈頌

優曇花發實還無　塵刹今吾非故吾
笑指白蓮開處看　汙泥香裡養靈珠

「優曇花發實還無」，優曇花就是曇花，佛經上經常引用。在中國內地難得開花，在台灣都看過曇花，色、香都好，但卻非常短暫，所謂曇花一現。當曇花開到最香的時候，就是它凋落的時候，所以佛經經常用曇花來形容。

站在宇宙看人類的歷史，幾千萬億年的時間，也只是曇花一現。大家活了幾十年，回頭一看，幾十年像曇花一現，非實非虛，非眞非假，即空即有，要從這個角度去體會。修持佛法有沒有眞成就的？絕對有！但是不能著相，非實非虛。所以，像優曇花開了，當時是有嘛！又好看又好香；馬上沒有了，又是空了。但是你說空了是沒有嗎？不是沒有！塵塵剎剎，這是用佛學名辭，物質世間就是塵，剎代表一切土地。

「塵剎今吾非故吾」，這個物質世間現在的我，不是以前那個我，不是前生的我，也不是來生的我，這個我是假我，今吾非故吾，不是我生命本來的那個生命。離開這個現在的我，才可以找到本來常樂我淨的那個眞我。生命的眞我在那裡找呢？

「笑指白蓮閒處看」，所以佛經上叫我們往生西方，極樂世界，蓮花化生，尤其佛重白色的蓮花，八葉巨蓮，蓮花不在好的地方成長，愈髒愈爛的泥巴裡頭，蓮花愈開得茂盛。

「汙泥香裡養靈珠」，大乘的精神是入世的，要入到最稀爛的地方修道，才能成功；跑到高山，跑到清涼的地方住茅蓬，成不了道啊！那是道要成你，不是你要成道。

第十五品 持經功德分

須菩提。若有善男子。善女人。初日分。以恆河沙等身布施。中日分。復以恆河沙等身布施。後日分。亦以恆河沙等身布施。如是無量百千萬億劫。以身布施。若復有人。聞此經典。信心不逆。其福勝彼。何況書寫受持讀誦。為人解說。須菩提。以要言之。是經有不可思議。不可稱量。無邊功德。如來為發大乘者說。為發最上乘者說。若有人能受持讀誦。廣為人說。如來悉知是人。悉見是人。皆得成就不可量。不可稱。無有邊。不可思議功德。如是人等。即為荷擔如來。阿耨多羅三藐三菩提。何以故。須菩提。若樂小法者。著我見人見眾生見壽者見。即於此經不能聽受讀誦。為人解說。須菩提。在在處處。若有此經。一切世間天人阿修羅。所應供養。當知此處。即為是塔。皆應恭敬。作禮圍繞。以諸華香而散其處。

最難的布施

須菩提。若有善男子。善女人。初日分。以恆河沙等身布施。中日分。復以恆河沙等身布施。後日分。亦以恆河沙等身布施。如是無量百千萬億劫。以身布施。

什麼叫初日分？中日分？後日分？這是印度的習慣。印度這個民族不太注重歷史，覺得過去的就過去了，未來的還沒有來，記那麼清楚幹什麼？對於數字一個兩個，一萬個兩萬個，開口就是八萬四千，就是很多的意思。印度一年分三季，以四個月做一季，也是一年十二個月。佛經上講時間，一天分三時，就是三個階段。初日分就是上午，中日分就是中午，後日分就是下午，這三句話其實就是一天。

以身布施很難啊！譬如我們現在輸血給人家，或者把眼角膜捐給人家了，有人受傷，需要一塊皮去補，把自己身上割一塊去幫他等等，都是身布施。另外媽媽生孩子，父母帶孩子也可以說是身布施，不過看不出來，還布施得很願意，很高興呢！勞碌一輩子，最後被兒女罵一頓，說你這個落伍的老頭子，愈罵愈高興，這就是做父母的布施。其實嚴格講起來，這不算布施，因爲父母的愛兒女，是基於自己私心的愛。又如你愛一個人，願意爲他服務，算不算布施呢？這是布施的行爲而已。實際上，這是你的癡心，貪瞋癡慢疑的癡，愚癡的癡。我們常常引用龔定盦的兩句詩，「落紅不是無情物，化作春泥更護花」。眞布施是捨掉自己捨不得的，是一種自我犧牲。譬如說只有砍掉我的膀子，才能夠治好你，我願意砍掉給你，忍人所不能忍，行人所不能行，這是布施。所以以身布施，非常難。

爲什麼這裡提到身布施呢？大凡人生在世，有兩件事情最難布施，第一件是錢財。我們常聽四川朋友講一句笑話，「錢、錢、錢，命相連」，那個錢眞是與生命一樣要緊；所以錢財最難布施。但是等到要命的時候，絕對慷慨的把錢財付出去，只要保命就好了。

第二件是身布施難。最難布施的是「我」。佛現在講，假使有一個人，以恆河沙等身布施，什麼是恆河沙等身布施？我們一個身子犧牲了，算是一個身體布施，自己死了以後，再來投胎，那個身子再來布施，生生世世都拿生命來布施，犧牲自己，爲社會爲衆生，這是以恆河沙那麼多的生命來作布施，這個是講數量之多；犧牲不只一次，犧牲像恆河沙那麼多次數，這是講生命的布施。

老人的救生圈

其次講時間，連續的布施，投胎再來，又來還是爲衆生再布施，再來還是布施，經過百千萬億那麼多的劫數，都是以身布施，行菩薩道，這個功德你說有多大？所以有一點大家要注意，常有人問我是不是佛教，我說我什麼都不「叫」（教叫諧音），爲什麼呢？我沒有資格當佛教徒，因爲我沒有辦法以身布施。

世界上很多不是佛教徒的人，所行的眞是菩薩道。曾告訴過大家，二三十年前，我在基隆的時候，一條船在海上碰到了颱風，那是海軍拍賣掉的舊船，快翻了。一個有肺病的人在船上，水手拿了一個救生圈給他，他看見一個女的抱著一個小孩，在喊救命，就把救生圈套上了母子倆個，自己就不要了。那個船員一上來看到，急得不得了，東找西找又找一個救生圈丟給他；他一轉身，看到一個年輕人在找板子東找西找，很危急的時候，他又把這個救生圈給這個年輕人了。他說你年輕還有用，我又老又病，沒得用了，最後他犧牲了。這個就是菩薩，在危難的時候，沒有考慮到自己。

所以我說我不是佛教徒，不能以身布施，你假使多跟我談一下，我就不高興了，心想怎麼搞的，儘講，我都累死了。這就是不肯以身布施，對不對？假使有人家要你幫忙，多跑一點路，唉呀！我那麼大年紀，還給你跑，這也是不肯以身布施。所以眞正學佛，以身布施是一件非常難的事。

布施兩個字不可以輕易談，你說這裡出十塊錢，那裡出一百塊錢，是布施嗎？你是算過的，這一百塊錢拿出來，對自己沒有什麼影響，因爲還有八千一萬在身上；那不算布施。只有自我犧牲去助人救人，才算是眞布施，所以眞正的布施之難，這一點須要注意。至於有些人布施了一點錢，還希望留下一個名字，走過來看看，啊！我都布施了，怎麼還沒有名字？那個不是布施，而是施布了，布施倒過來了。所以學佛要瞭解布施之難，眞布施須要眞放下。這裡談布施沒有提到錢財，只說以身布施，這樣一個人，無始劫來以身布施，這個功德當然很大，但是佛又說了：

信心不逆的福報

若復有人。聞此經典。信心不逆。其福勝彼。何況書寫受持讀誦。為人解說。

佛說，假使有一個人，拿自己的生命布施，經過無窮無數的時間，只有布施，不要求收回來，這個人福報很大。可是，如果有一個人，學了金剛經的法門以後，做到「信心不逆」，這一點是重點，徹底相信金剛般若波羅密大智慧的自性自度的道理，信得過自心自性；光信還不行，信心不逆，沒有違背，這個人的福德超過前面以身布施的福德。

信心不逆是很難的，許多人佛學的道理瞭解很多，但在行爲上，做人做事上，都與佛法相反，都是違逆。譬如說勸人家勸得比唱得還好聽，唉呀，放下，看開一點……他自己放不放得開？你馬上逗他一下，他就看不開了。這就是信心有逆。要做到信心不逆，不是理論而是絕對的信心，這樣去修行，那麼這個人所得的福報，超過前面所講的專門以布施爲功德的人。更何況還有人對金剛經的佛法，廣事宣揚，乃至古代沒有印刷，只有抄寫，受持，接受了，照這樣修持，每天讀誦，爲人家解說這個道理；這個福報比前面的還要大。

如來說給誰

須菩提。以要言之。是經有不可思議。不可稱量。無邊功德。如來為發大乘者說。為發最上乘者說。若有人能受持讀誦。廣為人說。如來悉知是人。悉見是人。皆得成就不可量。不可稱。無有邊。不可思議功德。

最要緊的一句話，金剛經這個經典的本身，有「不可思議」，想像不到，「不可稱量」，沒有辦法去量一下有幾斤重，或者多長。總而言之，它有無量無邊的功德，可是你們注意下面兩句話啊！這個功德那麼大，大家都研究了，大家都帶一個功德回去嗎？都沒有帶走，為什麼？因為此經「如來為發大乘者說，為發最上乘者說」。這一個經典的內涵，是為了真正發大乘心，大菩薩道的人說的，也是為最上上乘，不是普通智慧的人，而說的經典。他說假使有人能夠受持讀誦，當然，我們不一定是上上智，可是，能夠接受，讀誦研究這個經典，「廣為人說」，普遍向人家宣揚的話，「如來悉知是人。悉見是人」。佛，完全知道這個人。佛可以給你證明，他完全可以看得見，完全可以瞭解這個人，「皆得成就不可量。不可稱。無有邊。不可思議功德。」他說，這樣的人，不久的將來，都能得到無量無邊的功德。什麼理由呢？

如是人等。即為荷擔如來。阿耨多羅三藐三菩提。

他說這樣的人，他就等於佛，他有責任感，把佛法的這個擔子挑起來；所以，他就有這樣大的智慧，這樣大的福德。只要你發這樣大的心，肯挑這樣大的擔子，就有這個功德，有這個智慧。荷擔什麼呢？阿耨多羅三藐三菩提。就是無上正等正覺，普通話叫做大徹大悟。他說挑負了這個擔子，自然有一天會大徹大悟。

你喜歡小法嗎

何以故。須菩提。若樂小法者。著我見人見衆生見壽者見。即於此經不能聽受讀誦。為人解說。

在楞伽經裡，把人的根性分類五種，有些人天生走小乘路子，喜歡修小乘法。你教他修大乘菩薩道，最上乘的法，他不能接受，也無法接受。等於學校的學生，很多人只能夠到某種程度，因爲他的智商不夠，只能受最低的教育。學佛法也是一樣，雖不是智商的問題，但是他的根器發心，喜歡走小的路子，弄點功夫啊，打打坐啊，打坐眼睛裡看到光啊，聽個聲音啊，那裡氣跳啊，今天臉色又發光，明天腳又發熱，指甲發亮啊等等。這些就是所謂樂小法者。這種人的觀念思想，已經落在我見，人見，衆生見，壽者見。他們一切只是爲「我」，希望在人中做個了不起的人，而且希望自己活得長壽健康，希望自己不死；至於大乘的法門，如何見性成佛，朝聞道夕死可也，他們根本不予理會。所以，佛說這些樂小法的人，對於這個經典所講的眞義，沒有辦法聽受，沒有辦法讀誦，更不會弘揚，爲人解說。

須菩提。在在處處。若有此經。一切世間天人阿修羅。所應供養。

當知此處。即為是塔。皆應恭敬。作禮圍繞。以諸華香而散其處。

佛說的這一本經，始終講這個經怎麼重要怎麼重要，現在告訴須菩提，在在處處，隨便在什麼地方，只要有金剛經這本經典所在，不管世間的人，乃至天上的神，乃至阿修羅，魔王，魔鬼，都自然應該供養這個經典。有這本經擺在那個地方，等於有個佛塔在那裡，大家自然都應該供養，應該恭敬，頂禮，乃至拿香花供養它。

我們說一句對佛不太恭敬的笑話，佛好像宣傳廣告作得非常好一樣！這一本經啊，完全運用廣告的手法，說這個般若法門怎麼重要怎麼好，大家如果唸經唸到這裡，很可能會產生這個感覺，裡頭好像沒有講到什麼東西。可是裡頭是不是講了東西呢？這就是金剛經翻譯的特殊，說法特殊。他講的第一重點，請大家注意，「信心不逆」，他講一切相不住，一切心放下，就可以到家。可是人信不過，做不到；儘管嘴裡講可以放下，事情到來一點都看不開，更放不下。

所以我常常講的幾個字，我自己號稱十二字眞言，人生都是「看得破，忍不過。想得到，做不來。」這就是信心有逆。第二個重點就是敢爲佛法挑擔子，荷擔如來正法，挑大乘法門，承先啓後，繼往開來，在滔滔濁世中，要有這樣的精神。要頂天立地的站起來，爲人類的文化，爲衆生的慧命，而生存，而奮鬥。這樣的精神需要無比的忍辱，無比的犧牲，所以要懂得忍辱度，要懂得布施度，這就是重點。佛並不是只作廣告，把這兩個重點抓出來，再讀這一品，就知道它的意義所在了。偈子如下：

第十五品偈頌

躍馬投鞭星斗橫　一呼百諾作雷鳴
江山無恙漁翁老　何似靈山補衲輕

「躍馬投鞭星斗橫」，這是拿世間法來作比方，英雄人物出來，像漢高祖、唐太宗、朱元璋這一類人等，騎在馬背上。投鞭是用秦王苻堅的典故，他帶兵打仗，幾十萬大軍，自稱投鞭斷流，部隊那麼多，馬鞭一丟，連河水都可以塞住不流了。星斗橫，天上的星星都被他震動了的樣子，威風驚天動地。

「一呼百諾作雷鳴」，一個人當了帝王那個威風，福報是太大了，隨便叫一聲，下面多少人答應，好像上天打雷一樣，這是說人世間作了皇帝，福報是最大的；所以人人都想當皇帝，但是這個不是真的福報，真的福報在那裡呢？

「江山無恙漁翁老，何似靈山補衲輕。」天下太平，人人有飯吃有衣穿，無是非，都過著安定幸福的生活，而自己又懂得了佛法。穿一件百衲衣，破袈裟，從前和尚穿的百衲衣，現在很少看到，過去大陸上，許多專門住茅蓬的，身上穿的衣服，就像小說上畫的那個濟公活佛的衣服一樣，叫做糞掃衣。就是垃圾堆撿來的破布，一塊一塊把它縫起來，一針一針都把它密密縫起來，破了又縫，一身都是線的樣子，也叫做補衲衣，衲衣就是和尚穿的衣服。人生眞正的福報，還是清福最難，如何享到這種清福呢？發上乘心大乘心，由擔當如來家業發起，這一個大心發起，就有眞正的福報。

第十六品 能淨業障分

復次。須菩提。善男子。善女人。受持讀誦此經。若為人輕賤。是人先世罪業。應墮惡道。以今世人輕賤故。先世罪業。即為消滅。當得阿耨多羅三藐三菩提。須菩提。我念過去無量阿僧祇劫。於然燈佛前。得值八百四千萬億那由他諸佛。悉皆供養承事。無空過者。若復有人。於後末世。能受持讀誦此經。所得功德。於我所供養諸佛功德。百分不及一。千萬億分。乃至算數譬喻。所不能及。須菩提。若善男子。善女人。於後末世。有受持讀誦此經。所得功德。我若具說者。或有人聞。心即狂亂。狐疑不信。須菩提。當知是經義。不可思議。果報亦不可思議。

被輕賤的前因後果

復次。須菩提。善男子。善女人。受持讀誦此經。若為人輕賤。是人先世罪業。應墮惡道。以今世人輕賤故。先世罪業。即為消滅。當得阿耨多羅三藐三菩提。

這是個大問題啊！佛告訴須菩提，假使有人誠誠懇懇學佛，研究金剛經，結果一輩子倒楣，爲人輕賤。有人事業很好，生意也做得很大，功名也很好，偏要跑來學佛，我說你不要搞啊！這個事情不是好玩的，學佛就要倒楣的。他說菩薩會保佑發財；我說佛不管這個事，因爲佛學是空道，你要學只有放下。當然也有些人學佛反而發了財，大部分都是遭遇更多困難。不但學佛如此，信別的宗教也是一樣的，很多人說自己一輩子做好事，結果倒楣透頂，什麼壞事都到他身上。歷史上司馬遷也懷疑這個問題，善人做好事，偏要倒楣；壞蛋個個好得很，身體又健康，精神又好又發財，又有辦法，這個世界上因果報應到那裡去了呢？這是個大問題。

首先我們要瞭解，佛法的基礎是建立在三世因果，六道輪迴上。佛法講的因果是講三世，認爲生命是連續不斷的，不是現在這一生，佛在別的經典裡答覆過這個問題。有人問過佛說，爲什麼世界上有許多人做好事，結果卻那麼慘呢？佛說因爲他過去的惡業還沒有報完，所以先還這個惡報的債。他現在又做好人又做好事，那是將來或他生來世要去收帳的。

講到三世因果，大家很不容易相信，因爲看不見的原故。其實很容易看，我告訴你一個辦法，可不是神通啊！不要瞪起眼睛，以爲有個法子傳你。你只要看看我們自己一生就曉得了，尤其我們在座中年以上的朋友，我們中年所遭遇的環境，是年輕時候已經埋伏下的因；晚年所得的果，也就是年輕及中年自己所作所爲的結果。把人生分三個階段，二十歲前當前生，二十到四十當這一生，四十到六十當後生。這個三世因果也差不多了。或者看近一點，昨天就是前生，今天就是現在生，明天就是來生。

我們很多同學常常跑來跟我開玩笑，老師啊！我前生究竟是什麼變的？我又沒有神通，但是你自己可以看得見啊，「欲知前生事，今生受者是。」你這一生所遭遇的事，就是前生的果報，「欲知來生事，今生作者是。」佛法最難之處就是這個三世因果，六道輪迴，它承認生命是永恆的，但生命的現象則是變來變去的。

中國文化易經也講因果，可是易經的因果，與三世不同。像代表儒家的孔孟學說，與代表道家的老莊學說，個個都談到因果的道理。金剛經的這一節，特別提出來，假使有人讀誦這個經典，結果爲別人輕賤，被人家看不起，就是笑你，甚至說現在的時代，最落伍的是學佛的人。隨便搞一個玩意都好，怎麼去學佛？好像一學佛，這個人在社會上已經被打出去了，落伍到極點，處處被人家輕賤、看不起。佛說你要知道，以因果報應來講，是因為這個人先世的罪業，應該墮於惡道，「以今世人輕賤故，先世罪業，即為消滅」，換句話說，將功折罪，抵那個罪。因為現在做好人、做好事，把過去生的業報減輕了，消滅了，而另外得一個果報；這一個果報太不容易了，當得「阿耨多羅三藐三菩提」，大徹大悟，要成佛。

我們聽了佛這個話，只好對他老人家說，你老人家說的是對啦！但是我是不敢啦！只好客氣一點。你要曉得，世間的福報已經不容易了，何況要想大徹大悟而成佛呢！但是禪宗的頓悟觀念很流行，一般人都想學禪，而且每個年輕人學禪，都等在那裡開悟。還有個同學說，已經坐了一個月了，怎麼還沒有開悟？我說慢慢等吧！再等下去吧！金剛經現在告訴你，你看懂了吧！要把過去、現在，自己身心的業報清理完了，開悟的那一點消息才會來，所以永嘉禪師說：「了即業障本來空，未了還須償宿債。」我們人生在世，一切的因果和遭遇，本身一定有其必然的原因，才有其必然的結果。所以金剛經這一點，大家不要輕易的看過去了，這是反轉來告訴我們，要如何修持才有結果；必須先要眞修行消掉自己的業報，智慧才能啓發。過去生的業報沒有消滅，智慧是啓發不了的；因為你還在受報，所以不會得阿耨多羅三藐三菩提，不會大徹大悟。下面佛自己舉一個例子：

誠敬努力的人

須菩提。我念過去無量阿僧祇劫。於然燈佛前。得值八百四千萬億那由他諸佛。悉皆供養承事。無空過者。

釋迦牟尼佛報告自己的經過，回憶過去無量無數時劫，曾跟隨那由他諸佛修持。那由他是無量數的意思。釋迦牟尼佛第一次開悟時的老師是然燈佛；中國後來有一本小說封神榜中，就有一個然燈古佛。佛在然燈佛那個時候，發心學佛，可是他中間經過的善知識、名師，共有八百四千萬億那麼多的佛，每一個佛前面他都去學，而且供養過。

什麼叫供養呢？像孝順父母一樣的孝順師長，衣服、飲食、臥具、湯藥，四事供養。他說他都供養承事，他曾經都替他們做過事，做過弟子；他只要碰見一位善知識，自己絕對不敢放逸，沒有空過的。換句話說，總要學一點回來的。他講的這幾句話，就是說自己的求學精神，勤勞而精進，謙虛而向學。

若復有人。於後末世。能受持讀誦此經。所得功德。於我所供養諸佛功德。百分不及一。千萬億分。乃至算數譬喻。所不能及。

他說，其實當時啊！沒有一個人給他講過般若金剛經的道理。現在釋迦牟尼佛本人，說出來這個道理，說假使有一個人，在後來末法的時代，能夠抓住這部經的要點，受持讀誦，他所得的功德，比我當年供養幾千萬億佛的功德還要大；百分不及一，千萬億分所比不上，乃至算盤、電腦，算都算不出來功德有多大。換句話說，我們現在拿著這本經在研究，所有的成果，所得的功德，比釋迦牟尼佛過去所有的功德還要來得大！他是這樣鼓勵我們。

不可思議的果報

須菩提。若善男子。善女人。於後末世。有受持讀誦此經。所得功德。我若具說者。或有人聞。心即狂亂。狐疑不信。須菩提。當知是經義。不可思議。果報亦不可思議。

他告訴須菩提說，未來世上，有受持讀誦金剛經的人，所得功德之大，他說啊！我都不敢講出來，我怕講出來以後，有人聽了會狂亂發瘋，甚至於對佛法都不相信了；覺得牛吹得那麼大，沒有這回事。所以佛說，不敢說，說了有人會不相信的，會懷疑的，會發瘋的。

佛是眞的沒有說啊！但是他補充了一句，這個金剛經的經義不可思議。你不要以爲金剛經文字看懂了，就以爲懂了金剛經，它一層一層道理多得很。「當知是經義」，義是道理，這個理不可思議，不是你的知識範圍所能想像的。因此，這個經的果報，功德的果報，也不可思議。

◆第十六品偈頌◆

業識奔馳相續流　茫茫無岸可回頭
同為苦海飄零客　但了無心當下休

「業識奔馳相續流」，在佛學上說，我們生命的延續，就是一個業識的作用，業識是佛經專有名辭。首先瞭解佛學上叫「業」，業不是罪，業是一股習慣性的力量。這股力量包括了善的，叫善業；惡的，叫惡業。就是佛經上講的業報。像造業、作業這些名辭，都出於佛經。譬如我們有些小動作，有些人喜歡抓抓耳朵呀，或者抓抓頭呀，這個習慣，沒有什麼意識，無意識自然做出這些動作，就是習慣的力量。

無意識又是什麼呢？現在心理學講的下意識，在佛學上是第六意識背後的一面；譬如現在最流行的第六感呀，靈感呀，都屬於第六意識的範圍。超過了第六意識，有一個東西，就是我們的業識。我們活在這裡，自然有觸覺的感受，這是業識。這個業識屬於第六意識的最後面，是第七八識的範圍；現在心理學就很難解釋，還在研究中。

人生壽命的長短，身體的好壞，甚至於應該生那一種病，或者環境上應該有那一種遭遇，都是這個業識的作用。業識分析起來非常麻煩，但是，我們至少有一個瞭解，我們坐在這裡活著的人，是身體在這裡起作用，渾身每一個細胞都是由於業識作用而存在，而活著。所以上一品佛講身布施，身布施很難，因爲業識不容易布施的原故。

譬如我們在座許多青年學打坐，爲什麼心靜不下來呢？因爲你身體血液還在流，身上的感覺還是有，是業識靜不下來；業識茫茫，靜不下來。如果眞拿智慧的力量，心理的作用，克服了這個業識茫茫，把身體的感覺放下來，當然大徹大悟；就算不大徹大悟，也可以小徹小悟吧！所以佛在前面講的以恆河沙等身布施，那決不是一件容易的事；因爲身體的感覺布施不了，越打坐病還越多。有些人，靜坐學佛，把那個業識的陳年老帳，通通翻出來了，這些非要還不可，把它還清了，了脫了以後，才能得解脫，才能夠開悟。這個生命中，昨天、今天、明天；去年、今年、明年；年輕、中年、老年，業識的因果連續不斷。學佛的經常有一句話，回頭是岸，岸在那裡啊？

「茫茫無岸可回頭」，苦海茫茫，回頭是岸，這一句話大家經常說，卻沒有去想岸在那裡？岸就在回頭那裡，就是因爲你回不了頭。

所以我們大家做功夫，譬如打坐的人，兩個眼睛開著也好，閉著也好，你總是注視在前面，沒有辦法回轉來，所以，回頭是岸，這句話已經告訴你岸在什麼地方了。岸是什麼呢？是廣闊是空靈，到達了回頭是岸的時候是怎麼樣的情況呢？不要忘記金剛經的一句話：「此法無實無虛」。你說它空的也不對，說它有也不對，到這個境界你就找到了岸。假使不曉得回頭本身就是岸，那就是業識奔馳相續流，茫茫無岸可回頭。

「同爲苦海飄零客」，所以我們有一個感嘆，我們衆生，當然我自己也在內，都在茫茫苦海裡頭翻翻滾滾。要怎麼樣才眞得解脫？怎麼樣才眞得道呢？

「但了無心當下休」，當下無心，無心不是沒有念頭啊！說它是念頭，把它壓下去也是不對的。能記住金剛經上一句話，無所住心，此法無實無虛，大致上說來，對眞正的修行，可以找到一點眉目了。希望大家在這裡特別注意一下。

最後的結論也就是金剛經上這一品的原文，「當知是經義，不可思議，果報亦不可思議。」果報到達什麼不可思議？可以使你成佛，這是成佛的捷路。

第十七品 究竟無我分

爾時須菩提白佛言。世尊。善男子。善女人。發阿耨多羅三藐三菩提心。云何應住。云何降伏其心。佛告須菩提。善男子。善女人。發阿耨多羅三藐三菩提心者。當生如是心。我應滅度一切眾生。滅度一切眾生已。而無有一眾生實滅度者。何以故。須菩提。若菩薩有我相人相眾生相壽者相。即非菩薩。所以者何。須菩提。實無有法。發阿耨多羅三藐三菩提心者。須菩提。於意云何。如來於然燈佛所。有法得阿耨多羅三藐三菩提不。不也。世尊。如我解佛所說義。佛於然燈佛所。無有法得阿耨多羅三藐三菩提。佛言。如是如是。須菩提。實無有法。如來得阿耨多羅三藐三菩提。須菩提。若有法。如來得阿耨多羅三藐三菩提者。然燈佛即不與我授記。汝於來世。當得作佛。號釋迦牟尼。以實無有法。得阿耨多羅三藐三菩提。是故然燈佛。與我授記。作是言。汝於來世。當得作佛。號釋迦牟尼。何以故。如來者。即諸法如義。若有人言。如來得阿耨多羅三藐三菩提。須菩提。實無有法。佛得阿耨多羅三藐三菩提。須菩提。如來所得阿耨多羅三藐三菩提。於是中無實無虛。是故如來說一切法。皆是佛法。須菩提。所言一切法者。即非一切法。是故名一切法。須菩提。譬如人身長大。須菩提言。世尊。如來說人身長大。即為非大身。是名大身。須菩提。菩薩亦如是。若作是言。我當滅度無量衆生。即不名菩薩。何以故。須菩提。實無有法。名為菩薩。是故佛說一切法。無我無人無衆生無壽者。須菩提。若菩薩作是言。我當莊嚴佛土。是不名菩薩。何以故。如來說莊嚴佛土者。即非莊嚴。是名莊嚴。須菩提。若菩薩通達無我法者。如來說名眞是菩薩。

現在金剛經講到第十七品了，梁昭明太子下了功夫研究，把它分成三十二品，現在已經講完第十六品，剛好是一半。一半就是半斤，半斤就是八兩，二八就是十六了，一半一半。這一半講完了，下面還有十六品，另起爐灶，這個分類是有一個道理的，不能不注意；這不像我們現在寫書，高興寫到那裡，拿個數字隨便來標一下就算了，這裡研究的，同易經數理的哲學，有著密切的關係。所以現在第十七品，回轉來，又是一個新的起頭。

發什麼願

爾時須菩提白佛言。世尊。善男子。善女人。發阿耨多羅三藐三菩提心。云何應住。云何降伏其心。

你看，又回頭了！又是老問題，這個須菩提也同我們一樣，夠囉嗦的了！金剛經一開始，他就問佛這兩個問題，佛一路給他講下來，講到了現在，他老哥是等於為我們問話，老師啊！我還沒有懂咧！他說一個學佛的人，剛剛要發大乘心，要想成佛，想明心見性悟道，「云何應住」呀？我的心定不了啊，怎麼住？住在那裡呀！「云何降伏其心」呀？我的思想煩惱多得很啊，怎麼把它降伏下去呢？還是這個老問題。你看，很滑稽吧！假使把它當一個劇本，不要當佛經看，這個演員夠囉嗦的了！

佛告須菩提。善男子。善女人。發阿耨多羅三藐三菩提心者。當生如是心。我應滅度一切眾生。滅度一切眾生已。而無有一眾生實滅度者。何以故。須菩提。若菩薩有我相人相眾生相壽者相。即非菩薩。

還是老話，不過這老話很不同啊！這個話裡頭有骨頭。當金剛經開始的時候，佛對須菩提這個問題的答案是「善護念」，「應如是住」。這裡答覆的不同了，他告訴須菩提，一個準備開始學佛，想求大徹大悟而發阿耨多羅三藐三菩提心的人，「當生如是心」。如是心是什麼心呢？這就是佛家講的發願，立一個志向，發願就是立志。立志做什麼？「我應滅度一切眾生」，我要救世界上一切的眾生，那些在苦惱中的眾生我都要救，滅度他。

什麼叫滅度呢？使他離苦得樂，進入涅槃。所謂涅槃的境界，就是離苦得樂，滅度就是這個意思。你不要看到滅度兩個字，以爲是把他砍頭殺了，那還得了！滅度就是涅槃兩個字的翻譯，是形容辭，走入了寂滅、清淨的境界；是回頭是岸那個岸。這個境界也就是離一切苦，得究竟的樂。要想學佛，第一個動機，就是要有這個心。

其次，「滅度一切衆生已，而無有一衆生實滅度者。」事實上，你度了一切衆生，做了就做了，心裡頭並沒有說，我已經度了那麼多人了，如果有那種心理狀態就錯了。前天有一位同學告訴我，他媽媽生了他們十六個弟兄。我說這個老太太眞偉大；但是儘管老太太生了十六個，最後走的時候，實無一可生者，還是等於沒有生嘛！怎麼樣一個人來，還是一個人走，對不對？每一個人都是光光的來，光光的走，來的時候很不高興，一出來還大哭一場，走的時候自己來不及哭了，別人幫他哭。更妙的是小孩子生出來就是抓，捏著拳頭抓。個個都想抓一把，抓了一輩子，抓到臨終沒辦法了，只好放手。普通一個人生就是這麼一個境界，做了一輩子的事業，生了一大堆的兒女，最後，實無一事可滅度者，一樣都帶不走。

佛說，由這個人生可以瞭解到，學佛的人發心度一切衆生，救了這個世界一切衆生，心中一概不留，認爲是應該做的事，這就是菩薩道，是菩薩發心。如果今天幫了人家一點的忙，心裡還念念不忘，還希望人家恭維一下，那就完了；不要說學佛不行，做人都不行。所以說，學佛的人，要這樣發心。

他說什麼理由呢？告訴須菩提，一個學佛修菩薩道的人，只要有一點自認崇高，自我的偉大，自覺了不起的話，他已經著在我相、人相、衆生相、壽者相了。這樣的人，佛說，完了！「即非菩薩」，這個人夠不上是學佛的人，不是眞正行菩薩道的人。中國文化也講大公無私，無我相、無人相，無衆生相、無壽者相；救盡天下蒼生，心中不留一念，這樣才是大公無私，才是菩薩，否則，佛說即非菩薩。

然燈佛所得什麼

所以者何。須菩提。實無有法。發阿耨多羅三藐三菩提心者。

「所以者何？」這四個字就是說什麼理由？他告訴須菩提，你們天天想悟道，明心見性，大徹大悟，我告訴你，沒有一法，沒有一個東西叫做道。大徹大悟就是悟到一個沒有東西，你覺得有一個法可學，有個道可得，你就錯了，你已經著了我相、人相、衆生相、壽者相，即非菩薩。所以禪宗六祖慧能大師悟道時候的偈子說：

菩提本無樹　明鏡亦非臺

本來無一物　何處惹塵埃

就是這個道理，沒有一法，可以使你發阿耨多羅三藐三菩提心者。

須菩提。於意云何。如來於然燈佛所。有法得阿耨多羅三藐三菩提不。不也。世尊。

佛問須菩提：當年我在然燈佛那裡開悟的時候，你想一想，我真的得到一個東西嗎？真的阿耨多羅三藐三菩提有多大多小啊？這個阿耨多羅三藐三菩提是什麼東西嘛？他說，你想想，我得到一個東西嗎？須菩提說：「不也。世尊。」須菩提很懇切的回答，據我所知，你悟道的時候，了無所得。這是真正悟道。

如我解佛所說義。佛於然燈佛所。無有法得阿耨多羅三藐三菩提。

須菩提說，假使我的理解沒有錯的話，我跟你學了那麼久，瞭解佛所說佛法的道理，佛當時在然燈佛那裡，並沒有得到一個什麼東西，叫做什麼阿耨多羅三藐三菩提；並沒有得到一個叫做什麼大徹大悟的東西。所以須菩提答的很清楚。但是須菩提說我沒有證道，我的瞭解是這樣，不知對不對？

佛言。如是如是。

佛就說了，就是這樣，就是這樣。這樣究竟是怎樣？所以啊，眞正你們要學禪宗，這就是話頭，「如是。如是。」這一句就是話頭，你參通了就對了。天天只要參「如是。如是。」不過也不要搞錯了，明朝末年，有一個名妓叫做柳如是，她姓柳，採用金剛經如是兩個字作名字。「如是」是佛說的，翻成白話文就是這樣，佛這是給你話頭參，這樣就叫大徹大悟。

須菩提。實無有法。如來得阿耨多羅三藐三菩提。

告訴你老實話，真正的佛法，並沒有個固定的東西，你如果得到一個固定的東西就是錯了。實實在在沒有一個東西，身體都沒有了，連感覺都沒有了，所以五蘊皆空，連光也沒有，色相也沒有，一切都不可得，這個時候就是阿耨多羅三藐三菩提，大徹大悟。

須菩提。若有法。如來得阿耨多羅三藐三菩提者。然燈佛即不與我授記。汝於來世。當得作佛。號釋迦牟尼。

他說假使佛法到了最高處，有法可得的話，當我悟道時悟到有個東西可得的話，那麼，我那個老師然燈佛啊！當場就不會給我授記說我將來之世會大徹大悟了。授記是佛教專有名辭，悟道的古佛，當弟子悟了道，他就在前面摸摸頂，所謂灌頂，撫摸一下授記，說個預言，過多少年後，你在什麼世界成佛，打一個標記，這就是授記。

然燈佛為什麼授記

以實無有法。得阿耨多羅三藐三菩提。是故然燈佛。與我授記。作是言。汝於來世。當得作佛。號釋迦牟尼。

當釋迦牟尼在然燈佛那裡悟道的時候，實在沒有得到任何一個東西；所以然燈佛當時給他授記，你於將來的娑婆世界成佛，你的名號叫釋迦牟尼。我們經常說，不要以有所得之心，求無所得之果；大家來學佛，都抱一個有所得的心，求得一個無所得之果，那是基本錯誤。佛就說：當時我得一個無所得的境界，了不可得，所以然燈佛給我授記。好了，現在問題來了。

何以故。如來者。即諸法如義。

這是重點啊！大家學佛的人千萬記住！我們學佛都是拜佛，佛也叫如來，天天磕頭求如來保護，爲什麼中文翻譯成如來呢？中文翻譯得很妙，如來，好像來了，對不對？「如」是好像，如來，好像來了，但是根本就沒有來。如果說沒有來吧！我們看電視的時候，那個電視上的明星，是不是到你前面來了？事實上他沒有來，他是如來，好像來了。你打電話的時候，那個人是不是來到耳邊上？他沒有來，可是他是如來，好像來了。所以如來在那裡？佛在那裡？佛就在這裡。你不要另外去找了，你的心中，你的身心內外，隨時有佛；只要你自己能夠找到，你就見到了佛，也是見到了如來。

這裡怎麼註解？「如來者即諸法如義」，這一句話最重要，學佛法千萬要記住。大家學佛的人，都帶有宗教性，佛在那裡？佛在佛堂那裡；佛在那裡？佛在廟裡；或者佛在西天，那就糟了。佛在那裡？佛就在你那裡，「即諸法如義」。世間一切法，都是佛法，沒有那一點法不是佛法，任何世間法，正如中庸所講：「夫婦之愚，可以與知焉。」就是如來，都可以到的；隨時隨地的任何一顆灰塵，清淨的地方，髒的地方，處處佛在現前，這就是如來，所以叫諸法如義。這一點特別要注意。

若有人言。如來得阿耨多羅三藐三菩提。須菩提。實無有法。佛得阿耨多羅三藐三菩提。

他說：假使有人說，佛在菩提樹下七天成道了，證得了阿耨多羅三藐三菩提。我告訴你，須菩提，眞正開悟的那一天，佛並沒有得到一個什麼東西，所以叫大徹大悟，悟道了。

須菩提。如來所得阿耨多羅三藐三菩提。於是中無實無虛。

你說，什麼都沒有得到，那何必學佛啊！我們本來也是什麼都沒有得到嘛！人家都說學佛學個空，大家自己都不用腦筋想，如果你用腦筋想，還要去學個空？我本來空的嘛！何必還跑到那裡去找個空呢？對不對？如果說佛法是學有，那跑去學學還有點味道，去學空，學空還跑那麼遠的路，跑到山上，到廟子找，那個廟子又不空！學空又何必找！本來就空的。但是佛告訴你，不是學空的，也不是有的，「是中無實無虛」。無實就是空，無虛就是有，就是普通經典上講的，非空非有，即空即有，金剛經不用非空非有的字眼而已。

一切都是佛法

是故如來說一切法。皆是佛法。

一切法皆是佛法，任何法都是佛法。有些人學了佛以後，非常小氣，皈依佛，不拜邪魔外道。我有時候到鄉下去，看到土地廟，那個土地公是用泥巴捏的，我也很恭敬的行個禮。人家說你學佛的人，何必呢！我說我不管那一套，活著做好人，死後還做個土地公，我還不一定是好人，死後土地公還可能管到我呢！我先結個善緣不是蠻好嗎！你們學了佛，皈依三寶，就了不起了，你自己才是活寶呢！這是眞話。

所以眞正的佛法，對於世間出世間一切，都是恭敬的，這是佛的精神，他沒有看不起人，只是教你不要亂學。佛在經典上講，「一切賢聖皆以無爲法而有差別」；這裡又告訴你，「一切法皆是佛法」，這可是佛說的啊！不是我說的。所以說，宗教分門戶、分派別，這一種胸襟就根本不能學佛。

我到了基督教堂一樣的很恭敬，基督總是個好人嘛！總叫人家去做好事，也叫歐洲人、美國人、白種人，都要做好事。好人嘛，排排座，請上坐，吃果果，給他磕個頭。基督年紀總比我們大多了，大了一千多年了！學佛的人第一個胸襟要大。所以學佛，第一要學這個人，學常開笑口、放大度量的菩薩，就是肚子要大一點，包容萬象，什麼都是好的，都對；一切法皆是佛法，先學他胸襟大，面孔對任何人都是慈悲笑容，這個就是佛法。

須菩提。所言一切法者。即非一切法。是故名一切法。

他又推翻了！什麼叫一切法？一切法皆空嘛！我們剛才講，我們就是給他行個禮，行過了也空嘛！所以一切法即非一切法。這是一個觀念問題，觀念說有一個法就有了，觀念說空就空了。所以叫做「所言一切法者，即非一切法，是故名一切法」。

什麼都沒有的菩薩

須菩提。譬如人身長大。須菩提言。世尊。如來說人身長大。即為非大身。是名大身。

「須菩提，譬如人身長大」（註：長字是長短的長），他問須菩提，假定說有一個人好長好大，佛那麼一講，須菩提馬上就接話：我懂了，你老人家講，一個人好長好大，實際上是形容啦！沒有看過一個人那麼長那麼大。佛一聽他的話，就再告訴他：

須菩提。菩薩亦如是。若作是言。我當滅度無量眾生。即不名菩薩。

對了，他說你答得對了，學佛的人也是這個這樣子。假使一個學佛的人，跑來唸經，南無南無南無了半天，要你磕頭啊！要你謝他啊！他替你唸經了，度你了，這個人就不是菩薩了。你不要理他，因為他佛法沒有對。真正行菩薩道，度了衆生，幫助了人家，心裡頭都不會覺得度了人家。如果有念頭，已經犯戒了，犯布施的戒，不應該有這種觀念。所以一個度盡天下衆生，救天下蒼生的人，心中沒有一念自私，沒有一點自我崇高。

須菩提，實無有法。名為菩薩。是故佛說一切法。無我無人無眾生無壽者。

眞正的大菩薩，同佛一樣，並沒有得一個什麼東西，說他有個法寶，那是人世間的觀念，功利主義的思想。他爲什麼成其爲菩薩？因爲他是空靈的，廣大的，一切都不著的，一切都不住的，所以叫做菩薩；眞正的菩薩是無我、無人、無衆生、無壽者。

須菩提。若菩薩作是言。我當莊嚴佛土。是不名菩薩。

佛同須菩提講，假使有一個學佛的人說：我如果成了佛啊，我把我那個佛國天堂，佈置得比現在第一流觀光飯店還要好，阿彌陀佛那個觀光飯店也不過如此嘛！

佛經上說玻璃作地，恐怕還沒有大理石來得漂亮。佛經上說的那個七寶行樹，現在科學上佈置起來，比它那個地方還要漂亮。假定我成了佛啊，一定成一個國土，比阿彌陀佛的國土還要漂亮，跟阿彌陀佛來比一比看。

嘿！這個是菩薩心嗎？這不是菩薩。這是說每一個人成了佛，都有他的國土。所謂莊嚴國土，不是物質世界的莊嚴，是心莊嚴；你心的善行，功德圓滿，心念清淨，才是眞莊嚴。所以說，如果有一種莊嚴的心理，這個已經不是菩薩心了。

何以故。如來說莊嚴佛土者。即非莊嚴。是名莊嚴。

佛說的莊嚴佛土，那是個形容辭啊！你看我們都市，現在科學進步，房子多麼的漂亮！可是等到有一天，你到了虛空的頂上，什麼都看不見的時候，你才發現那個空的才是眞漂亮，眞莊嚴，徹底的空，徹底的莊嚴。眞正的莊嚴是了不可得，無一物可得，那才是眞莊嚴；所以佛說「莊嚴佛土者，即非莊嚴，是名莊嚴」。

無我的菩薩

須菩提。若菩薩通達無我法者。如來說名真是菩薩。

這是學佛的第一步，也就是學佛的結論。先通達無我，怎麼樣無我呢？先要把身見丟掉，一般人學佛打坐，不能得定，就是因爲身見的問題。有身體的感覺，有身體的觀念，再加上身體裡玩弄氣脈，任督二脈，前轉後轉，丹田等……那都是玩自己的鬼名堂，都是身見。所以白居易學佛有兩句詩：「飽暖飢寒何足道，此身長短是虛空」。

這個身體活著，痛快不痛快，是飽是餓，不值得一談；反正這個身體不論活久活短，最後都變成灰塵，什麼都沒有了。所以學佛的第一步，學到身見忘掉了，身見忘掉不是無我啊，只是無身見，要眞正內在身心皆亡，達到無我才對，才可以得定。光是得定了無我，還不算佛法的究竟，我見沒有了，只達到人無我的境界，人無我是小乘的果位。

但是有了一個人無我，還有一個法在喔！最後要法無我，就是佛說的，阿耨多羅三藐三菩提，到了法無我，叫做人法二無我，到達了就成佛。最後連空也空，空也不存在。

金剛經這一品，再重複老問題，新的解答，須菩提問的老問題，釋迦牟尼佛在這一品中作新的解答，共有五個要點，大家要注意。我在這裡的偈子：

第十七品偈頌

摶空為塊塊非真　粉塊為空空亦塵
罔象玄珠蹤跡杳　故留色相幻人人

「摶空爲塊塊非眞」，過去講老莊的時候曾經講過，道家有一位譚峭講的話：「摶空爲塊，見塊而不見空」，把物質虛空的地方，建築了一個房子，虛空就看不見了，只看見房子，所以摶空爲塊，變成一塊，見塊而不見空的東西。「粉塊爲空，見空而不見塊」，把物質的物體打破，變成虛空了，只看到空就看不到物質了。這個就是要我們怎麼樣除去身見。我們現在坐在這裡有身體，功夫做不好，不能入定，就是被這塊東西擋住的原故；所以我們引用這個道理而說明，摶空爲塊塊非眞，這一塊物質東西不是實在的。

「粉塊爲空空亦塵」，把物質打掉了以後，這個空的境界對不對？如果你保留一個空的境界，這個空也變成了障礙，也變成業塵了。

「罔象玄珠蹤跡杳」，這是莊子的典故，就是說我們這個物質世界，大千世界，是本源的一個投影，第二重投影；也就是說，物質世界是精神世界一個投影而已。我們這個身心是投影裡頭的第三重的投影，第三重的反射，所以這個東西啊！罔象裡頭的玄珠，你要回到本來面目，明心見性，要在這個地方去瞭解它。

「故留色相幻人人」，但是你不要認爲莊嚴世界是假的啊！立假即眞，一切皆是虛妄，虛妄也就是眞實。所以佛說，我法無實無虛，就是這個道理。

第十八品 一體同觀分

須菩提。於意云何。如來有肉眼不。如是。世尊。如來有肉眼。須菩提。於意云何。如來有天眼不。如是。世尊。如來有天眼。須菩提。於意云何。如來有慧眼不。如是。世尊。如來有慧眼。須菩提。於意云何。如來有法眼不。如是。世尊。如來有法眼。須菩提。於意云何。如來有佛眼不。如是。世尊。如來有佛眼。須菩提。於意云何。如恆河中所有沙。佛說是沙不。如是。世尊。如來說是沙。須菩提。於意云何。如一恆河中所有沙。有如是沙等恆河。是諸恆河所有沙數佛世界。如是寧為多不。甚多。世尊。佛告須菩提。爾所國土中。所有衆生。若干種心。如來悉知。何以故。如來說諸心。皆為非心。是名為心。所以者何。須菩提。過去心不可得。現在心不可得。未來心不可得。

眼者心之機

須菩提。於意云何。如來有肉眼不。如是。世尊。如來有肉眼。須菩提。於意云何。如來有天眼不。如是。世尊。如來有天眼。須菩提。於意云何。如來有慧眼不。如是。世尊。如來有慧眼。須菩提。於意云何。如來有法眼不。如是。世尊。如來有法眼。須菩提。於意云何。如來有佛眼不。如是。世尊。如來有佛眼。

這是佛學裡佛法的五眼，五種眼睛的分類，文字都差不多。是佛先提出來問，「須菩提，於意云何」，你的意思怎麼樣？佛有沒有肉眼、天眼、慧眼、法眼、佛眼？佛經的三藏十二部，就是把佛經作十二種的分類，其中有一種是「自說」，就是自己開始講，不是人家提出來問的。這一節就代表了十二分類的自說，是佛提出來的問題。

這裡沒有講「佛」字，而講「如來」。如來這個名辭是代表形而上的道體，一切衆生同於諸佛菩薩心性之體，就是生命的根源。他說這個裡頭有五種功能，所以叫做五眼。第一種是肉眼，就是與我們一樣的，是父母所生的肉眼，也就是現在我們的眼睛。肉眼能看物質世界，我們一切的感覺、知覺，都經由它而來。這個肉眼跟心是連帶一起的，所以很多的經典，心與眼同論，在講到心的道理時，先提到眼。眼睛是心的一個開關，所以心與眼關係非常密切。道家的陰符經就說：「眼者心之機」，眼是心的開關，所以古人很多地方都提到心眼的關係；譬如孟子講到觀察人，特別要觀察眼睛。

任何人都有眼睛，但是每一雙眼睛所看的都不同。就我們人來講，譬如這個牆壁，我們大家看都是白的，實際上每個人感受白的程度、白的形象，完全不同。因為有人是散光，有些是近視，有些是一隻眼睛近視，一隻眼睛散光，有些色盲，各種各樣不同。所以一切衆生的心不同，眼也不同。

過去我們有句老話，人心不同各如其面；每個人思想不同，就像人的面孔不同一樣。世界上的人類，沒有面孔相同的，因此說明世界上的人，心裡想法也沒有相同的，眼睛的看法，也沒有盡相同的。不要以為這個白色黃色大家看起來都差不多，實際上差得很遠，老花與不老花，老花度數又不同，因為每人的業力不同。所以我們這個肉體及頭腦思想健康與否，都因種性、業力不同而有差異。有人對氣候特別敏感，今天很熱，有些人不大怕熱，卻怕冷！每個人身體不同，健康不同，都是因為業力不同。所謂一切病由業而生，善有善業，惡有惡業，業由心造，絕對唯心的道理。

現在佛問，一個成了佛的人，有沒有普通的肉眼？那當然有，肉眼就是看物理世界這些現象的。

天眼是什麼

第二種是天眼，我們普通人幾乎是沒有的。天眼的能力是超乎物質世界，譬如說看到鬼魂，看到天神，甚至於看到其它的世界。現在人講的千里眼，是根據道家的傳說而翻譯的。天眼能夠看到欲界系統裡面的東西，包括太陽、月亮，其他星球等的人事；也可以看到銀河系統外面的東西，這是屬於眞正的天眼。有些人打起坐來看到些影子啊，星光點點啊，認爲是天眼，那個不是的。那個只能說是，我們無法名之，叫做眼天吧！眼啊，天啊，不曉得什麼東西！（衆笑）

宗教裡形容天眼，是把塑的佛像多塑一隻眼睛，以代表天眼，也代表了慧眼。有些人和有些生物，不但有三隻眼睛，有的還有四隻眼。所以佛法裡有修天眼的，也有修十隻眼的方法，前面、後面、頭頂、心裡頭、喉嚨裡頭，都有眼睛。當然，這與普通眼睛不一樣，而是像攝影機、錄影機一樣，能夠照射東西罷了！

天眼有兩種，一種是報得，是多生多世修持、修定，才有這一生的天眼業報；是與生俱來的，自然有這個能力，因爲善行的報應所得的結果。另一種是修得，是這一生修來的，因爲修戒、定、慧的成就，這一生成就了天眼。

天眼不是多長出一隻眼睛來，是肉眼的本身，起了另一種功能。得天眼通的人，也與我們普通人一樣，但他自然會看到多重的世界。修持作功夫的人，氣脈到了後腦，視覺神經受到刺激，眼睛裡經常出現許多幻象，那可不是天眼通！不要弄錯。眞正有了天眼通的時候，目光清澈如電，看得非常透徹；換句話說，物質東西不能障礙他，他的眼睛自然有透視的能力。春秋戰國時候有一個醫生名叫扁鵲，據說他有一次碰到一個神仙，給他一個能透視的寶貝，他的眼睛就變得比X光還要厲害，可以看到人的五臟六腑，所以他的診斷就不會有錯。還有許多唐代以後的記載，有人的眼睛天生就會看風水，能看地下幾丈深，不須要探測器，地下的水脈，他看得很清楚。像這一類的眼還不算是天眼，只能算是報通的鬼眼，所以眞正的天眼，就是法華經上所說父母所生眼，必須修持定力到了，這雙肉眼就能夠看見十方世界一切東西。

肉眼是觀看物質世界通常的現象，天眼則能夠透視到肉眼所不能見到的世界；所以天眼是定力所生，是定中所得的神通力量。當人的生命功能充沛到極點時，可以穿過一切物理的障礙，就是所謂的神通。神通必須要定力夠了，所謂精、氣、神充沛了，才能作到。

慧眼　法眼　佛眼

再進一步是慧眼，慧眼也離不開肉眼，也是通過父母所生的肉眼而起作用的。所謂慧眼就是智眼，是戒、定、慧的功力顯現；因爲修定而發慧。這不是普通的智慧，是慧變成了力量，成了慧力，才有這個智眼。

智慧怎麼變成力量呢？我們普通聰明人，想一個道理想通了；譬如說抽煙對肺不好，應該改，道理上通了，但習氣上不行，慧沒有力量，改不過來。又譬如脾氣壞，貪、瞋、癡，道理上都曉得，就是扭轉不過來。儘管研究佛法，道理上講得很通，碰到事扭轉不過來，這是慧的力量不夠，這也就是不能證果，不能成道的原因。

所以眞正的慧眼，是智慧的力量夠了才能成的。

法眼又是什麼眼呢？慧眼觀空。而能夠眞正認識自性空、空性的體，就是法眼。法眼觀一切衆生平等，非空非有。光落在空，還是小乘果的一邊，要能夠眞正觀空裡的妙有才行。在凡夫的境界來說，是性空緣起；在悟道智慧境界裡來說，是眞空起妙有，這是法眼的道理，是平等而觀。

第五種是佛眼，佛眼不只是平等，而是觀一切衆生只有慈悲，只有慈愛。慈悲是兩個觀念組合起來的佛學名辭，慈是父性，代表男性的愛，至善的愛；悲代表了母性至善的愛，慈悲是父母所共性的仁德，是至善，無條件，平等的，所以叫大慈大悲。佛眼看來，一切衆生皆值得憐憫，所以要布施衆生，救衆生，這也就是佛眼的慈悲平等。

眞正學佛依法修持而有所成就者，本身一定具備了這五眼。如果說，世界上有人頓悟而成佛，立地就轉而具有這五種功能的話，那麼他所證的佛法，大致就是對的；如果在理論上認爲自己悟了，而這個五眼功能沒有發起，那是自欺欺人之談。

所以我們曉得佛說的五眼，就是戒定慧到了所成就的，是自然成就的法門。這也是每一個人本性所具有的功能，只是我們因爲沒有經過修持，所以發不起來。假使經過修持，我們生命的本能中，自然就發起五眼的功能，這是第一層問題。

第二層問題，金剛經講到這裡，佛爲什麼突然提起來五眼的問題呢？他自己問，下面又沒有作結論，至少對於五眼這一段，他只提出來問題。接著又講別的去了，其中的道理在什麼地方？釋迦牟尼佛今天好像當眼科醫生一樣，把你的眼睛翻開檢查檢查，而且他是自動的，他又不要你掛號，什麼道理呢？

這代表見處，所謂明心見性的見。眞正達到了有所悟證，明心見性，這一見之下，眞的現量境呈現，它自然具備了五眼的功能；所以見處即眞，就是所謂明心見性之見。在金剛經這一品中，沒有把這個奧祕說出來，但是我們眞研究佛法，看佛經的經典，這種地方不能放過去，它的問題就在這裡。接著佛又說了：

無量數的宇宙世界

須菩提。於意云何。如恆河中所有沙。佛說是沙不。如是。世尊。如來說是沙。

佛又提出來第二個問題，把眼睛檢查完了，又來檢查沙子；再問須菩提，像恆河裡頭所有的沙子，依你看，在佛的眼睛看來，是不是沙子？

我們假使先不看金剛經，照現在一般年輕研究佛學禪宗的人問起來，很多人一定說，佛眼看到這些不是沙啦！再不然，花啦，什麼啦，神裡神經，這樣都是不老實。你看！須菩提答的很老實，當然看到的是沙子，難道佛的眼睛有什麼不同嗎？是沙子就是沙子，非常平實。你說佛看到人家哭了，而說笑了，那不叫做佛，那叫做神經！他看到哭就是哭，非常平實。這裡要注意！

你如果說，佛的眼睛看這個世界是空的，請問是誰說的？佛看到恆河裡的沙子就是沙子，看到這個世界，水泥就是水泥，牆壁就是牆壁，同我們一樣，沒有兩樣。要特別注意這種地方！不然學佛的人就流入一種毛病，叫作高推聖境。講好聽一點，把佛的境界推測得太高遠，假想得與人完全兩樣，那是不平實的。

高推聖境的結果，往往變成一種不正觀。不正觀就是不正的思惟，不正的思想，變成神經了。所以，金剛經是能斷金剛般若波羅密多，把你一切的妄念都切斷了，眞正的佛法平常就是道。

所以佛問須菩提，佛眼看這個世界，恆河裡的沙子是不是沙呢？須菩提說當然是呀！佛的眼睛同我們的眼睛看的一樣，沙就是沙。如果你問佛怕熱否？那麼假設佛在這裡的話，我們的答話，佛！你在這裡一樣的怕熱，還是要我們開冷氣才可以，除非他是化身來。化身就是另外一件事，只要他肉身、報身在，冷暖飢寒一樣的存在，一樣的感受。在這些地方要特別注意，所以聖人都是人做的，佛也是眾生修成的。

講到這裡，使我想到一首詩，據我所知，這一首詩是一兩百年前，一位大陸的讀書人所作。這個人是到台灣訪神仙的，訪到宜蘭一個山上，就在崖上題了一首詩：

三十三天天重天　白雲裡面有神仙
神仙本是凡人做　只怕凡人心不堅

爲什麼講到這一首詩呢？就是說，佛也是凡人修的，所以他也是非常平凡的；佛看恆河裡的沙，一顆一顆看得很清楚。下面佛的第三個問題又來了。

須菩提。於意云何。如一恆河中所有沙。有如是沙等恆河。是諸恆河所有沙數佛世界。如是寧為多不。甚多。世尊。

佛問須菩提，你的意思如何？像我們印度這一條恆河裡的沙，你看數目多不多？假如每一顆沙子代表一個世界，如是沙，等，這個「等」字是單獨的一句；每一顆沙代表了一個世界，而每個世界裡像恆河沙那麼多的恆河，每一條恆河裡又有很多的沙子，而每一顆沙子又代表了一個世界，世界之多，多到不可限量，不可數說。用這個比方形容恆河有多少條，已經數不清它究竟有多少了。他說，你說這個數字多不多？須菩提說，當然很多囉！世尊。

佛在這裡是說明，虛空之中佛世界多得無數，釋迦牟尼佛同時表達一個觀念，站在這個娑婆世界，師道教化的立場上告訴我們，在他方世界，像他一樣智慧成就的佛，也一樣多得很；十方三世一切不可數的，無量諸佛。他不但把眾生看成平等，把成就的眾生也拉下來與大家一樣平等。一切平凡得很，並不是說只有我成佛了，了不起，你們都不能成佛，都要聽我的。沒有這回事，那不是佛法了，佛法一切眾生平等，一切諸佛也平等。每一個佛教化一個世界，虛空中有無量數的世界，也有無量數的佛，他說：「寧爲多不」？這是他問的話。你說多不多呀？「甚多。世尊。」這一句是須菩提答話。這是佛對須菩提第三次的接引。

無數量的心

現在又一個問題來了，佛的眼睛代表了肉眼、天眼、法眼、慧眼、佛眼，因此他可以知道這個世界上，這個虛空中，有那麼多不同的世界。當然現在科學昌明了，由天文學到太空學的發展，已經可以相信宇宙中有數不清的世界。這些到今天爲止，還只能說姑且相信它，因爲月亮裡有沒有生命，還不敢確定。

現在對於了解宇宙太空容易多了，可是我們要知道，佛說這個話是兩千多年以前的事啊！他用什麼儀器，什麼方法，能夠知道宇宙中有這麼多的世界和衆生呢？這個，就是所謂如來具備五眼，具備了智慧、神通等等力量，具備了不可思議的功能，但又拉到了最平凡的水平，與衆生平等。他看到的世界，沙是沙，水是水，沒有什麼見山不是山，見水不是水，那是神經病！當然，一個人被後面打一棍，那就迷迷糊糊，見人不是人，見鬼不是鬼了！那是不正常的人，一個正常的人，看什麼是什麼。

佛告須菩提。爾所國土中。所有衆生。若干種心。如來悉知。

這一節他又提出來好幾個問題，在文字上，沒有給我們作結論，但是你要自己曉得結論在那裡。所以後來的禪宗提倡金剛經，也都是這個原因，因爲金剛經裡許多都是話頭。話頭就是問題，看起來很容易懂，實際上樣樣都不懂。這也給我們一個很大的啓示，一眼看了以爲自己都懂，結果統統不懂。我經常發現青年人這個毛病，某一本書你看過沒有？看過了。眞的嗎？我當面再問問他，他就不懂了。

同時我發現做人也一樣，許多人把人生看得太容易，做了許多錯誤的事。世界上沒有一件簡單的事！這些都是話頭。你看我們現在隨便指出來，很多都是沒有結論的，要你自己去發掘，去參，這個也是話頭。但是他也有答案給你呀！這個答案不是理解的，不是思想的，是要你在定慧之中，眞正修持上去體驗得到的。佛法不是虛玄的，而是一個修證的事實。

現在佛又提出來第四重問題，對須菩提說，「爾所國土中」，你所認爲的國土中，國土不是世界啊！佛學裡的觀念世界是世界，叫做世間；有所謂四世間、五世間等等的說法。國土在世間的觀念裡叫做國土世間，國土世間是四世間的器世間，就是物理世界；器世間的一切衆生都有生命。國土世間是指中國、美國、日本國、印度等國的這些國土；我們世界上稱爲國家的有一百多個，這就是國土世間。

現在佛問須菩提，你認爲所有國土上的一切衆生，有多少種心？這是個大問題，現在心理學很發達，電腦也很發達，如果要把人類的心理統計一下共有多少種，恐怕電腦也辦不了。佛說這個世界上的所有衆生一切的心，「如來悉知」，他說我啊！統統知道。在這個地方，他作了一個答案，這個答案同上面這幾個有沒有關聯，他也沒有說明，只讓我們猜。而且他這個答案作得非常高明，可是我們幾千年來的佛法，都被他老人家這個答案，打得暈過去了，很多人都解釋錯誤了。現在我們看他自說自答。

你的心

何以故。如來說諸心。皆為非心。是名為心。

他說以佛的眼睛看來，所有衆生這些心啊，「皆爲非心」。換句話說，佛在罵人，這些衆生心裡都不是東西，也沒有心，心到那裡去了？心掉了，「非心」根本不是心。既然不是心，佛大概又怕我們問他，那又是什麼？他趕快又說了：我的眼睛看你們啊！不是心，不是心，所以叫做心。他說世界上一切衆生的心我都知道，須菩提還來不及問，他就又說了：這一切人的心啊，都不是心，他並沒有說這一切人不是人心啊！衆生的心還不只是人的心，包括狗啊，牛啊，螞蟻啊，小昆蟲這一切生命，都不是心，「皆爲非心，是名爲心」，所以叫它是心。

金剛經一開頭就講，我們一切衆生，有一個「我執」，認爲這是我，有個我，把我的現象，執著的很厲害。認爲我還有個心呢！把自己所有的妄念，意識分別，煩惱，一切不實在的這些觀念、往來思想當成是眞實的。人，一切衆生，犯了根本上的錯誤。我們一切的思想、心理、意識的變化，都是那個眞正心所起的一種現象變化而已，不是眞正的心。可是一切衆生把現象變化抓得很牢，看成是心。學佛的晚課上，每天都唸到，「是日已過，命亦隨減。如少水魚，斯有何樂。」今天已經過完了，這個壽命又少了一點，今天過去，今天不會再來。年輕的過去了，衰老也沒有多久的停留，所以非常的悲哀。

其實都被現象騙了，人生永遠不斷的有明天，何必看過去呢？明天不斷的來，眞正的虛空是沒有窮盡的，它也沒有分段昨天、今天、明天，也沒有分段過去、現在、未來，永遠是這麼一個虛空。天黑又天亮，昨天、今天、明天是現象的變化，與這個虛空本身沒有關係。天亮了把黑暗蓋住，黑暗眞的被光亮蓋住了嗎？天黑了又把光明蓋住，互相輪替，黑暗光明，光明黑暗，在變化中不增不減；所以一切的用是虛妄不實的，而虛空之體卻是不增不減的；所以一切衆生，不要被變化不實的現象所騙。佛知道這個道理，但是衆生不知道，佛說是名爲心，衆生自己都把虛妄不實的這個感受，執著的作用，當成爲心。

永遠得不到的心

所以者何。須菩提。過去心不可得。現在心不可得。未來心不可得。

前面這一節的結論，是佛自己提出來心的問題，由眼見到心。他的結論一切都不是心，衆生一切的心都在變化中，像時間一樣，像物理世界一樣，永遠不會停留，永遠把握不住，永遠是過去的；所以「過去心不可得，現在心不可得，未來心不可得。」我們剛說一聲未來，它已經變成現在了，正說現在的時候，已經變成過去了。這個現象是不可得的，一切感覺、知覺，都是如此。可是一切衆生不瞭解這個道理，拚命想在一個不可得的三心中，把過去現在未來，停留住，想把它把握住。因此，在座許多學佛的同學們要特別注意，你要想打坐把心定住，那還是犯這個錯誤。

當你盤腿上坐的時候，想定住的那一個心，跟著你的腿一盤已經跑掉了，那裡可以保留啊！說我這一坐坐得很清淨，唉呀！下坐就沒有了！告訴你過去不可得，現在不可得，未來不可得嘛！誰要你保持清淨？清淨也不可得嘛！煩惱也不可得，不可得的也不可得。那怎麼得啊？不可得的當中就是這麼得，就是那麼平實。

有一般人解釋金剛經，說般若是講空，因此不可得，就把它看得很悲觀。空，因爲不可得，所以不是空，它非空，它不斷的來呀！所以佛說世界上一切都是有爲法，有爲法都不實在。但是有爲法，體是無爲，用是有爲。所以我們想在有爲法中，求無爲之道，是背道而馳；因此一切修持都是無用。並不是把有爲法切斷了以後，才能證道；有爲法，本來都在無爲中，所以無爲之道，就在有爲現象中觀察，觀察清楚才能見道。

有爲法生生不已，所以有爲不可限，生滅不可滅。如果認爲把生滅心斷滅了就可以證道，那都是邪見，不是眞正的佛法。所謂緣起性空，性空緣起的道理，就在這個地方。這是金剛經中心的中心，也是一切人要悟道中心的中心；這一點搞不清楚，往往把整個的佛法變成邪見，變成了斷見的空，就與唯物哲學的思想一樣，把空當成了沒有，那可不是佛法！

佛講過去心不可得，並沒有說過去心沒有了，佛沒有這樣講吧？對不對？佛說過去心不可得，「不可」是一種方法上的推斷，他並沒有說過去心不「能」得，現在心不能得，未來心不能得。這一字之差，差得很遠，可是我們後世研究佛學，把不可得觀念認爲是不能得，眞是大錯而特錯。所以啊，佛說過去心不可得，現在心不可得，未來心不可得，是叫你不要在這個現象界裡，去求無上阿耨多羅三藐三菩提，求無上的道心，因爲現象三心都在變化。

高明的法師們、大師們，接引衆生往往用三心切斷的方法，使你瞭解初步的空性，把不可得的過去心去掉，把沒有來的未來心擋住，就在現在心，當下即是。當下即是又是一個什麼？可不是空啊！也不是有！你要認清楚才行：要先認清自己的心，才好修道。

第十八品是一體同觀，同觀是什麼？同觀是見道之見，明心見性之見。所謂了不可得，可也不是空啊！也非有，即空即有之間，就是那麼一個眞現量，當你有的時候就是有，空的時候就是空，非常平實。你在感情上悲哀的時候就是悲哀，悲哀過了也是空，空了就是說這個現象不可得，並不是沒有，是悲哀過去了，後面一定來個歡喜。歡喜的時候也是不可得，也會過去，也是空。空不是沒有，空是一個方便的說法，一個名辭而已。不要把「空」當作佛法的究竟，這樣就落到悲觀，那不但證不到小乘之果—空，那還是個邪見，也就是邊見。所以見、思惑不清楚，是不能證果的，也不能成道的。學佛法就有這樣的嚴謹，一定要注意。

現在有許多著作，我認爲危險極了，那些佛法的著作，比殺人的毒藥還厲害，是有毒的思想，希望諸位要用眞正的佛法眼光甄選，用智慧來辨別，不要走入邪見和錯誤的思想。這一品我們給它的偈子如下：

第十八品偈頌

形形色色不同觀　手眼分明一道看
宇宙浮漚心起滅　虛空無著為誰安

「形形色色不同觀」，形形色色，物理世界各種現象是不同的，如人有胖的、瘦的、高的、矮的、黑的、白的，都是現象差別，無法相同。

「手眼分明一道看」，但是以佛眼、慧眼、法眼看來，是一樣的。手眼是什麼？我們大家都看到過千手千眼觀世音菩薩，一千隻手，每一隻手中有一隻眼睛。我常說，我們坐在這裡，外面進來一個千手千眼的人，我們的電燈都沒用了，大概每一個人都嚇得把臉蒙起來。千手千眼代表他的智慧，無所不照，也就是代表他具有各種接引人的教育法。幫助你的手，護持你的手，救助你的手，以及觀察清楚的眼睛，千千萬萬的手，千千萬萬的眼，也只有一個手，只有一個眼，平等平等。

「宇宙浮漚心起滅」，每一個宇宙，每一個世界，像大海裡的水泡一樣，所以宇宙不過是自性心裡起的作用。每一個思想、每一個情緒、每一個感覺，都是自性的性海上所浮起的一個水泡，生滅變化不停，自心起滅。

「虛空無著爲誰安」，一切法用之則有不用即空，應無所住而生其心；本無所住。二祖來求達摩祖師，說此心不能安，請師父替我安心。達摩祖師說你拿心來，我給你安。二祖說，覓心了不可得，找心找不到啊！達摩祖師說那好了，替你安好了。其實用不著替他安嘛！過去心不可得，現在心不可得，未來心不可得，你還安個什麼啊？所以說，虛空無著爲誰安。那裡去安心呢？此心不須要安，處處都是蓮花世界，處處都可以安心。在平實中，處處都是淨土，就在此。都是安心的自宅，因爲處處是虛空，無著無住。這一品的道理精要就在此。

第十九品

法界通化分

須菩提。於意云何。若有人滿三千大千世界七寶。以用布施。是人以是因緣。得福多不。如是。世尊。此人以是因緣。得福甚多。須菩提。若福德有實。如來不說得福德多。以福德無故。如來說得福德多。

福德不可得

須菩提。於意云何。若有人滿三千大千世界七寶。以用布施。是人以是因緣。得福多不。

講到這裡，又另起一個問題。這個問題非常有趣，金剛經始終在這兩個問題裡頭轉，一個是當講到最高智慧成就的時候，馬上來一個最高潮，說要多大的福報。福、智二嚴，是佛學的名辭，一個人要從凡夫成佛，必須要有智慧的莊嚴，福德的莊嚴。有眞正的福德，才能得眞正的智慧。有時候，我們自己覺覺得很不聰明，讀書沒有記憶力，領悟力也不行；這是因爲福德不夠！大家都是媽媽生的，爲什麼我的腦筋不行？難道投胎的時候把倉庫裡發霉的腦筋帶來了嗎？其實功能都是一樣，只因爲自己福德不夠，眞正的福德，心理的健康，頭腦的健康，是要自己修持來的。

佛問須菩提，你認爲如何？假使有人用金剛鑽啊，金銀啊，瑪瑙啊，這些世界上最寶貴的七寶去布施，拿充滿三千大千世界的七寶去布施，你認爲這個行爲所得的福報大不大？

如是。世尊。此人以是因緣。得福甚多。

這是須菩提的答話。他說是啊，佛啊，假使有人這樣來布施的話，那還得了啊！將來的福報大得很咧！

須菩提。若福德有實。如來不說得福德多。以福德無故。如來說得福德多。

佛說，你要知道，人世間認爲的大福報，就是錢多，壽命長，兒女多，兒女好，樣樣都好，好得沒有再好了。可是，過去心不可得，現在心不可得，未來心不可得，都沒有用。所以說人生啊，都是理想，都想把明知道抓不住的現實世界拚命抓住。尤其是壽命，分明有生必有死，可是人人都想學仙學道，長生不死。福報是有窮盡的，每個人的光榮都是一下子，就像一支手電筒，每個人那個電筒都要亮一下，可是希望一輩子發亮是不可能的。世間的福報是不實在的，福德無實啊！所以佛說，世間的福德再多，也不過彈指之間的空花就過去了，「以福德無故」。

無人希罕的福

眞正的福報是什麼呢？清淨無爲。心中既無煩惱也無悲，無得也無失，沒有光榮也沒有侮辱，正反兩種都沒有，永遠是非常平靜的，這個是所謂上界的福報——清福。清福每個人都有，我們每一個人都有清閒的時候，可是一天到晚無事，閒在家裡，你閒不了啊！自己會掉眼淚，好像被社會上人忘掉了，又怕被人家看不起！沒有一個人遞一張名片來看我，都沒有人發個請帖來，也沒有人打個電話問候我，唉呀！我好悲哀啊……他有清福不會享！學佛的人要先能明瞭這一點。世界上一切人的心理佛都知道；一切人都把不實在的東西當成實在，眞的清淨來了，他也不會去享受。學佛證到了空性，自性的清淨無爲，大智慧的成就，才算是眞福報。眞福報那麼難求嗎？非常容易！可是人到了有這個福報的時候，反而不要了，都是自找煩惱。

這一節爲什麼插在這個地方呢？因爲是指著三心不可得來的，要瞭解到三心不可得這個境界很難；要想修證到這個境界，一定要有眞正的福報才行。學佛的基本第一步，講到人生要修行則暇滿之身難得。開始時我們已經講過，暇滿之身就是健康有閒，可是世界上的人有清閒不肯享受，有好身體，他要去消耗掉，而且眞到了清閒暇滿，他自己反而悲哀起來。所以說，「顚倒衆生」，這也是沒有辦法的事。下面是我們給它的結論偈子：

第十九品偈頌

浮圖樓閣立中天　點滴功勳豈自然
倒卻剎竿回首望　繁華散盡夢如煙

「浮圖樓閣立中天」，浮圖是塔，造一個佛塔，七層的叫七級浮屠。中國人有一句話，救人一命，勝造七級浮屠。我們做了一件好事，救了別人一命，等於獨資蓋了一個廟一樣。事實上這話是佛說的，救人一命，勝造七級浮屠；這是有為功德。

「點滴功勳豈自然」，有為功德要慢慢一點一點做，今天做一點好事，每天做一點好事，累積起來，等於人獨資蓋一個廟子。蓋這個廟子也是一天一天把它蓋成功的。但是啊，「南朝四百八十寺，多少樓臺煙雨中」，到現在都沒有了。

「倒卻剎竿回首望，繁華散盡夢如煙。」梁武帝一生造了幾百個廟子，武則天一生又造了幾百個廟子，都沒有了；所以迦葉尊者有一天跟阿難講，怎麼樣能夠見道？把門口的剎竿先倒下來，就能夠見道。

我們每個人門面都有個自我貢高的剎竿，把這一念打掉以後，大福報就來了，就見到空性。人世間這一切的福報，甚至當皇帝的大福報，都是繁華散盡夢如煙，一切繁華，過眼雲煙就散了；散了以後，你說留一點影像好不好？一切是夢，連夢都沒有，夢都像煙一樣的過去了。所以佛說，「以福德無故」，他說眞正得一個大福報，得到什麼？大福報是你證到了空性，悟道而成佛，這才是大福報，大成就。

但是要想悟道成佛的話，就要諸惡莫作，衆善奉行的一切福德，來培養這個智慧。智慧不是光靠讀書，或靠兩個腿子在那裡咬緊牙根熬得出來的！那個持戒修定，咬緊牙關熬腿子，不過是修福德，修有爲福德的一種而已。無爲福德，處處都是，而你自己智慧不能到達，修不成。所以學佛果然是眞智慧，這個培養智慧的福德，又是一切善行的功德所完成的。

這一點千萬要注意！不要聽到佛法是智慧之學，然後嘛，好事不做一件，那就不是眞的智慧；換句話說，如果有眞的智慧，自然要作好事了，智慧與善法是不二而一的。

第二十品 離色離相分

須菩提。於意云何。佛可以具足色身見不。不也。世尊。如來不應以具足色身見。何以故。如來說具足色身。即非具足色身。是名具足色身。須菩提。於意云何。如來可以具足諸相見不。不也。世尊。如來不應以具足諸相見。何以故。如來說諸相具足。即非具足。是名諸相具足。

大丈夫相

須菩提。於意云何。佛可以具足色身見不。不也。世尊。如來不應以具足色身見。何以故。如來說具足色身。即非具足色身。是名具足色身。

金剛經的上半部，都是須菩提編出來的問題，及佛的答覆。到了下半部，佛自動的說了，怕他不懂，一步步的說。金剛經開始，佛吃飽了飯以後，想打坐，想休息，碰到須菩提不懂事，拚命問問題。他慈悲來了，乾脆不打坐，一點一點給你講吧！我們仔細看看，金剛經就是這樣一本書嘛！前面已經一層一層講過，三十二相都不是如來，若見諸相非相，即見如來。下面他又婆婆媽媽的，很慈悲的，就怕你不懂，再說的又是這個。

須菩提，你的意思怎麼樣？「佛可以具足色身見不？」你注意啊，這裡用「佛」，不用如來了。有些地方，他用如來如去的，有些地方他用佛呀佛的，每一個字都要注意，不然金剛經是白唸了。

這裡的佛，代表佛的報身、肉身。佛的報身很漂亮啊！儘管餓了十二年，仍是很漂亮。佛是一個美男子，三十二相，八十種好，阿難就是因為看到佛那麼漂亮，才跟隨佛出家的；結果被佛罵了一頓，罵阿難出家是為了好色。佛就是具足色身，大丈夫相，與一切常人不同；不但有三十二相，還有隨之而來的八十種好，是普通人所沒有的特點，這個叫做「具足色身」。

當人成佛的時候，就要具備大丈夫相，佛經上很多地方讚嘆大丈夫相之重要，等於佛經上很多地方說，女性要成佛的時候，必須先要轉男身，轉大丈夫相，才能成佛。但是有幾本大乘經典，佛都吃癟了，碰到河上女，碰到勝鬘夫人，都是結過婚，而且生過孩子，但卻即身成佛。她們把佛當面說了一頓，佛說：「如是如是」，夫人啊，對的，沒有什麼分別相，女性也可立地成佛，也不須要轉男身。所以不要落在小乘知見上。現在這個金剛經，佛又把女性不能成佛的說法推翻了。佛，可不可以具足色身而見呢？你看到三十二相，那個相貌堂堂的，叫做佛嗎？須菩提說：「不也。世尊。如來不應以具足色身見」。

大家天天想見佛，如果你打坐看到佛來，那個絕對是魔，不是佛。佛吃飽了飯在那裡打坐，他不想來看你，只有你去看他差不多。所以，千萬不可以著相，你不要以有形的觀念來看佛。佛接著說：

「何以故。如來說具足色身。即非具足色身。是名具足色身。」這是真正告訴你佛法的奧祕。他說一個眞正得道的人，佛經上講，一得了道，他就現出來大丈夫相，就有特別的相，這個叫做具足色身。色就是肉體的四大，地水火風，平常我是這樣告訴你，但是眞正的道理，「即非具足色身」，是不可以著相的，有形有像都不是啊，因此叫做「具足色身」。

世上的肉身菩薩

什麼道理呢？得道的人，自然有一股道相，那個道相不是在這個形象上見的。譬如我經常告訴年輕的朋友們，當年在大陸的時候，看見過幾位有成就的老師，有成就的和尚。有個師父，大家都曉得他是肉身菩薩，有人叫他肉身羅漢；那個樣子難看到極點，兩個眼睛比銅鈴還要大，露光的，他還戴起近視眼鏡，怪裡怪氣；鼻子有大蒜那麼大，兩個大眼睛，配了個大蒜鼻，嘴吧快彎到耳朵邊了，牙齒細得像玉米，小小的。反正啊，五官分析起來一無是處，可是長在他臉上，愈看愈可愛，愈看愈莊嚴。走路搖搖擺擺的，但是覺得很莊嚴。他的衣服幾十年也不換洗，一身都是蝨子，癢起來就那麼抓，有徒弟看到蝨子爬出來了，他還說不可以殺生，就是這麼一個怪人。

還有一個和尚，幾十年不洗澡不洗臉，不洗腳的，他睡覺的地方有一個帳子，大概也幾十年沒有洗了，連眼洞都沒有了，只有灰塵。他睡覺也在裡頭，打坐也在裡頭。有一天我要離開了，向他告辭，他正在帳子裡打坐。他說：我也懶得出來送你，你過來我有話給你說。這下要我的命！非要把頭伸進他帳子裡去不可，我也是個有潔癖愛乾淨的人，可是師父之命，只好硬著頭皮把頭伸進去。結果發現這個帳子裡清香，是什麼花香，也講不出來，一股清香，頭伸進去就不想出來了，心裡有個感受，有道的人確實不同。

另外我當年在西藏看到一個活佛喇嘛，他喜歡喝我們中國茶，漢人賣到邊疆的茶，都是最粗的茶，加上牛油、酥油叫做酥油茶，一半油一半茶，喝慣了的很好喝，你們沒有喝慣的，一定第一口就吐掉了。他只有一個缽盂，吃飯喝茶都是這一個，招待客人也是這一個，幾十年也不洗，其髒無比。有時候我們去看他，因爲他有神通，他覺得與你有緣，看得起你，他就把自己喝的那個茶盂，給你喝一口。有些人是怕髒，有些人是恭敬，不敢喝。你怕髒也好，恭敬也好，他都知道。你恭敬的，叫你勉強喝一口，據說喝了這一口，消滅了好多的罪業。有些人怕髒，他就罵了，你的嘴也是肉做的，我的嘴也是肉做的，你爲什麼不用我這個碗啊？這一類的人，仔細一看他，非常莊嚴，那個莊嚴不在鼻子上，不在眼睛上，五官上看不出來，他有一股道氣，也就是這個道理。

所以說，眞正成佛的人，不應該以具足色身見；在他的身體上找他的道，那是找不到的。當然，一個得了道的人，氣質一定起了變化，肉身一定也起了變化，自有道氣，色相莊嚴。但是「即非具足色身」，你不要著相，這個肉體的身還是有生滅的，「是名具足色身」，所以叫做具足色身。這個具足色身，要注意，就是肉體之身。

須菩提，於意云何，如來可以具足諸相見不。不也。世尊。如來不應以具足諸相見。

第一個具足色身是實質的，肉體的這個身體叫做具足色身，所謂的報身。但是第二個問題來了，可不可以著相來看？譬如說，眼睛裡忽然看見佛站在你前面，這是相，現象。他問須菩提，可不可以著相呢？須菩提當然說不可以，這個問題，金剛經前面已經說過了，不應該落在宗教偶像的觀念，不應該以三十二相見如來。什麼理由？

何以故。如來說諸相具足。即非具足。是名諸相具足。

眞正的佛，是見到法身，才是見到眞正的佛。什麼是法身？了不可得，一切無相，法身無相，也沒有境界。如果你在一個境界上，就已經有所住，有所著，就不能明心見性。一切相皆空，才能明心見性，才能見到佛。我們這一節的結論如下：

◇第二十品偈頌◇

形象由來不是眞　都依心色起閒因
可堪舉世癡狂客　偏向枯椿境裡尋

「形象由來不是眞」，這個形象是一切虛妄偶然的存在，不是眞的。但是物質世界與形象是那裡來的呢？「都依心色起閒因」，唯心是道，心物一元，是心的力量生成了這個形象。「可堪舉世癡狂客」，佛法本來叫你不要著相，不要執著物質世界的東西，可憐這個世界上，這一班沒有智慧的凡夫衆生們，「偏向枯椿境裡尋」，偏偏都向那個枯了的樹椿裡頭去找。我們打起坐來，一念不起，等於是個枯椿，這個枯椿有個典故，就是雪竇禪師的一首詩：

一兔橫身當古路　蒼鷹一見便生擒
可憐獵犬無靈性　祇向枯椿境裡尋

一隻兔子橫躺在一條路上，打獵的時候，老鷹在空中一看，大路中間躺著一隻兔子，這個老鷹衝下來就把兔子叼走了。可憐獵犬無靈性，打獵的時候，那個獵狗靠鼻子聞，跑過來聞了半天，到處找兔子。祇向枯椿境裡尋，只好向枯樹根的空洞裡拚命找。

雪竇禪師是禪宗的大師，罵世上這一班學禪宗的人，參公案啊，參話頭啊，都像這個獵犬一樣，祇向枯椿境裡尋。

如果是大智慧的人，會像那個老鷹一樣，空中一亮，就把兔子叼上去了，這個境界就空了。我們後面的獵狗勤快得拚命跑，轉啊轉啊，跑啊跑啊，就在那裡找這個境界，找一個空！

第廿一品 非說所說分

須菩提。汝勿謂如來作是念。我當有所說法。莫作是念。何以故。若人言如來有所說法。即為謗佛。不能解我所說故。須菩提。說法者。無法可說。是名說法。爾時慧命須菩提白佛言。世尊。頗有眾生。於未來世。聞說是法。生信心不。佛言。須菩提。彼非眾生。非不眾生。何以故。須菩提。眾生眾生者。如來說非眾生。是名眾生。

什麼都沒說

須菩提。汝勿謂如來作是念。我當有所說法。莫作是念。何以故。若人言如來有所說法。即為謗佛。不能解我所說故。

這是佛自己提出來的，就是自說自話，提出來告訴須菩提。他說你啊，千萬不要有這麼樣的一個觀念，什麼觀念？你不要認爲佛在這個世界上說了法——實際上，他老人家三十一歲悟道後就開始說法，八十歲入涅槃，說了四五十年，他這裡都一概否認了。「莫作是言」，千萬不要有這個觀念，認爲我說過佛法，「何以故？」什麼理由？假使有人說如來有所說法，眞正說過某一種法，「即爲謗佛」。

譬如說，佛叫我們念佛，叫我們修止觀，叫我們修戒、定、慧，所謂三十七道品，說般若，說法相，說唯識，都是他說的。現在他都說，如果有人講我有說法，即爲謗佛，就是毀謗他。這很奇怪了！他說這個人在毀謗佛法。什麼理由呢？「不能解我所說故」。因爲這個人雖然學佛法，聽了佛法，但他不能理解我所說的佛法，他沒有懂，所以才說我有說法，這是錯誤的話。

我們先從教育來說，一個眞正的教育家，會體會到佛說的這個道理，的確一句都不假的。一個教書教了幾十年的人啊，在我認爲是受罪，是罪業深重才教書，那眞是非常痛苦。這話怎麼講呢？假使有一百個人聽課，同樣一句話，這一百個人的反應和理解，統統不同。有時候甚至老師說是白的，結果很可能有五六個同學告訴你，老師說是灰的。所以從事教育多年的人，會感覺到教育是一件受罪的事，非常痛苦。另一方面講，一切衆生有一個最大的障礙，就是語言文字，因爲語言文字不足以表達人的意識。所以，現在有一門新的學問叫語意學，專門研究這個問題。

譬如我們說，「你吃飯沒有？」這一句話隨便問人，會產生幾個結果，一種是覺得這個人非常關心自己，連有沒有吃飯，他都知道，多關心我。另有一種人會覺得是在恥笑他，分明曉得今天沒有錢吃便當，偏要問我吃飯沒有，可恨！還有一種人會覺得這個人很滑頭，你看，故作關心狀，故作多情的樣子，很討厭。同樣一句話，四面八方反應不同。所以人與人之間意思的溝通，有如此之難。

有時候不說話反而容易懂，一說話反而生誤會。不但人是如此，世界上很多的生物，也不大會用語言的。魚跟魚兩個眼睛一看，彼此就懂了。蝙蝠在空中飛，兩個翅膀一感覺，就飛開了。人類的語言，除了嘴巴說話以外，身體皮膚都會講話；我們被人家靠近，就會感覺熱，就想躲開一點，皮膚會說話的原故。語意的道理就是如此，光憑說話是極容易誤解的；所以佛說，他說法的本意是要使一切衆生聽了不要著相，不要抓住他所說的不放。

悟道、成佛是證得阿耨多羅三藐三菩提，佛所說的法如筏喻者；等於一個過河的船，你過了河不必要把船揹在身上走。換句話說，如果過河不要你的船好不好？當然好！你會游泳就自己游過去，佛並不要你一定坐他的船過去。禪宗就有許多教育法，有時連船都不給你，要你自己設法過去，你只要有方法過了這個苦海就行了。

所以佛的說法，就是要我們懂得這個道理，殊不知大家學佛聽了他的法，自己沒有明心見性，沒有悟道，反而拚命抓住他所說的法，當成眞實，眞是拿著雞毛當令箭。所以他現在否認這個，因為這些人「不能解我所說故」，不能理解他所說法的意思。接著他陳述理由。

迦葉笑了

須菩提。說法者。無法可說。是名說法。

眞正的佛法，佛用一句話說完了，就是不可思議。後世到了禪宗，講釋迦牟尼佛在靈山會上，有一天上座說法，學生徒弟們都等他講，等了半天他沒有說話，忽然抓起面前講臺上一朵花，那麼一轉，大家也不曉得他什麼意思，誰都不懂，只有他的大弟子迦葉尊者，破顏微笑，這是典籍的記述。這個「破」字形容得妙極了，大家等了半天，心情都很嚴肅，場面非常莊重，迦葉尊者忍不住了，一下子笑了出來。這一下被佛看到了，佛就說「我有正法眼藏，涅槃妙心，實相無相，微妙法門，不立文字，教外別傳，付囑摩訶迦葉」。因爲迦葉懂了，這是禪宗的開始。

我們可以想一想這個是什麼？佛拿一朵花那麼看一下，到底是什麼意思？這正表示說法者無法可說，沒有一個固定的形態來表達。眞正佛法到了最後是不可說不可說，不可思議；說出來都非第一義，都是第二義。無上妙法本來不可說，所以佛在菩提樹下悟道以後，馬上要入涅槃，就要走了。本來他也不想講什麼金剛經，什麼都不想講。根據經典的記載，那時帝釋天人都下來向他跪著請求，你老人家不能這樣搞啊！你多生多世發大願，說大徹大悟之後要度衆生，現在你大徹大悟證道了，你反而要走路，不管大家，這個不行啊！佛講了一句什麼話呢？華嚴經、法華經上都有：「止。止。我法妙難思。」就說了這麼一句話。

這句話就是金剛經的含義了。他連續兩個字，止，止，就是說你停止，你停止，我證得的法，說了你們也不懂。「止」這個字，也告訴了你一念不生全體現。止，一切妄念不生，一切煩惱不起，萬法皆空，定在這裡，然後你可以懂佛法了。所以說，止，止，我法妙難思，一句話說完了，金剛經都用不著講了。

實際上只有一個止字，就是此心難止，此心止不了。如果能止，一切戒、定、慧，六度萬行，就都從此而建立，從此而發生。所以所有的說法，都是方便；換句話說，佛經三藏十二部所說的也都是教育法。教育法只限於教育法，教育的目的是使你懂得那個東西，如果抓住老師的教育法當成學問就錯了。

關於老師教學生，禪宗大師有幾句話「見與師齊，減師半德。見過於師，方堪傳授。」如果徒弟的見解與老師一樣的話，減師半德，這個學生減掉老師一半了。假定老師八十歲，徒弟三十歲悟道，見解跟老師一樣，但卻差老師五十年功夫，所以說減師半德。見過於師，方堪傳授，學生見解超過了老師，才可以夠得上做徒弟，繼承衣缽。許多大德祖師都感嘆找不到衣缽傳人，就是這個原故，並不是戒律的問題。眞悟了道的人，他要找的學生是超過自己的。佛說的法，也都是教授法，他說出來的法，是希望你悟道而成佛，見過於師，那就用不著抓住他方便的說法，當成是眞實了，這一段就是這個意思。

下面接著轉了一個方向，大家注意！前面都是須菩提，須菩提，接著這裡加了幾個字。

須菩提與佛對答

爾時慧命須菩提白佛言。世尊。頗有眾生。於未來世。聞說是法。生信心不。

這裡對須菩提突然加了兩個字，稱爲慧命須菩提，好像鳩摩羅什翻譯經典，故意多寫了兩個字一樣。其實佛也沒有說什麼法嘛！他只叫我們第一不要把肉身當成佛；第二，不要著相；第三他說他沒有說法。除了這三個要點外，他并沒有講一個什麼法門！可是，好像有一個人懂了，這個人就是我們的大師兄須菩提。懂了就是荷擔如來慧命，所以這裡稱慧命須菩提。佛的弟子裡說般若的空性，須菩提屬第一位證得空性的人。今天我們大家在座學佛的人，一念之間證得了自性空，這個人就是得到了慧命，延續了慧命，所謂然燈也就是這一盞燈可以點下去，不會熄了，可以傳燈了。

慧命須菩提聽到這裡就懂了，佛法是不可說，不可說，沒有什麼東西可說的。因爲他懂了，所以他擔心一件事。他說：佛啊，「頗有衆生」，他說也許將來有衆生，聽你那麼講，能生起信心嗎？

佛言。須菩提。彼非眾生。非不眾生。

嘿！佛答得更妙，根本不理他這個問題。

什麼叫衆生？本來就沒有衆生。這個話很嚴肅了，後世一切衆生都被否定了。什麼叫衆生？本來就沒有衆生。

這是什麼話！照儒家顧亭林的解釋，就是兩個桶，一桶有水一個空，倒過來倒過去就是那一桶水：是法者，即是非法，是名爲法。色身者，即非色身，是名色身，都是這個話。

是啊，表面一看是不通嘛！須菩提一問，將來有些衆生聽你老人家這樣一講，會起信心嗎？佛并沒有說會不會起信心，只說什麼衆生啊？「佛言。須菩提，彼非衆生，非不衆生。」所謂衆生，根本就沒有衆生。

聽佛這麼說，我們趕快下課吧！也不要聽金剛經了，因爲我們都不是衆生。

頑石點頭為什麼

不是衆生是什麼呢？個個是佛。一切衆生本來是佛，這是佛揭穿的方法。換句話說，你不要替大家擔心，個個都會成佛。這個道理，佛在法華經、涅槃經上就講過。中國文學上有兩句話，「生公說法，頑石點頭。」是與涅槃經有關的典故。

當南北朝的時候，一位叫道生的和尚，是年輕的法師，現在來講，就叫做才俊法師。當時佛涅槃時最後的說法涅槃經，才翻譯過來半部，這個翻了半部的經，中間提到一個問題，就是一闡提人能不能成佛？一闡提是罪大惡極，壞透了的人。他們不孝，殺父殺母，殺佛殺羅漢，壞事做盡，罪業深重，下無間地獄；就好像世間判罪無期徒刑，永遠不會翻身。這些大惡性衆生能不能成佛呢？當時佛法還沒有完全過來，涅槃經只有半部，這位青年法師寫篇論文，認爲一闡提人也能成佛，一切衆生最後都要成佛。

道生這個論點一出，全國的法師都要打死他，這還得了！佛都沒有敢這樣說過。當時這個道生年紀輕，文章好，學問好，最後大家看在出家人情面，算他不懂，把他趕到江南去了。那個時候佛法都在長江以北，道生被趕到江南，就到蘇州，金山這一帶，在山上住茅蓬，也沒人聽他講了，他只好對著一些石頭講。

有一天又講到這個問題時，他仍說一切罪大惡極的衆生，最後還是能成佛，你們說對不對？這時那些石頭就搖起來了。這就是生公說法，頑石點頭的典故。

道生離開北方的時候曾說：我說的法絕對是合於佛法的，如果我說的法合於佛法，我死的時候坐師子座。以後涅槃經全部翻譯過來了，佛也是這樣說的，一切衆生皆會成佛。所以金剛經這裡，告訴慧命須菩提，所有衆生，即非衆生，不要看不起人啊！一切衆生都是佛。

衆生與佛

何以故。須菩提。眾生眾生者。如來說非眾生。是名眾生。

這個道理就說明，一切衆生生命的存在，都是幻有的，是幻相。三界六道和二十五有的衆生，都是因緣所生，是沒有固定的。法身的生命，在六道輪迴中遷流不息，也是根據自己的業果因緣而來的；所以說，一切衆生即非衆生。

它的本義是說明，一切衆生自性本來是佛；自己能夠反照而明心見性，就不叫做衆生了，個個都是佛了。前面剛剛提到，道生法師說的一闡提人，最後都要成佛，這個意義在涅槃經、法華經中，也是這樣說的。釋迦牟尼佛是我們劫數中第四位佛，就是第四個梯次的佛，這個劫數叫賢劫，有千佛出世，最後成佛的是樓至佛，現在化身爲韋馱菩薩的，因爲他的願力，要護持賢劫裡一千個佛，待他們個個都成佛以後，他才最後成佛。這是佛教對於賢劫組織的一個說法。

換句話說，這個世界上的一切衆生，不僅是人，凡有生命有靈知的生物，都能夠成佛。一切衆生都是平等的。

要徹底的研究這個道理，就是法相唯識的道理，這個地方揭發出來見法，就是見地。人世間因爲一切衆生有我見，所以就有人；有人就有我，就有是非；有是非，就有煩惱；有煩惱就有痛苦，如此等等一連串下來。我們雖有一個身體，但身體非我之所有，暫時歸我之所屬，這是因緣所生，四大假合而成，不究竟，總歸會幻滅的。

眞正的這個自性是不生不滅的，這個自性是空性，空性必須要無我才能達到。當你修證到一個無我的境界，就得到一個智慧，就是唯識中所講的平等性智。無我就無人，無人就無他，無衆生相，無煩惱，無一切等等。一切皆空，即無衆生之相。這個唯識是表詮，金剛般若法門是遮詮，說明這個道理。

對於這一段我們給他的偈語是：

◆第二十一品偈頌◆

為誰辛苦說菩提　倦臥空山日又西

遙指海東新月上　夜深忽聞遠雞啼

「爲誰辛苦說菩提」，佛不是說了嗎？我沒有說過法，別的經典也曾經講過；我說法四十九年，沒有說過一個字。

佛法是不可說不可說，法身之體是不可說處。所以，他辛辛苦苦說這些菩提證道的法門，爲誰而說？爲衆生而說。等於唐人羅隱的兩句詩，「採得百花釀蜜後，爲誰辛苦爲誰甜」。

這一首詩是非常有名的，人生也本來如此，像蜜蜂一樣，把百花辛辛苦苦採來，釀成蜂蜜，結果呢？這個蜂蜜自己吃不到，爲誰辛苦爲誰甜，這是感嘆人生。

那麼佛呢，他倒不是爲這個辛苦，他爲了度一切衆生，爲使衆生個個見自性成佛而辛苦。可是本來無我，爲誰辛苦呢？

「倦臥空山日又西」，所以後世佛的弟子們之中，許多高僧悟了道，永遠隱山高臥不出，不說一句。譬如天台宗的祖師慧思禪師，在南嶽悟道後，始終沒有下過山，人家勸他說，你這位大師悟道了，爲什麼不下山度衆生？他獨住孤峰頂上，一個人都沒有去過。他說我何必下山度衆生呢？我獨坐孤峰頂上，已經一口吞盡諸方，一切衆生我度完了。

後來有人也提這個問題來問過我，我說他當然可以那麼講，慧思大師一輩子不下山，他卻有一個智者大師這樣的徒弟，號稱東方的小釋迦；這一個徒弟就夠了，用不著他出來，所以他可以說這樣的話。如果沒有這樣福報，這樣成就的人，也得不到像智者大師這樣的弟子的話，這個話就不能隨便講。但是，的確有人悟道以後，一生不說法而度人無數。

譬如我們曉得禪宗一位大師，畫上經常畫的布袋和尚，他的說法就是揹著一個布袋，人家問他佛法，他把布袋一放，就在你前面一站，什麼都不說，他看你懂了，他笑笑；你不懂，他把布袋一揹又走了。

布袋和尚就是泗州大聖，據說是彌勒佛的化身來的，他永遠揹個布袋。實際上他說得很清楚呀，人家問他，什麼是佛法？他把布袋一放，我們現在這個布袋還放不了呢！這個媽媽給我們的布袋永遠放不下來，所以他把布袋一放下，叉手一站，這就是佛法。他看看你不懂，布袋又揹起來走，你放不下就提起來走，都一樣，佛法就是那麼簡單，他沒有說一句話，這就是佛法了。那麼，不說法能不能度衆生呢？不見得不能，但衆生還是靠方便教授法來度的。

「遙指海東新月上」，後世的禪宗，把祖師悟道的故事編集為指月錄。佛在楞嚴經上說，一個人問月亮在那裡？有人用手指向月亮，說月亮在這裡。但是你不要看指頭，只看月亮，你光去看指頭，不看月亮，是沒有用的，指頭不是月亮。

佛說的法，不是這個指頭；我們大家學佛學了半天，都抓到指頭當月亮，都錯了。不過這個故事，說明衆生都是同樣的心理。

另一個是道家呂純陽的故事，也與指頭有關。呂純陽最後是由禪宗悟道，是黃龍禪師的弟子，所以呂純陽也變成佛教的大護法。他就有一句話，「衆生易度人難度」，他說的「衆生」不是佛學這個衆生，是指人以外的生命。衆生容易度，人最難度，「寧度眾生不度人」。

有一天呂純陽到南京，變成一個很可憐，苦惱的老頭子，到一個專門賣糍粑的老太婆那裡，天天去吃糍粑，吃了不給錢，吃了好幾年，這個老太婆永遠不問他要。他後來問這個老太太，爲什麼不要錢？我看你這個老頭子沒有錢啊！呂純陽說：世界上沒有一個好人，只有你是個好人，你要不要成仙呀？老太婆說我不要成仙，我賣我的糍粑，很舒服。你要不要發財？我有一個法子傳給你可以點鐵成金。呂純陽說著就在她那個鐵鍋上一點，鐵鍋就變成黃金了。老太婆說：嗯！蠻有道理，我還是不要。

呂純陽心裡想，這個人眞好，世界上只有這個人是好人。最後問：老太太，你究竟要什麼呢？老太太說把你的指頭給我就好了。呂純陽只好搖搖頭說，衆生易度人難度，寧度衆生不度人。

佛經上有一個指月的公案，叫我們看月亮，不要抓指頭，可是一般學佛的人，也同呂純陽碰到這位老太婆一樣，專抓指頭不看月亮。這就是第三句遙指海東新月上。

「夜深忽聞遠雞啼」，不要灰心，遠遠聽到雞啼了，總歸有一個人會出來的，不要看長夜漫漫，總會有天亮的時候。

第廿二品 無法可得分

須菩提白佛言。世尊。佛得阿耨多羅三藐三菩提。為無所得耶。佛言。如是如是。須菩提。我於阿耨多羅三藐三菩提。乃至無有少法可得。是名阿耨多羅三藐三菩提。

一指禪

須菩提白佛言。世尊。佛得阿耨多羅三藐三菩提。為無所得耶。佛言。如是如是。

佛說二十一品的時候，是無法可說，這一品更嚴重了，是無法可得。須菩提說，請問你老人家，當年大徹大悟證到阿耨多羅三藐三菩提，你老人家那個境界，沒有得到一個東西嗎？「佛言。如是，如是」，是這樣，是這樣。這樣又是那樣呢？就是話頭了，要你去參！就像是禪宗那個一指禪一樣。

唐代的一位禪師，他是金華山的俱胝和尚，我們要修道就要學學他，他始終沒有出來參學過。有一天，他要出來參學，夜裡，虛空中一個聲音告訴他：你不要出去，有肉身菩薩親自來給你說法。肉身菩薩就是活著的人，像我們普通人一樣的肉身，可是他是菩薩再來身。第二天天龍和尚來看他，他就問天龍什麼是佛法？天龍和尚是大禪師，手一指，俱胝就大徹大悟了。所以俱胝和尚悟道一點都不吃力，他得的是一指禪。以後他說法，什麼是佛法？手指一比，你懂得也是這個，不懂得也是這個，第二句話也不說；很多人因他這麼一指也悟道了。

有一天他出門去了，他的徒弟小沙彌，跟他好多年，看到人家跟師父磕頭啊，頂禮啊，求佛法啊，師父總是手一指，這個。這一天師父出門了，有人來找師父問佛法，小沙彌說，我師父那個佛法，我也知道。那個居士就跪下來，小師父，那請你告訴我。小沙彌也手一指，這個！那個人也悟道了。小沙彌很高興，原來師父的佛法就是這個樣子。等到俱胝和尚回來，小和尚向他報告，今天來個居士，我接引他悟道了，就說了經過。師父哦了一聲就進去了，轉身又出來了，對小沙彌說，你再說一遍怎麼接引人？那小和尚就把手一指說，這個。師父等他指頭一伸出來，一刀把他指頭砍斷了，流血不止，小和尚又痛又唉唷，悟道了。指頭砍斷了一節，就是這個。所以，「如是，如是」，就是禪宗的這個。這個究竟是哪個，就要自己參了。

金剛經有五六種的翻譯，反覆研究，還是鳩摩羅什翻譯得最高妙。後來玄奘法師重新翻譯過，道理更清楚，但是佛法的意義卻模糊了。鳩摩羅什的翻譯，許多地方都是禪宗講話，如珠之走盤，不著邊際，不落一點。所以後世的禪宗採用金剛經，可以悟道，就是這個道理。

須菩提。我於阿耨多羅三藐三菩提。乃至無有少法可得。是名阿耨多羅三藐三菩提。

他告訴須菩提：我告訴你，當時我在菩提樹下得阿耨多羅三藐三菩提的時候，你以為得到一個什麼菩提嗎？了不可得。也就是六祖後來悟的，「本來無一物，何處惹塵埃！」了不可得。如果有一點少法可得，就還有一點空，有一點光明，有一點境界；看到一點圓陀陀，光爍爍的，都不是了，都著相了。「無有少法可得」，這個叫做阿耨多羅三藐三菩提，無上正等正覺。

這一節很簡單，就叫無法可得。我們給他偈語的結論：

◘第二十二品偈頌◘

多年行腳覓歸途　入室知為道路愚
檢點舊時新衣鉢　了無一物可提扶

「多年行腳覓歸途」，很多人從年輕學佛、修道、出家，多年行腳到處參訪，覓歸途，都是找一個歸家之路，都想找到生命的根源。

「入室知為道路愚」，真正悟道的時候，你才瞭解道路愚，被道路騙了，被方法騙了。八萬四千法門都瞞了你，前面說過，禪宗有位祖師，跟過很多法師學種種法，修了一輩子，最後悟道了，告訴那些老師說：「我眼本明，因師故瞎」。我兩個眼睛本來亮的，老師啊，你把我弄瞎了。

東學西學，結果把自己眼睛弄瞎了。不是眞的眼睛弄瞎了，道理看不清楚了。所以入室方知道路愚，都被方法騙了。

「檢點舊時新衣鉢」，眞正悟了道的人，我還是我，一切皆空，了無所得。這個衣鉢還是舊的衣鉢，不過是好多年前你自己把它包起來找不到了，現在你把它拿出來，這個東西還是舊時的那個東西。

「了無一物可提扶」，本來無一物，沒有一個境界可得的，這就是無法可得。

這五六節，佛都是叫我們不要著相，不要執著一切法。現在雖然叫你不要執著一切法，但是有一個法要執啊！就是善法。所以下一品梁昭明太子給它的標題是：淨心行善。

第廿三品 淨心行善分

復次。須菩提。是法平等。無有高下。是名阿耨多羅三藐三菩提。以無我無人無眾生無壽者。修一切善法。即得阿耨多羅三藐三菩提。須菩提。所言善法者。如來說即非善法。是名善法。

修一切善法

復次。須菩提。是法平等。無有高下。是名阿耨多羅三藐三菩提。以無我無人無眾生無壽者。修一切善法。即得阿耨多羅三藐三菩提。

用白話文的說法，復次就是其次的問題，或者另一個問題。前面他什麼都否定了，佛也不是，有相的也不是，有色的也不是，有法可得的也不是，一切否定。這裡卻告訴你，要想成佛就要修一切善法，諸惡莫作，眾善奉行，非有善法的成就不可。不是看幾本佛書，談談禪，說說公案，盤個腿，打個坐就可以成佛。造了一輩子的業，跑到廟子去盤個腿，吃兩天素，就要得菩提，那個菩提多少錢一個啊！有那麼簡單嗎？許多青年人都犯了這個毛病，看了幾本禪學的書，青蛙跳進水，噗咚一聲就開悟了，那麼容易嗎？你去買一個田雞來跳跳看吧！所以要「修一切善法，即得阿耨多羅三藐三菩提」。日行一善我們都做不到，檢查自己的行爲，我們日行一惡則有之，誰能做到日行一善？不修一切善法，你說到達無相，那是騙騙自己罷了。佛告訴須菩提，「是法平等」，眞正的佛法是平等，「無有高下」。八萬四千法門，唸佛也好，修密宗也好，參禪也好，修止觀也好，甚至於說修旁門左道也好，以華嚴境界看來，都能成就。眞正的佛法是平等，無有高下的。佛在前面也說過，一切賢聖皆以無爲法而有差別，也就是說是沒有差別的。

南山高北山低

後世禪宗有個公案，說有個法師講金剛經，碰到一個禪師，這位禪師就問一個問題：既然是法平等，無有高下，爲什麼南山那麼高，北山那麼低？這位講金剛經的法師沒辦法了。是啊！金剛經上說的，是法平等，無有高下。爲什麼南山那麼高？北山那麼低？萬法是有高下，怎麼說沒有高下？所以說這又是一個話頭。

我們曉得平等性智，那是要到達第八地成就，才能證到的。第六識空，是證得妙觀察智；第七識我執空了以後，才證得平等性智，一切衆生人我就平等了。我們之所以覺得有煩惱，有人我，有衆生，是因人我分別而來；把我相，我見一空以後，平等性智出來，再看一切衆生都是一律平等，這個叫做阿耨多羅三藐三菩提嗎？但是要修一切的善，才能證得空，「修一切善法即得阿耨多羅三藐三菩提」。

須菩提。所言善法者。如來說即非善法。是名善法。

如果說有所爲，爲了求佛果，爲了求自己的福報及功德而修一切善法，這是人天果報，凡夫的修法，凡夫的爲善，眞正的善法是爲菩提道果的行善，雖行善而不著行善之念。「所言善法者，如來說即非善法」，不要求福德之念，這個才是眞正的善法，這是加以註解。下面是這一品的偈語：

第二十三品偈頌

鏡花水月夢中塵　無著方知塵亦珍
畫出牡丹終是幻　若無根土復何春

「鏡花水月夢中塵」，就是說世間一切都是虛幻的，如鏡中花，水中月，夢中塵等。佛經經常用這種譬喻，說人生一切萬有的現象，如鏡中的花朵，你不要認爲沒有花啊！有花，只是抓不住摸不著；水裡的月亮也不是沒有啊！有的，水裡不會自己出月亮，後面有一個眞月亮。鏡裡的花也是一樣，後面有一個眞花。夢中的境界固然不實在，但是沒有你，還不會作夢呢！因爲有我們的身心，才能做夢，但是夢中的一切只是影像。所以大家研究佛學，要注意這一點，鏡花水月並不是說絕對的沒有，只是告訴你是虛幻的，不實在的，是偶然暫時的存在而已。這個暫時存在的有，是把握不住的，不常的。

「無著方知塵亦珍」，瞭解了這個鏡中花，水中月，夢中塵的道理，才瞭解了空與有之間，是法平等，無有高下。空也是佛法，有也是佛法。金剛經上佛告訴我們修法的要點是，無住，不執著。不要認爲，因爲不執著所以空；抓住一個空啊，空已經變成一個東西了，空還是塵。眞正的無著，連空都無著，因爲空不著，所以敢到入世中去，在入世中修行。衆生不敢入世，怕「有」把他沾住，眞到了無著，方知塵亦珍，才敢入世，因爲有也是的嘛！

古人有一句話：牡丹雖好，還須綠葉扶持。學佛修道，打坐唸佛，一念萬緣放下，蠻好！但是，如果你不修一切善行的話，沒有這個福報，你想放下也放不了！有許多朋友說，現在退休了，年紀大了，我準備明天開始修行。結果明天家裡又有事了，或者自己又感冒了。嘿！你不要認爲放下容易，放下、清淨，要大福德大福報的啊！

「畫出牡丹終是幻」，牡丹雖好，還須綠葉扶持，修一切善法，才能修阿耨多羅三藐三菩提。

「若無根土復何春」，牡丹是代表富貴之花，但是牡丹還須綠葉來陪襯，也須要根，牡丹沒有根，花也開不了的。換句話說，我們學佛的根本是什麼？一切宗教都是一樣，都是：諸惡莫作，衆善奉行，這是第一個起步。如果不修一切的善法，光想求開悟，那就是青蛙跳井了，噗通！那不是悟啦，那是自誤，聰明反被聰明誤。

第廿四品　福智無比分

須菩提。若三千大千世界中。所有諸須彌山王。如是等七寶聚。有人持用布施。若人以此般若波羅密經。乃至四句偈等。受持讀誦。為他人說。於前福德。百分不及一。百千萬億分。乃至算數譬喻。所不能及。

現在連接上一次的第二十三品，等於是中間的一個結論。這個題目當時取的是福智無比，就是福報與智慧，這兩個是等稱，平等的清福。就是說要證得菩提、要成佛，就需要這兩樣本錢，在佛學的名辭就是資糧；是資本與糧食兩個觀念，也稱為福德資糧，智慧資糧。

現在這一品，再三重複的提出來這個觀念。這同一問題，為什麼又重新出現在這裡呢？因為上一品講到，修一切善法，即得阿耨多羅三藐三菩提。就是說，要想悟道，不是隨便打個坐，研究個公案，拜拜菩薩，或者是搞一些外形所能成功的；必須要諸惡莫作，眾善奉行才行。諸惡莫作是消極的，眾善奉行是積極的；要積極的修一切善法才能到達開悟，證得大徹大悟的境界。

二十三品最後，還以法身實相般若本體來解說，「所謂一切善法，即非一切善法，是名一切善法。」簡單的說，你做了一切善事而不執著，執著了就是凡夫的事，不執著才是菩薩道。利人、救世、修一切善行，並沒有特殊之處，是做一個人義所當為，是本份的事。

現在第二十四品佛自己作結論：

須菩提。若三千大千世界中。所有諸須彌山王。如是等七寶聚。有人持用布施。

他告訴須菩提說，我們這個世界上，這個娑婆世界的南贍部洲，中間有一個須彌山，勉強用喜馬拉雅山比作須彌山；究竟喜馬拉雅山是不是須彌山，老實講到現在還是一個嚴重的問題，不能夠貿然斷定。把佛經上說的須彌山解釋爲喜馬拉雅山，是近幾十年研究佛學的假設肯定，這個假設的肯定很有問題，不能隨便相信。

打一個比喻來說，這個世界上有一個最大的山，稱它爲須彌山，其它三千大千世界，都有一個中心的大山，所以有很多的須彌山。「如是等七寶聚」，這個「等」不要認爲是把七寶布施了，把須彌山也布施了；須彌山布施給人沒有用，房子裡裝不下來，這個「等」是作比喻，等於須彌山那麼大的財富，七寶，珍珠，鑽石，集起來布施，這是一個譬喻。

若人以此般若波羅密經。乃至四句偈等。受持讀誦。為他人說。於前福德。百分不及一。百千萬億分。乃至算數譬喻。所不能及。

拿那麼多的東西來布施，當然這個人的福報很大。在前面第十三品已經講過，這裡又重複強調法施的重要。一般人信仰宗教，都是功利的思想、功利的目的去求的。人眞要希望功利，花小本錢，得大利益，首先必須要行一切善。現在說這個人很行善，拿須彌山那麼多的七寶布施了，縱然不求福德，自然的福報也很大，這是一定的，這個問題就不要說了。

現在他拿這個譬喻來強調，他說假定有一個人，以此般若波羅密經，「此」是專指金剛般若波羅密經；因爲般若波羅密的經典很多，大般若波羅密經，就是大般若經，另外還有仁王護國般若波羅密，這種波羅密，那種波羅密，走的路線不同，都是講智慧成就。現在本經上講「此」，是專指金剛般若波羅密這一本經。假使有人以這本經的道理，不論是全部的意義，或者只有四句偈等等，受持讀誦，爲他人說，那個福報比須彌山一樣多的七寶布施，可就大太多了。

受持讀誦

這裡我們再度提起大家注意，「受持讀誦」有四個含義。接受了，光是接受了不算數，還要領受在心，在自己心理行爲中起作用，更要心有所得。

我們諸位學佛研究金剛經，如果懂了這個空，平常碰到事情的時候，有沒有領受於心？你說現在你還蠻舒服的，有點領受，那是沒有碰到事啊！一碰到事，像被人打一耳光，罵你一句話，或者把你的錢倒了，或者現在就要到醫院開刀了，下一個鐘頭活不活還不知道，這個時候看你空不空！如果說空得了，那是眞金剛了，你眞能夠受用了。受還不行，必須能持，以此來修持。持者，等於拿一個拐棍，拿個手杖，永遠靠著它走路，牢牢抓住，這個境界才不會動搖。就算現在去開刀，說不定麻醉回不來了，但此心這個定境仍保持著，這就是受持。讀是看書，或輕聲讀過去，誦是要唸出來，高聲朗誦。現在年輕人只是看書，看書卻不容易背得來。我們舊式的教育，是要背書的，背是沒有用腦筋的，唱戲一樣，等於進到阿賴耶識，不要用腦筋，隨時背來了。所以金剛經讀了還要朗誦，有所體會，就是受持讀誦，四個含義。

真教化的功德

他說假使有人，不要說全部金剛經，只要把四句偈作到受持讀誦，懂了這個道理，教人家，使人家解脫煩惱；教人家並不是要自己當老師，高人一等，只是教人家得受用，使人家能夠解脫煩惱。如果做到這樣，那麼這個人所修的福德，比前面所說用須彌山王那麼多的財富來布施，更大。前面那個布施是財布施，是有形的，比不上這個法布施，佛學就叫做法布施。中國文化的觀點，這就是教育的功勞，教化人家。教化就是法布施，解決人家心裡的痛苦，成就人家自己的人生。

他說這個法布施的功德，比有形財富的功德，更大更多，兩者是不能相比的。以有形財富來作布施，跟智慧布施比較起來，百分之一都不到，百千萬億分也不到。總而言之，不能比就是不能比，怎麼說呢？如果我們那麼一講，聽起來不能比就是不能比，很土，很粗，就不像經典了；經典翻譯得非常美，「乃至算數譬喻所不能及」，用算數都算不清。換句話說，拿現在誇張一點的話來講，電腦也算不清，數字是沒有辦法計算的。眞到達不可算的數字是什麼？是譬喻那個東西很大。就像我們經常說天一樣的大，這是譬喻，你說那個天有多大啊？佛經上經常作譬喻，恆河沙那麼多，恆河沙有多少啊？誰都不知道。這既說它的多，也說它的大，是譬喻的數目字。換句話說，當世界上最大的數目字沒有辦法以數字代表的時候，只好拿譬喻來作代表。

這一段很容易懂，就是說文化、教育力量的重要，佛法教育的力量和它所培養的功德，遠超過了物質布施的功德；因爲那是幫助一切衆生的精神生命，所以簡稱爲慧命。慧命就是智慧壽命的觀念，屬於慧命教育，所以它的功德特別大。這一節的內容就是說明智慧的成就，智慧及自度的重要，我們給它的偈語如下：

◇ 第二十四品偈頌 ◇

富嫌千口猶伶仃　貧恨身存似縛刑
何事莊生齊物了　一聲青磬萬緣醒

「富嫌千口猶伶仃」，禪宗祖師有句話：「富嫌千口少，貧恨一身多」。說一個很有錢的家庭，有一百個兒子，每個兒子都有十來個孫子、佣人，所以全家有一千個丁口。因爲財富太大，又養那麼多人，感覺人還是不夠用。一個人窮到極點，如果連一碗陽春麵都吃不起的時候，眞恨這個身體活著都是多餘！這兩個是很強烈的對比。富嫌千口少，貧恨一身多。就拿這兩句話作比方，富嫌千口猶伶仃，也是這個意思，富貴人家千口的家庭，自己還認爲人口太少了，很寂寞。

「貧恨身存似縛刑」，窮的時候，覺得這個身體活著是受刑，很痛苦。在這個貧富之間，我們可以看到，福報大了就是富貴功名、錢多地位高；但是天天都叫你忙，天天都叫你累，想睡五分鐘都很困難，沒有經過這個環境的不知道這個味道。也許有人會說，情願少睡五分鐘過過那個味道的癮。但是如果嚐夠了這種味道的人，再也不想回頭去試了，每天不是爲自己活著的，不願意笑的時候也要笑，那個味道眞難受啊！可是世界上的人，認爲這個是福報，這是世間的福報，眞是多福多壽多難受！

相反的，窮的人在山裡住著，有一位禪師一個人住在茅蓬裡，有人問他覺得怎麼樣？他說：「去年貧，猶有立錐之地」，還有站腳的地方。「今年貧，連錐也無」，連站腳的地方都沒有了，你看窮成什麼樣子！這是形容窮嗎？不是的，他是形容自己眞正到達了空。換句話說，去年空還有個空的境界，今年空，連空境界都沒有了。

空沒有了，你說是什麼東西？眞是徹底的空了，就是形容這個。所以我們說，眞覺得自己形體存在是受刑、受罪，還是有個東西在那裡。但是富是代表有福報的人，貧代表沒有福報的人，兩種人生活的現象是相對的兩頭。好看與不好看，漂亮與不漂亮，胖與瘦，長與短，都是相對的兩頭。世間法都是相對的，有好看就有不好看，有窮的時候就有富的時候。窮人的富是什麼呢？本來一塊錢都沒有，突然有了五十塊，那比有錢人突然中了馬票幾十萬的港幣還舒服！所以窮富是對比。有福報，沒有福報，都是對比，這是生滅的兩個現象，不究竟。

「何事莊生齊物了」，莊子的齊物論，拿本體來看，一切都是平等，有錢有財富，最後也要死。窮的人最後也要死，死的味道都是一樣，誰都是一樣。一切萬有皆是齊物，大家坐在這裡，白的、黑的，胖的、瘦的，男的、女的，每個人不平等，但有一件事情很平等，今天夜裡四點鐘到六點鐘，大家都沉睡了，沉睡中，那個糊裡糊塗的境界很平等。有智慧也是那麼糊裡糊塗，沒有智慧也是那麼糊裡糊塗。有錢的也是那麼糊裡糊塗睡著，沒有錢的也是那麼糊裡糊塗睡著，這個是平等的。拿這個作比方來說，在本體上一切都是平等，這就是齊物。

萬物是不齊的，不平等，有高低，五個指頭都不齊的，但是它變成一隻手的時候，通通是齊的，它就是一隻手。手跟腳也不平等，等到沒有手腳時，也沒有我了，也就齊了，就平等了，這是莊子的齊物論。我們瞭解了這個道理，福報也就無所謂大與不大。

「一聲青磬萬緣醒」，眞正的福報是什麼福報呢？清福，人間的清福。當我們眞正煩惱痛苦到極點，當我們一切的痛苦煩惱沒辦法解決的時候，跑到深山古廟，偶然聽到一聲「叮」，青磬一響，被它敲醒了，萬念皆空。那個時候啊，什麼都沒有，那眞是大夢初醒，這個是大福報。所以金剛經告訴我們，所有的福報，都不如瞭解金剛經般若的解脫眞義。般若解脫眞義，就是我們給它的一句結論，一聲青磬萬緣醒，這個時候是眞福報。

中國的文學爲什麼把木魚叫紅魚呢？因爲廟子上的木魚多半漆成紅顏色，磬放久了，顏色都變成青銅色，所以叫做青磬，紅魚青磬，紅跟青是文學上的形容詞。

第廿五品 化無所化分

須菩提。於意云何。汝等勿謂如來作是念。我當度衆生。須菩提。莫作是念。何以故。實無有衆生如來度者。若有衆生如來度者。如來即有我人衆生壽者。須菩提。如來說有我者。即非有我。而凡夫之人。以為有我。須菩提。凡夫者。如來說即非凡夫。是名凡夫。

有教無類

金剛經快要作整部的結論了，化無所化，什麼叫「化」？在唐以前，多半的佛經用這個「化」字。唐宋以後用「度人」。度也好，化也好，反正度也度不了，化也很難化。到元明時代，乾脆兩個字合起來，叫做度化。這個度化，實際上就是教育了。化也就是感化人，變化人。

須菩提。於意云何。汝等勿謂如來作是念。我當度眾生。

這也是佛自己講，告訴須菩提，你認爲怎麼樣？「汝等勿謂」，你們千萬不要講佛說過這個話，說過什麼話呢？「我當度衆生」，認爲佛說過，要度一切衆生。

你看佛是很妙的，你仔細把金剛經研究，他的一生許多事情，在金剛經裡通通否認完了。說法四十九年，他在金剛經裡卻說沒有說過一句話！這是他講的啊！這個金剛經擺在我們面前。他本來發願要度衆生，現在又否認了，嘿！你不要搞錯了，你們不要那麼想啊！你們千萬不要那麼想，認爲我要度一切衆生。這是文字的解釋。

須菩提。莫作是念。何以故。實無有眾生如來度者。若有眾生如來度者。如來即有我人眾生壽者。

「須菩提，莫作是念」，千萬不可以有這個觀念，上面已經講了，下面還要很肯定的重複，莫作是念，千萬不要有這種想法。好了，我們現在記住他的話，你不要磕頭說佛啊，你來度我。他老人家不承認，他現在很忙，在那裡入涅槃，你也莫作是念，不要這樣想。什麼理由呢？「實無有眾生如來度者。」這個話嚴重了，剛才我們還用笑話的辦法來說，佛一切否認了，下面進一步告訴我們理由，聽得我們都有一點五里霧中了。什麼理由啊？世界上實實在在沒有一個眾生須要佛來度的。你注意啊！沒有一個人須要佛來度的，這是佛自己說的。

「若有眾生如來度者，如來即有我人眾生壽者。」拿禪宗裡的話說，這叫做一個棺材兩個死漢，一個說你是被我度的，一個說我需要佛來度。大禪師們會說，這兩個都是沒有悟道的。佛也講嘛！第一，我沒有度過一個人，你不要有這個觀念。什麼理由呢？世界上沒有一個眾生需要佛來度的。這個文字擺在這裡，對不對？我們自己研究。還有，佛說如果有人因我度他而成了佛，這個佛就不是佛了，而是個非常普通的人，因爲這個佛已經是有我相、人相、眾生相、壽者相的人了。

所以，我經常告訴大家，不要什麼頂禮啦！磕頭啦！好麻煩。我一生最怕這個事，碰到人家合掌，我現在都有點馬上出汗，很麻煩，還要答禮，乾脆像現在人眼睛一瞪，注目禮，很好嘛！意思到了就行了。如果說磕個頭，認爲我是老師，該受這一拜的話，十八層地獄都不夠。不過不要緊，據說現在地獄裡頭還有地下室，那就該要下地獄的地下室去了。一個人如果自覺有道，足以爲人師，如果有這一念的存在，他再有道也不值錢了。眞正足以爲人之師，眞正足以度人，他必定已經證到空的境界了，何以會有自我崇高的觀念呢？絕對不會！因爲他自己已經沒有這個觀念了；而是一切衆生，人我平等。

所以佛說，佛如果有這樣一個觀念，也就不叫做佛了，他處處著相，覺得我是佛，我是老師，你們通通是我的子民，你們都是我的信徒，那他就絕對不是佛了。

說到「信徒」這個名辭，是很難聽的，佛教裡從來沒有這個名辭，只有信衆。用個「徒」字，那只能夠牧師用。牧師翻譯的「牧」字，就是指趕牛的，趕羊的，趕人的，看這一些子民都是他下面的徒衆。徒衆都在下面，佛法不可以這樣。

曾經聽到佛教界有人用「徒衆」這兩個字，聽得我一個頭八個大，連信衆這種說法，都算是很嚴重的了。過去大陸隨便那一個廟子，對信衆都是稱居士的。我在峨嵋山時，老和尚看到猴子出來，就說猴居士出來了。蛇來了，蛇居士來了。從沒有說猴衆，猴徒，蛇徒，沒有這樣說的！老和尚的聲音使人一聽肅然起敬，看一切衆生平等，猴居士，蛇居士，這個是佛法的精神。佛法如果還有統治性，那怎麼會是佛的精神呢？希望修正修正，不要犯這個錯誤。

佛現在講，假定他有一個觀念，認為衆生是受他的教化而得道的，這些人是他的徒弟，應該對他如此如彼的恭敬……假如他有這樣觀念的話，完了！「即有我人衆生壽者」，那不算成佛！

好，佛啊！我們瞭解啦！你老人家謙虛，不承認自己在度人，實際上我們是受你度的。你謙虛，那是你的嘛！我恭敬我的，各走各的路，沒有錯。但是有一個問題沒有解決，你說世界上沒有一個衆生須要佛來度的，這是個問題啊！不過，這個大問題，佛在下面解答了。

自己的解脫

須菩提。如來說有我者。即非有我。而凡夫之人。以為有我。須菩提。凡夫者。如來說即非凡夫。是名凡夫。

他說，所謂人，有衆生就有人，眞正的佛法教我們一件事，八萬四千法門只教我們一件事，就是如何證到自己眞正無我，那就成功了。這很簡單，修行只修行一件事，修到眞正的無我。既然無我了，我當然不須要佛度呀，我本來就是佛嘛！佛有這個度人之相，佛就著了人相、我相。我如果眞正能夠悟道，就是無我，就沒有被你可度之處。

所以，佛說的沒有錯，沒有一個衆生須要我度。再徹底的講，佛說了八萬四千法門，把他老人家修道，證道的法門，通通告訴我們了，你依照這個樣子做，你一樣可以成佛。他沒有辦法幫你成佛，要自性自度，他沒有辦法替你修啊！修要自己修，修成功自度了，是你自修自度，自性自度。所以佛說的是老實話，他說沒有一個衆生是需要我度的！我也不能度呀！必須他自己有信心，自修自度，自性自度。

所以他的話，一點都沒有錯。不過他表達的方法是語出驚人，每一句話說出來都很難解；其實道理很簡單，人人都要自求解脫，自性自度，自我得救，誰都救不了你。求上天的保佑，菩薩保佑，保佑不了的，不要迷信啦！只有自助天助，自求多福。你要想菩薩保佑，你要先保佑自己，怎麼保佑自己呢？行一切善法，那麼自助就天助了，佛菩薩與你中間的電線、電波就接得上了。你一天到晚去殺人放火，然後說，菩薩保佑我，你自己也知道那是不可能的。所以佛告訴我們，沒有一個衆生他可以度的，衆生都是自性自度。他說，什麼叫做我呢？一切衆生本來無我，這是佛法；佛法三藏十二部經典，總歸起來就是告訴我們這句話。本來無我啊！就是我們做不到，做到了個個成佛。

佛又說，「如來說有我者，即非有我，而凡夫之人，以爲有我」。凡夫就是一般人，是佛經翻譯的名辭，現在我們一聽到凡夫，好像在罵人。如果我們隨便對朋友說，你是凡夫，他肚子裡頭一定不高興，你好看不起我！一般人，你告訴他無我，他就害怕，因爲人都要貪著「我」。究竟那個是我呢？佛經告訴我們，人體是三十六樣東西湊攏來，沒有一樣東西是「我」的。

拿現在來講更嚴重了，人體上許多的細胞都是我，每一個細胞都不是我，你說我在那裡？身體上沒有我，死了以後，我到那裡去了？說靈魂是我，你看到靈魂了嗎？一聲青磬萬緣醒，就是這個境界。這一聲敲了以後，無我，本來就是什麼都無我，沒有一樣是我。這個無我的境界，佛只好分析給「我」聽，所以我們學禪啊，打坐啊，求證一個什麼東西呢？就是求證到一個無我，就成佛了。結果大家打起坐來，在裡頭嘀咕，都在玩「我」，不然就玩呼吸來呀，去呀，好像在那裡數錢！一二三四，又數息又觀。第一口呼吸早就跑掉了，你後面數到一千，一口呼吸也留不住呀！在那裡幹什麼呢？所以都在玩「我」，作不到無我，不能證得佛法！

無我以後

佛剛才提出一個問題，凡夫之人，以爲眞有一個我的存在，等到肉體死亡了，抓不住了，還要抓個靈魂。其實那個靈魂也是自己意識境界偶然的存在，還不是眞的我，還不是這個。但是凡夫之人，總歸要抓一個有相的我，都抓錯了。眞做到四大相皆空，就是人我衆生壽者皆空的時候，可以找到生命本來的自我了。那個自我是假稱的，叫他自我也不對，叫他是佛也不對，叫他菩提也不對，各種名稱都不對。

現在講到這個地方，佛又加以解說，他提出來：

須菩提。凡夫者。如來說即非凡夫。是名凡夫。

爲什麼他要加這個尾巴呢？因爲他說了一個尾巴怕大家又抓住它。我們也看到過很多學佛的，他也不敢承認自己是聖人，那你就當凡夫好了，他肚子裡又不服氣，不肯做凡夫。

所以一般學佛學道的人很可憐，在聖人凡夫之間，就像公園裡小孩子玩鞦韆，盪過來盪過去，永遠下不了臺，掛在空中甩。

所以佛告訴我們，所謂凡夫者，本來是個假名，沒有眞正什麼凡夫，假名叫做凡夫而已。換句話說，嚴重的講，一切衆生都是佛，只是衆生找不到自己的本性；找到了就不是凡夫，個個是佛，衆生平等。所以後世禪宗的經典，心、佛、衆生，三無差別。心即是佛，悟道了，此心即是佛；沒有悟道，佛也是凡夫，心、佛、衆生，三無差別，三樣平等。

那麼這一品說完了嗎？沒有完！還有個重大的問題在裡頭，我們現在再回過頭來看這一品開頭的話。

須菩提。於意云何。汝等勿謂如來作是念。我當度衆生。

重點在這個「我」字上，佛說：我，沒有度衆生。文字是那麼解釋，佛爲什麼那麼講呢？全篇的意思告訴我們，人，悟到了眞正的無我，修持證到了眞正的無我，就是佛了。這個佛，無我，自然無衆生，無壽者，這就是佛境界。所以做到了無我就是佛境界，一切凡夫都有我相、人相、衆生相、壽者相，接著一切觀念的執著，都是因爲有我而來，那麼眞正無我就是佛境界。

但是，無我以後叫什麼呢？注意啊！一般研究佛學的人，聽到無我，下意識給它下一個註解，空的。佛沒有這樣說，他只說無我而已，這個空的是你加的。如果眞能把凡夫境界有我的觀念統統放棄了，所謂放下，放下放到無可放處，找到生命本來，勉強才可以叫那個是我們生命的眞我，那就是佛境界。但是在本經上，佛不說出一個眞我的名字，那麼你就要看全部的佛經了。全部佛經，總歸起來三藏十二部，實際上有些眞的，有些假的。所謂假的並不是什麼假的，是後來佛弟子們自己修持到了，所寫的經典，假託也是佛說的，這很有可能。這些籠統的算進去，佛經大概有五千多部。

過去有些人唸經，爲了自己唸，爲了父母唸，要唸一藏經，一藏經就是五千卷。大藏經佛的這一部分是五千卷。後世弟子們作的論，乃至佛經的註解，未算在內，如果統統把它算在內，連後世的也都加進去，現在一共有一萬三四千卷了，越來越多。

佛說法四十九年，這麼多的經典中，他的幾個要點是，世間一切無常，都靠不住，都要變去，都不屬於我的。人世間一切皆苦，沒有究竟的快樂，沒有究竟的幸福。一切皆空，一切都無法把握，都要變去了，變去了都抓不住，抓不住的那個情況，那個境界，定個名辭叫做空。所以說無常、苦、空、無我，本來無我，這是所有佛說的都是這樣。

佛在世的時候，許多佛的弟子們，依他所教示的方法修持，都證到了無我的境界，脫離了苦、空、無我的束縛。但是也因此之故，都落於偏空之果，這是我們後世佛學給它加上的，就是偏向於消極的空。

佛到了八十歲，他老人家要請假走路了，請長假了，懶得再教了，快涅槃了。這個時候，他告訴我們相反的四個字，常、樂、我、淨，與他平常所講的，完全相反。最後又告訴我們，眞做到了無我相、無人相、無衆生相、無壽者相，修持到一切放下了，連空也空了，空到了最徹底，你找到生命的本源，這個生命的本源永恆不變。

但是這不是像人世間有個不變的東西一樣，那樣了解又錯了，那是屬於眞常唯心論，屬於外道的說法。佛說的這個常，是對無常而言，金剛經後面就給我們解釋了。樂，不是苦的，得道的人離苦了；一般認爲得了道的人，一天到晚都是快樂，那會把你樂死的。譬如我們頭痛，當然很難過了，但是痛個六七天也痛不死，你說頭不痛了，我的頭好快樂啊！快樂得不得了，眞這樣快樂的話，這個人不到三天一定發了瘋。苦樂是相對的現象，著了相就會發瘋。所以什麼是樂？無苦即是樂，清淨之樂。清淨沒有境界，所以這個樂不是世間看的樂，是常樂。這個時候是眞正的我了，不生不滅，這是不生不滅之我，並沒有像我們現在世俗的觀念，有個我相的存在，所以這個我是乾乾淨淨的。

所謂淨土，沒有一個淨的境界，你說我們的地下很乾淨呀！這不算淨，你說虛空很乾淨，虛空才不乾淨呢！物理科學家都知道虛空裡有很多東西。眞正的虛空是看不見的，那個是無善亦無惡，無苦亦無樂，那是眞正的樂，那個是佛境界。

本篇所講化無所化，是這樣一個道理，我們瞭解了這樣一個道理，給它作一個結論偈語：

第二十五品偈頌

同為物化到娑婆　憂樂無端且放歌
鐘鼓歇時魔舞散　悠然一曲定風波

「同爲物化到娑婆」，我們一切衆生都是物化，這個世界叫娑婆世界；老莊的觀念，宇宙是一個大化學爐，我們是其中的化學物質而已。草木、螞蟻、螻蟲，都是宇宙大鍋爐裡所化的一點點，所以叫做物化。中國固有的文化，人死了叫做物化了，就是物質變化了。這個身體生命死了而變化，骨頭變成灰呀，肉變成水呀，質能互變，它的能量還是存在的，不過形象變化而已，所以叫做物化。一切衆生都到這個娑婆世界來，都在物化，都在唱戲。

「憂樂無端且放歌」，可是大家忘記了自己是在唱戲，而且更不會自己欣賞，自導自演，結果唱啊唱啊，自己還眞掉起眼淚來了。唱到高興的時候，自己把肚子笑痛了，被自己騙了，騙了幾十年。一切憂愁煩惱，一切的痛苦、快樂，都是莫名其妙的事。無端，沒有理由，你看通了這個道理就要逍遙一點，愛跳舞就跳舞，愛唱歌就唱歌，就是解脫了人世間的一切。廟子上打鐘打鼓敲引磬、唸經，我們在這個十一樓唸金剛經，清清淨淨，隔幾條街有人家還在那裡跳舞蹦擦蹦擦呢！他們同我們也差不多，各有各的境界。我們的鐘鼓打完了，他們的歌舞也打烊了，最後大家都回去進入那個黑洞洞的地方去。

「鐘鼓歇時魔舞散」，最後清淨與不清淨，善與惡都了不可得。

「悠然一曲定風波」，你懂得一切了不可得，一切不著相就到家了。定風波本來是古代一首歌曲的名稱，現在我們不講這個歌曲的本身，借這個歌曲的名稱來說明這個意義。一切風波穩定，鐘鼓也不敲，魔舞也不跳，歌舞皆散。

第廿六品 法身非相分

須菩提。於意云何。可以三十二相觀如來不。須菩提言。如是如是。以三十二相觀如來。佛言。須菩提。若以三十二相觀如來者。轉輪聖王。即是如來。須菩提白佛言。世尊。如我解佛所說義。不應以三十二相觀如來。爾時世尊。而說偈言。

若以色見我　以音聲求我
是人行邪道　不能見如來

見佛與觀佛

須菩提。於意云何。可以三十二相觀如來不。須菩提言。如是如是。以三十二相觀如來。

金剛經的重點中心來了，這裡佛又提這一個問題，這個問題佛已經提出來好幾次了。須菩提被佛這麼一搞，又昏起頭來了，我們如果把佛經當作佛的教育法研究，你看這一位大老師大教授，當時的教育法眞夠厲害，須菩提明明答對，佛又東教西教，須菩提失去自信，答案也錯了。他本來答錯的，佛東教西教，他的答案又變對了，此所謂佛的弟子都叫聲聞衆，跟著佛的聲音受佛的教化。禪宗罵人的話，鼻子被人牽著走，罵人罵的很巧妙，禪宗祖師都有罵人的藝術，他並沒有罵你笨，他只是罵你鼻子牽在人家手裡，只有牛被人牽著鼻子，其笨如牛的意思。

你看金剛經佛的教授法多有意思啊！前面佛也問過須菩提，如來可以實相見不？須菩提言：不也，世尊。不是的啊，不可以拿形象來見啊。須菩提不是講過嗎？正講到好的時候，佛又問須菩提，「於意云何？可以三十二相觀如來不？」能不能用三十二相來觀佛啊？注意這個「觀」字！「須菩提言。如是如是。以三十二相觀如來。」是這樣，是這樣。佛本來成了佛，有三十二種相好，所以三十二相來看如來是對的呀！

佛言。須菩提。若以三十二相觀如來者。轉輪聖王。即是如來。

佛大概在鼻孔裡「哼」了一下，佛經不好意思記錄出來，你眞是糊塗，假使用三十二相來看佛的話，這些轉輪王，這些帝王們，就是佛了。你看須菩提，好可憐啊！被佛搞昏了頭，馬上轉彎立刻就說，佛啊，我講錯了。

須菩提白佛言。世尊。如我解佛所說義。不應以三十二相觀如來。

那我懂了，我剛才講錯了，如果照我理解你的意思，不應該以三十二相來看佛。你看，這個須菩提好慘，把這個金剛經，讀通了很有意思，越看越有意思，而且這個文章的寫法，越寫越妙，所以我們把很好的文學，拿木魚一敲，把自己敲昏了頭。

聲色與邪道

爾時世尊。而說偈言。

Plays	One Big Upside Bonus Number
.OTTO Plus Plays	Two Big Upside Bonus Numbers
TTO Plus Plays	Three Big Upside Bonus Numbers

Plus draw a corresponding Big Upside Bonus drawing will
e Bonus numbers will be randomly selected for each
ounts of $40,000 each. Big Upside Bonus numbers are
If you mark Advance Play® and purchase 5 or more
draw, the Big Upside Bonus number(s) will only be good
onus draw after purchase. Subsequent exchange tickets
ases will not receive Big Upside Bonus number(s). Odds

若以色見我、以音聲、求
我、是人行邪道、不能
見如來

須菩提話剛說完，佛就岔進來說很重要的話：

若以色見我　以音聲求我
是人行邪道　不能見如來

這比那一顆廣島的原子彈還厲害，崩咚就炸下來，所以這個裡頭要加那個「爾時」，把握時機，曉得須菩提快要悟道了，就把他東搞一下西搞一下。等於拿個香板晃，這裡晃一下，那裡晃一下，把他晃頭昏了，站住！就是這個！須菩提悟道了。不過他沒有講須菩提悟道了，講出來就不叫金剛經了。

現在我們來研究這四句話，一般人學佛都以色見佛，就是以色見我。佛代表自己的我，也代表我們的我，兩重意義。一般人學佛都想見到佛在前面，用觀想法門的，拜佛的，都有人抱怨沒有見到佛。佛不現前呀！如果眞有的話，第一你神經已經有問題了，第二血壓已經很高了，心臟也出問題，那都是幻相，佛那裡可以以色相見呢？心經大家都會唸，色即是空，空即是色，眞有色相出現，那就是魔，不是佛了。佛在很多經典上都告訴你，不能著這個相，所以以色見佛是錯了。

還有些人是「以音聲求我」，打起坐來唸咒子，五千塊錢傳你一個咒子。但據我統計起來，大概有一千四百多個咒子，如果一個咒子賣五千塊錢的話，我相當有錢了。咒子唸一唸說，喔唷，得定了，然後有些人唸久了以後說：唉唷，我另外聽到一個聲音了。勸你趕快去看醫生吧！佛經告訴你，以音聲求我，這個音聲是耳根的幻化，屬於意識境界，下意識的幻化，是最糟糕的事，人體裡頭本來就有音聲。

你要聽人體的音聲很簡單，用手把你的耳朵蒙起來就聽見了嘛！兩邊都蒙起來，心臟裡頭的血液咚咚的流行，再配合下意識作用，裡頭也聽到唸咒子嗡啊嗡啊，吽啊吽啊，啊啊啊啊，就唸出來了嘛！這都是幻覺，一般人不懂，以爲音聲是有道，是另外一個音聲在唸佛，都著相了，不得了。所以佛說，有人到了聲色這種境界，認爲是學佛有進步得道了，佛說那「是人行邪道」，這個人走的邪路，著魔了，「不能見如來」，永遠不能見眞正的佛境界。何況一天到晚去研究靈魂啊，還說爲了研究才去看鬼，唸唸咒子就跳起來了。好好一個人不去做，爲什麼要去發抖，人眞是奇怪。佛現在明白的告訴你，聲色兩樣都不是。

但是要注意啊！這是拿佛境界來講，如拿「我」境界來講，很多人都是以色見「我」，打坐坐得好的，忽然自己看到自己，坐在那裡頭歪歪的，都看得見。另外，好像「我」出來了，看到自己身體坐在這裡，許多人就認爲自己可以出陰神了，千萬注意啊！若以色見我，這個身體本來已經是個假我，那個出來的是第二個假我，那個就是楞嚴經裡所謂精神飛越。因爲你打坐坐久了，身體上的血液循環，呼吸往來，生理作用並沒有停止，也就是說這個動力沒有停止。心念在靜，生理上的活動沒有停止，兩個一磨擦產生幻相，就成爲另外一個投影，是凡夫之人貪著有「我」的這個意識的投影。所以，另外一個自己看到自己睡，看到自己在打呼，蠻好玩的，自己睡的姿勢不好，不過一動念就回去了，兩個又變成一個。

如果認爲這樣是道的話，就是「以色見我」，錯了。

還有些人唸佛唸咒子，唸著唸著，虛空中也有個聲音在唸，聲音大得很，甚至於很多聲音唸。有人以爲自己有功夫了，這個是道，這是以音聲求我，佛說的，注意！你們「是人行邪道」，走入魔道了，現在社會上很流行，一般人受這個迷惑蠻厲害的。

平常我們不在研究佛法的時候，有人問到我，我也只好一笑，爲什麼不講呢？我有一個觀念，世界上的人都要吃飯，我爲什麼說話妨礙人家吃飯呢？所以你問我對不對？我說不知道就好了嘛！因爲我也要吃飯，人家也要吃飯，人家正把飯拿上來吃，我說那是不對的，這多缺德啊！那豈但沒有福德，還是缺德！所以不能講。

現在講到佛法的正念，要把重點告訴大家，這一篇問題多得很，我們先回過來看，從這一品的開始再來研究。

「須菩提，於意云何，可以三十二相觀如來不？」

我剛才首先向大家報告，這一篇重點在「觀」字。「觀」是什麼？佛法的修法叫做止觀，修止觀，尤其修密宗，更須要修觀想。修觀修想，眞能夠觀得起來，止得住，就可以得定了。要修佛法，先要能夠觀得起來，想得起來，止得住，定得住，入佛之門就快了。

大家學佛，幾個人能夠觀得起來？幾個人能夠把念頭止得住啊？大家打坐，不管你用那一種法門，能夠止嗎？更不要說定，定更談不上。此一心念能夠止於一樣東西上，或者止在空上，或者止在清淨上，誰能做得到？沒有人做得到！形式上好像在用功，根本都沒有上路；要止而後能觀，止觀雙運是正三昧，眞正的定境界，所以叫做止觀雙運。佛告訴我們止觀的方法，如果拿止觀來講，八萬四千個方法都是止觀。譬如唸佛，心裡唸，嘴裡也唸，你能不能雜念不起，只有一句佛，一句南無阿彌陀佛？做到了，就是唸佛法門的止。

止以後，並不是死亡，也並不是萬事不知道，而是清淨到了極點，智慧大開，所有佛法的道理都懂，也都知道，這叫做觀，就是淨土的一種。還有一種觀，譬如佛經上叫我們觀一個月亮，太陽，就是想，觀想。大家都看過月亮太陽，我們用意識起一個形象，觀在心窩裡也好，胃這裡也好，是觀想的，假的啊！一個月亮，太陽，開著眼睛也好，閉著眼睛也好，前面假想一個月亮，設法把這個假想止住它。或者假想一個佛像停在這裡不動，止得住，人就傻掉了一樣，不是瘋掉了，瘋掉了就有問題了，是傻裡傻氣的那麼想。等於人想鈔票啊，男同學們想女朋友啊，或者女孩子們想男朋友啊，好久不來信了，想得傻了！也就是西廂記上講的，茶裡也是他，飯裡也是他，就是那麼想著，止住，這就是觀。

密宗有很多的方法修止觀，但是告訴你，那只是方法，不是眞正的佛法。方法是方便，叫我們把非常混亂的思想，先拿一個東西把它釘住，這就叫止觀的初步。如果說不用佛像好不好呢？當然可以！我們一念清淨，前一個念頭過去，後一個念頭不起來，當念即空，你永遠止在這兒，旁邊一切境界都知道，一切聲音都知道，一切動靜都知道，但是，與我毫不相干，清清淨淨，這也是止觀，并且是正止觀。

做到做不到？做不到！當然，所謂凡夫者，即非凡夫，是名凡夫。那當然是做不到，當然叫凡夫嘛！做到了，凡夫那個「凡」字，中間一點可以拿掉，叫做「几夫」，就是「幾乎」了，進入佛法就差不多了。佛進一步告訴我們，連最後觀起來的觀像都要捨掉，所以說不要以三十二相觀如來。

他這個問題，不是須菩提被他搞迷糊了，金剛經的前面，佛問須菩提，「可以具足色身見不」是講見，明心見性，見地的「見」。這裡是講做工夫的「觀」字的觀。所以讀書、讀經、做學問都要留意，不然，剛才我給大家也耍了一點花樣，把你帶領迷糊一下，過去這個問題講過的呀，須菩提答得對呀，現在怎麼又答錯了？須菩提沒有錯，由於同樣一個問題，上一次是問一個物理學家，下一次問一個化學家，回答當然不同，因為觀點不同。如果碰到一個數學家就又不同了；所以佛法的問題，我們讀經要非常小心，一字不能錯，錯了一字，你錯的問題就太大太大了，可能就完全搞錯了。

現在他問須菩提，能不能以三十二相觀佛。這個佛有三十二相，眉毛中間鼓出來一點亮光放光，這是有成就的人。印度沒有成就的凡夫怎麼辦？女孩子們從小在兩眉之間挖個洞，拿個亮玻璃嵌進去，因為東方人認為，那裡有顆明珠，是智慧的成就，是福報的成就，相法上那是不得了的。可是佛的特殊相，不但眉間有一點珠子樣的亮光，同時還有根白毛，拉起來很長，收攏來剛剛貼在那裡，是一種特殊的相好相貌；這一根白毛還會放光，所以佛經上說白毫宛轉五須彌，這是講阿彌陀佛；這些都是三十二相之一，相好莊嚴。

金剛經講了半天叫大家不要著相，學觀想的人，把這個佛像的莊嚴抓得牢牢的，他問須菩提照這個方法觀，可不可以？須菩提說，當然啦！學佛觀佛的修法，應該是這個樣子去觀如來。這話，須菩提答的沒有錯！佛也是那麼教的呀！佛親口教我們觀阿彌陀佛，就是這樣觀的。

今天佛教經常唸南無阿彌陀佛，我眞替佛打抱不平，唸阿彌陀佛之前，應該唸南無本師釋迦牟尼佛才是；因為釋迦牟尼佛是介紹人嘛！阿彌陀佛是釋迦牟尼佛介紹來的，現在你只唸阿彌陀佛，自己的老師本師釋迦牟尼佛都不管，豈不是白給你介紹了嗎？這等於講一句難聽話，新娘一進房，媒人拋過牆。這怎麼可以啊！這是不對的。西方極樂世界是有阿彌陀佛，是佛說出來的，教你這樣修。因此，你想修成功，不拜本師釋迦牟尼佛的話，我告訴你，那是修不成就的。要成就，人不可以忘本，更何況修佛法！

但是，佛為什麼只介紹你修阿彌陀佛就行了？有個道理，十方三世同一體性，如果你理上明白了同一體性，你唸南無阿彌陀佛，等於唸南無本師釋迦牟尼佛，等於南無觀世音菩薩，此理通了，是可以的；不通此理就是迷信。我講話要負責的，用佛法的立場來講，這個話隨便講要下地獄的，而且下地獄還要下地獄的地下室！我是隨時準備下去的，沒有關係，有電梯快得很。（衆笑）現在這是講觀如來的觀法，重點在這裡，非常重要。

轉輪聖王

須菩提。若以三十二相觀如來者。轉輪聖王即是如來。

大家要注意，佛法裡有個大問題，很多研究佛法的都忽略了，現在我特別借講金剛經的機會講出來，就是什麼叫轉輪聖王。

佛經裡提出來，太平盛世，全世界唯一的太平帝王，就叫轉輪聖王；轉輪聖王分金輪聖王、銅輪聖王、銀輪聖王，鐵輪聖王四種。轉輪聖王有七寶莊嚴，如有有德、有賢的皇后，有很好的財政大臣，有很好的交通工具等。像周朝的周穆王，是最好的帝王，等於鐵輪聖王。周朝歷史描寫周穆王曾到西方，見過瑤池金母，見過王母娘娘。爲什麼他能夠跑到西方去見他們呢？因爲他有最好的八匹神馬，就是畫馬畫的八駿圖。所謂「八駿日行三萬里，穆王何時不重來。」唐人的詩就是描寫這個。轉輪聖王時代，是人民個個幸福、富裕、安樂的太平盛世。這種明王在最盛的盛世才會出來，他的相貌與佛一樣，有三十二相，跟佛的相貌一樣好。所以釋迦牟尼佛生下來的時候，他的父親找來的看相師就講，這位太子三十二相，不出家就是一代的轉輪聖王；如果出家，就是萬世的佛。

佛再三讚嘆轉輪聖王的福德是與佛一樣的，你查查每本佛經就會發現。佛法是注重世間法的，世間法要怎麼樣修成轉輪聖王呢？太平盛世又怎麼樣才到來呢？一切衆生修一切善法，才產生一個太平盛世，才出一個轉輪聖王。所以中國歷史上孔子經常提堯舜禹三代，等於是轉輪聖王的時代。佛在華嚴經及各種大經中說，什麼人夠資格投胎做轉輪聖王呢？十地的菩薩中再來，才能做轉輪聖王。佛讚嘆十王之功德是同佛一樣的。

十王是那十王呢？就是世界上的轉輪聖王，欲界天的四天王，欲界天中間三十三天的天主帝釋，就是我們講的玉皇大帝，色界天的大梵天王等，佛經講十大王的功德，都是與佛一樣的，只差一點，就是沒有悟道。但是他的福德、善行、智慧，同佛幾乎是平等一樣的。所以研究佛經大家不要搞錯了，以我看這一節很多人都錯了。佛經重點在教育，教育衆生修一切善法，我們不要說沒有轉輪聖王那樣的福德，我們轉泥巴聖王都做不到啊！摸泥巴都沒有資格，還談什麼轉輪聖王！

說到轉輪，什麼叫轉輪啊？把一個時代歷史扭轉過來，扭轉到太平世界。能有這麼大的道德和力量，所救的豈止千萬人而已！所以說，要有與佛一樣的功德，才能爲轉輪聖王。換句話說，有轉輪聖王那樣大的福報，才能夠得智慧的成就大徹大悟。我們不要以爲六祖不識字而能悟道，自己因此也不要研究佛經了。我說對不起！六祖只有一個，可惜你不是六祖，你是六祖半。六祖可以不讀佛經而悟道，但是前無六祖，後無六祖，你只是六祖半，不要作此想了。

佛經告訴我們轉輪聖王有三十二相，同佛的功德一樣；換句話說，轉輪聖王是大徹大悟的肉身佛，故意入世作轉輪聖王。但是爲什麼不稱他是佛呢？關於這個，我從前年輕的時候很狂妄，人家問我爲什麼不出家，我就有一首詩最後兩句：「此身不上如來座，收拾河山亦要人。」這個世界上那麼髒，也要有人來掃地啊，清理清理，弄乾淨一點。所以轉輪聖王本身，事實上已經到達佛的境界了。

十地菩薩與轉輪聖王

我們上次講到法身非相這一品還沒有作結論，現在我們再反覆的作一個研究。中國的佛教與佛法，到了唐代禪宗的興起，提倡以金剛經爲標準。金剛經同禪宗的關係，從這一品可以發現，是教授法的特別，這種教授是引導性的，啓發性的，而且是正反幾面一起來的。像第二十六品講到見佛的問題，佛問以三十二相觀如來對不對？須菩提答覆說應該以三十二相觀如來，佛卻把他批駁了。佛說假使以三十二相來看佛，以有形象的佛來看佛的話，那麼轉輪聖王的色相和威德與佛一樣的相好莊嚴，也可以算是佛了。這是一個問題。於是須菩提就講，照這樣一說，我理解了，懂得不應該以三十二相看如來，不應該以色相來看佛。

色相看佛的事情，我們上次也討論過，學佛做功夫，幾乎所有的人都會著色相的。譬如我們用功的人說，你今天氣色好，你精神很飽滿，還老返童了，這些都是著色相的觀念。因爲色相不實在，色相不久長，是暫時的，只是法身本體的暫時起用，不是眞實的。色相不是果，不是種性，所以用這個道理而加以說明，并且用偈子做結論，特別告誡我們：「若以色見我。以音聲求我。是人行邪道。不能見如來。」這個道理我們上次提到過，包括的意義很多了，凡是我們學佛的人，都要深深的思考一下。

第二個問題，這一品裡提到轉輪聖王的問題，我們上次也提到過。一般研究佛法，往往把佛法完全解釋成出世的思想；其實在佛經上再三提到轉輪聖王的功德。佛在華嚴經上也提到，只有十地的菩薩，才能轉身爲轉輪聖王，才能使天下太平。轉輪聖王是曠代一人，歷史上經過上千年，或者幾百年才會出現；等於孟子說五百年必有王者興。人類社會的太平是很不容易的，必須要轉輪聖王莫大的功德，才能夠造成一個時代的太平；所以，佛再三讚嘆轉輪聖王的威德。一個人要想成佛不容易，成就轉輪聖王也不容易，要許多的善行，許多的功德修成。世間法與佛的功德之間，只差了一點，就是般若智慧。轉輪聖王之所以不是佛，是因爲沒有明心見性；轉輪聖王如果明心見性了，也可以成在家佛。

華嚴經裡所標榜的，好幾位帝王都是佛，本身已經悟道了。我們上次也提起過，佛經上所說十王之功德。十王的意義包括很多，佛說地獄有十王，雖然都是鬼王，但是我們還不容易當到鬼王呢！鬼王有他的功德，就是說在惡道中現身而教化衆生，也就是功德成就的菩薩境界。天人境界裡，欲界天四天王，也是功德成就才能昇爲天王，換句話說，在人中做一個領導，使天下太平的，都是同佛一樣的困難。其中的不同就是見地方面，也就是見道的問題。

這一品所講的是色、聲都不能見道，也就是整個金剛經上所講的不能著相。學佛法著相了，就不能見得法身。人相、我相、衆生相、壽者相四種，是四大原則，任何的著相，都不能見得法身，所以說以色見我，以音聲求我，都錯了。

他爲什麼不說以色見如來，以音聲見如來呢？是故意把這個「如來」用作「我」嗎？這個決不是翻譯的手法。所謂明心見性，最後就是宇宙同體，萬物同源的這個「我」的問題，是找到生命本來的「我」的問題。這一個離開聲色一切都不著，一切不住，就是大乘的心印，「無住、無相、無願。」金剛經大部分所說的就是這三個要點。到達了這個境界，離開了這個聲色，才能見道，眞見到佛，也眞見到「我」。

但是這個見又是什麼見呢？是見「根本智」，就是實相般若法身之體，是見到根本智法身之體。當一切都無著，一切都不住，就是見法身之體根本智。但沒有大徹大悟，還沒有見「後得智」。拿禪宗來講，所謂破三關，到這個境界可以說是破掉了初關；這也就是後世講見山不是山，見水不是水。當然見人不是人，見鬼不是鬼，什麼都不是，一切都不是，一切都不著。

第二十六品偈頌

我們用世間的現象來給它一個偈語的結論：

粉墨登場笙管濃　誰知檻外雪花重
推窗窺見清涼界　明月蘆花不定蹤

「粉墨登場笙管濃」，人活在這個世間，乃至一切萬有活在這個世間，都是在唱戲。宇宙本來是個大舞台，我們不過是大舞台裡跑龍套，搖旗吶喊的一批人。大家打扮一下粉墨上場，音樂也很鬧熱。但是這個戲台也分內外兩層，前台很熱鬧，一回到後台，把臉一洗衣服一脫，我還是我。除了前後台，還有個外台。

「誰知檻外雪花重」，這是我們當時在峨嵋山實在的境界，如果我自己瞭解了，就知道一切都在演戲。像峨嵋山那個地方，到了冬天是白茫茫一片雪的世界，那個也是在演戲。當我們覺得戲的人生沒有意思，去修道打坐，一切皆空，清清淨淨的那個境界，認爲比人生高明得多，認爲已經悟道了，不要忘記，你那個還是在演戲。你那個時候在演什麼戲？說一句笑話，你是在演和尙戲，出家的戲。心境已經出家了嘛！一切皆空，現在只有這個最好！這個還是戲。不過這個戲不同，窗檻外一片清涼，雪花萬朵的一個戲。你不要被這個色相迷住了，假使被這個清淨色相迷住了，永遠不能成道。

所以明代禪宗憨山大師就講：「荊棘叢中下腳易，月明簾下轉身難。」一個人學佛處處都是障礙，等於滿地荊棘，都是刺人的。普通人的看法，荊棘叢中下腳非常困難，但是一個決心修道的人，并不覺得太困難，充其量滿身被刺破而已！最難的是什麼呢？月明簾下轉身難。到了完全忘我、忘身，證得了空的一面，清清淨淨的時候，叫你不要入定，不要入清淨的境界，而要行人所不能行，忍人所不能忍，進入這個苦海茫茫中來救世救人，那可是最難的，做不到的。所以小乘的大阿羅漢果證得了，清淨境界證得了，淨土的境界到達了，在大乘戒律上是犯戒的，那是耽著禪定，功德不能圓滿。憨山大師這兩句話就是警告，到那個時候再想回轉來就很難了，也許一墮落就是八萬四千大劫。因爲在這個清淨境界進入羅漢大定，要很長的劫數裡都不肯出定。

「推窗窺見清涼界」，不肯出定不是究竟，菩提後得智根本還沒有影子，還沒有看見，自己只見到清淨法身一面，沒有見到法身起用的一面。如果我們在清淨的境界裡再轉一下，打開窗子看看這個天地，「明月蘆花不定蹤」，世界上沒有那一處不清涼，到處都是淨土，地獄裡頭都是淨土。眞瞭解了法身，此身眞到達了徹底的無住、無相、無願、空的境界，無往而不利，在煩惱中即是菩提。假使貪著了清淨的一面，菩提也即成煩惱，就是那麼簡單的一件事。

懸崖撒手

第二十六品批駁不能著相觀的道理，我們提到爲什麼後世禪宗採用金剛經作爲禪宗的藍本，就因爲它教育方法的原故。你看佛的教育方法，反正你這樣說不對，那樣說不對，正說不對，反說也不對，你說不對的更不對，你說對的還是不對，最後怎麼樣對？你的才是對，不是佛的才是對。所以全部的金剛經，是教我們所謂祖師們四個字，「自悟自肯」。你要眞正悟到般若的體相，自己肯定；所謂禪宗祖師的話，「懸崖撒手，自肯承當」，這是說參禪的。

現在一般學禪學的特別要小心啊！禪宗爲什麼特別叫做「禪」字，它同禪定兩個配起來，不可以分離，沒有禪定做基礎不談禪宗。要戒定慧到達了最高處，等於普通人在萬丈懸崖頂上站著，撒手跳下去，這個跳下去你還有命嗎？懸崖撒手，你要自肯承當跳下來，最高明處到達了最平凡處。

要怎麼樣到達這個境界呢？不是理解到了就行，「絕後再蘇」，要大死一番，當然不是吃安眠藥的大死，是要你下一番功夫，大死一番再醒過來。所謂大徹大悟「欺君不得」，這個東西不是嘴巴上講理論，不能騙人的。假使說騙人騙自己說悟了，今天悟了明天靠不住的，那不是解脫的究竟；所以必須要切實下一番功夫。金剛經的教育手法，就是這個路線，佛對於須菩提的教育，四面八方圍過來打，你講這樣也不對，講那樣也不對，把他圍得頭都昏了，就是要他絕後再蘇，欺君不得。

成佛見道不能依賴他力，只有自己站起來，要你自己眞是絕後再蘇，然後才成佛。

當然其中先要經過懸崖撒手，懸崖撒手是什麼都丟光，不但人世間的一切都丟掉，連佛法也丟掉。一個人在高空撒手跳下來，什麼都沒有，一切都丟得乾乾淨淨，然後才能見到法身。

第廿七品 無斷無滅分

須菩提。汝若作是念。如來不以具足相故。得阿耨多羅三藐三菩提。須菩提。莫作是念。如來不以具足相故。得阿耨多羅三藐三菩提。須菩提。汝若作是念。發阿耨多羅三藐三菩提心者。說諸法斷滅。莫作是念。何以故。發阿耨多羅三藐三菩提心者。於法不說斷滅相。

三界六道之外

須菩提。汝若作是念。如來不以具足相故。得阿耨多羅三藐三菩提。須菩提。莫作是念。如來不以具足相故。得阿耨多羅三藐三菩提。

佛叫須菩提，「汝若作是念」，你假使有一個觀念，認為「如來不以具足相故，得阿耨多羅三藐三菩提」，認為不著相就可以見佛，就可以大徹大悟的話，他說須菩提啊，你千萬不要這樣想，不要認為沒有功德成就也能悟道成佛，你有這種觀念就錯了。

前面我們明明聽須菩提講的嘛！不要以三十二相見如來。佛則說若以色見我，以音聲求我，是人行邪道，不能見如來。可是佛現在又說，須菩提你不要搞錯了啊，假如你認為不具足一切功德圓滿就能大徹大悟的話，須菩提你注意啊！「莫作是念」，你千萬不要那麼想啊！千萬不能認為不要具足功德就可以大徹大悟。

須菩提。汝若作是念。發阿耨多羅三藐三菩提心者。說諸法斷滅。莫作是念。

你如果以為人只要悟了道以後，什麼都好了，什麼都空了，這個觀念是很嚴重的錯誤啊！這是佛明白交代給須菩提的。

關於這一點，我個人倒也碰到過很多。幾十年前在大陸雲南，找一位很有名的禪宗大師，也是一位八指頭陀。後來我到昆明碰面了，我說：法師，我聽說你悟道以後有一個觀念，認為證得涅槃以後，生死已了不再來了，有沒有這樣說法？他承認了，我就請教他楞伽經中的話，「無有涅槃佛。無有佛涅槃。」你不來到那裡去啊？跳出三界外，跳到那裡去呀？佛沒有說有個第四界呀？不在五行中，那你在那一行中啊？了了生死就不來，這不是佛法吧！後來為這個問題我們辯論了很久。

很多人學佛都有這個觀念，都認為學了佛，悟了道，兩個腿一盤，了了生死，再也不到這個世界上來受苦了。這個觀念是絕對錯誤的，是修道學佛上最大的錯誤觀念。

常常有人告訴我，殯儀館有很多稀奇古怪的事情，可以證明佛法的事也很多。今天一位同學說，殯儀館的人告訴他，有個十幾歲的女孩子，父母逼她趕快結婚，逼急了，她兩腿一盤，就涅槃了，就走了。死了以後送殯儀館，沒有辦法裝棺材，因為兩個腿盤著，骨頭也硬了放不開，沒辦法，只好給她特別設計一個方櫃子，把她放在裡頭。我說：此乃再來人也！就是所謂修行並不一定證到羅漢果，有所成就的，七還人間、五還、三還，一還人間等等的現象。又有一位同學告訴我，有一個四十多歲出家的太太，八九十歲死了，結果燒化後頭頂骨不壞，舍利子都在那裡。這些都是比較實際的資料。

斷滅見

回頭再說有人認為悟了道以後就不來，好像有個地方可躲似的，這是個錯誤的觀念。這個錯誤的觀念，在佛法上就叫做見地上的錯。一個人學佛，不管在家出家能夠證果的，最重要的是斷見思二惑。見惑、思惑，在前面第九品已經談到過，見地不清楚有了偏差，就落於偏見。五種錯誤的見就是身見、邊見、邪見、見取見、戒禁取見；這五見障礙了修道，也就是不能悟道的原因。思惑就是煩惱惑，內心的貪瞋癡慢疑。

現在人類的唯物哲學就是落於斷見，認為人死如燈滅，沒有三世因果，六道輪迴，因為還拿不出來證據；認為人死了就是完了，這是屬於斷滅見，也是邪見的一種。所以佛就告訴須菩提，你千萬不要落在一個錯誤的觀念，一個斷滅見的思想見解。

前面剛剛說不能著相來看佛，現在又告訴他，也不能落在不著相看佛；著相是錯，不著相也是錯。假使落在不著相看佛，一切本空，又何必做善事，佛也空，善也空嘛！一切皆空，我殺人也沒有關係呀！殺也空嘛！偷騙搶做壞事都空，這樣的見解，就叫做撥無因果，落於空見。空見的錯誤，同唯物思想是一樣的，這一點大家要特別留意。有些南傳佛學，就是東南亞一帶小乘佛學的觀念，就是落在空見的見解上，結果被唯物思想吃掉了。

撥無因果就是把因果這個道理撥開了，不承認有因果的存在，這是現在人類思想潮流最可怕的一面，也就是佛說的斷滅見的思想。佛就怕須菩提搞錯見解，上面先告訴他不能著相見如來，但是又怕須菩提落在不著相；不著相的結果就變成斷滅見，撥無因果了。所以他就再三告誡，「莫作是念」，你不要搞錯了。

不說斷滅相

何以故。發阿耨多羅三藐三菩提心者。於法不說斷滅相。

所以一個眞正學佛的人，想求得大徹大悟，首先要注意不能落入斷滅相。斷滅相是什麼呢？斷滅相落空，認爲佛法的究竟是空的，見到個空果，就是斷滅。現在金剛經快講完了，金剛經中有沒有告訴你一個空字啊？我們後世的註解，說金剛經是講空的，那是你的註解佛可沒有這樣說！佛只說過去心不可得，未來心不可得，現在心不可得；以色見我，以音聲求我，是人行邪道，不能見如來。那是教育方法，處處把你的錯誤擋住，他並沒有告訴你是什麼，只告訴你不是什麼。心經也只是告訴你照見五蘊皆空，最後告訴你眞實不虛，並沒有講空啊！是照見五蘊皆空，它並沒有說般若波羅密多都是空的啊！這些就是我們研究佛學、佛經、佛法，必須要特別注意的地方，不然很容易落在邪見的錯誤上。

空，同斷滅見是一模一樣的，有許多人學佛，自認什麼都看得空了，其實那不叫做空，從心理學來講，是你灰心了，或者年紀大了，或者環境不得已，或者倒楣透頂，所以說自己看得空得很了！還有個灰心在，就不是空，那個灰心非常厲害。還有許多搞哲學的學佛，經常喜歡吹這個牛，看空了，看通了等等。他只要開口講這個話，就證明他一點也沒有看通，因爲他眞通的話，連說這個通、這個空都不會了。空的啊！空的啊！他在感嘆嘛！對不對？他既然感嘆就心有戚戚焉，這正有個東西，一點也沒有空。換句話說，這不過是不吃西瓜，卻吃了一個大冬瓜，還是一個瓜嘛！傻瓜嘛！

所以再三提醒諸位注意，「空」是方便的說法，是個形容辭，如果把空當作眞正空得一無所有，那不是空見，那就叫做斷滅見。所以佛吩咐，「發阿耨多羅三藐三菩提心者，於法不說斷滅相」，這是一句非常嚴重的話，絕對不是斷滅，更沒有說空。這一節的題目—無斷無滅，梁昭明太子標得非常好，不斷不滅，不是斷滅相。現在科學曉得物質是能量互變，它並沒有滅過，要認識清楚。這一品偈語如下：

◇第二十七品偈頌◇

翻雲覆雨雨成雲　點滴如絲亂不分
凍作冰河冰化水　漫從光影捉斜曛

「翻雲覆雨雨成雲」，看到宇宙的變化，今天下雨明天晴，雨變成雲，雲又變成雨。反正啊，是一點水氣，是這個水蒸氣的分子在變化。

「點滴如絲亂不分」，等到蒸氣冷熱接觸，變成雨點下來以後，每一顆雨點本身自成一個範圍，自成一個系統。等於我們一切眾生同一個本性，可是構成我們個人的自體以後，我的我與你的你，絕對不一樣，可是根根是一個。就像蒸氣在空中碰到冷氣層，變雲變雨，每一雨點各有範圍一樣。但是所有的雨點，都是水蒸氣變的。

「凍作冰河冰化水」，冰化了就變成水，水凍了就變成冰，這些是現象界萬般的變化，各種的變化。變化歸變化，本體不變，因為本體無相，亦無著。講本體是空嗎？也錯了，講它是常住，也錯了，講它是斷滅，也錯了，這一些都不是。

「漫從光影捉斜曛」，那麼本體的法身功能在那裡見呢？在一切作用一切現象上見，一切的現象都是它的現象，一切的作用就是它的作用。所以，體在相、用中見，一般相用都不著，才能體會了這個體。這是金剛經差不多最後的教育方法，佛都告訴我們了。

第廿八品 不受不貪分

須菩提。若菩薩以滿恆河沙等世界七寶。持用布施。若復有人。知一切法無我。得成於忍。此菩薩。勝前菩薩所得功德。何以故。須菩提。以諸菩薩不受福德故。須菩提白佛言。世尊。云何菩薩不受福德。須菩提。菩薩所作福德。不應貪著。是故說不受福德。

愛布施的菩薩

須菩提。若菩薩以滿恆河沙等世界七寶。持用布施。若復有人。知一切法無我。得成於忍。此菩薩。勝前菩薩所得功德。

金剛經另外有一個特點，除了教授法特殊以外，還有個特點，就是佛善於推銷；就像西門町百貨公司的推銷員一樣，自己在那邊吹喇叭就賣起來。當年在上海、杭州、山東青島，經常看到賣梨膏糖的，手裡拉個洋琴，一邊唱：小孩子吃了我的糖啊，讀書考得好呀，老年人吃了我的糖呀，永遠長生不老呀，女人吃了我的糖，又是青春又美麗呀……，我們看了金剛經啊，就覺得佛在賣梨膏糖，他說不了幾句，就是這個功德怎麼樣，那個功德又怎麼樣；等到你相信了它的功德，他又把功德推翻了，這是佛的教授法。

但是我們要留意，這本經一講到重要的地方，他就吩咐須菩提說，這個經功德怎麼大。前面幾次就是講本經的功德，受持讀誦，功德都非常大。到了這一段，他又告訴須菩提，大乘菩薩們的布施，不是前面兩次所說的一般人們的七寶布施。我們在座的人，與世界上所有的人都是菩薩，是因地上的菩薩，等於憲法規定年滿十八歲的國民，都具備當選任何公務的資格一樣。一切衆生，只要具備靈性的，都是因地上的菩薩，成就了的菩薩，叫果地上的菩薩。

所以大家可以大膽的承認，自己就是菩薩。以菩薩戒來說，自殺是不准許的，連自己故意破壞自己的身體，也是犯菩薩戒的，等於出佛身上血。因爲這個身體是菩薩身，不能隨便破壞。由此我們瞭解，曾子在孝經上說，「身體髮膚，受之父母，不敢毀傷。」是同樣的道理。孔子也告誡，「君子不立於危牆之下」，明知道是危險的牆邊，偏要拿身體去靠，這就是不孝。拿佛法來講，也是犯菩薩戒，因爲你這個肉身不屬於你的，悟道以後，這個肉身就是肉身菩薩；換句話說，就是菩薩的肉身；菩薩就是得道的人，有道德的人。

現在說到菩薩要來布施，怎麼菩薩還要來布施呢？其實連佛都還要布施，這一點我們特別要注意。在佛的戒律上看到許多地方，佛帶領一般弟子修行，學生中有眼睛看不見的，佛幫忙他做事情，那些弟子說，你老人家怎麼還來幫忙呢？他說我也是要培養功德，他說一個人做功德是無窮無盡的。換句話說，做好事是不分尊卑地位的，也沒有夠的時候。不要以爲自己至高無上，崇高偉大，好像功德圓滿了，那就算成了佛，也已經不值錢了；這種佛我們可以把他拉下來。所以佛的偉大也就在此，他永遠不斷的以身作則，不斷的善行培養功德。一切菩薩修持善果，修持功德，永遠都是無窮盡的。

譬如當年我所參學的那些前輩大師們，尤其在西康西藏，看到的好幾位活佛，他們有很多弟子，自己卻很辛苦出來化緣，供養弟子們。這些弟子們在那裡很舒服，在那裡閉關的閉關，修行的修行。有時候一個地方經常維持四十個修行的學生。

我們看禪宗的語錄，牛頭融禪師沒有悟道以前，在牛頭山入定；入定的時候，天人送食，吃飯也不須要自己做，到時間自然有天女來送食。又有百鳥啣花供養，當時還沒有悟道，只是入定而已。後來悟道以後，他自己就不入定了，其實他都在定中。所以不在山上打坐，下來辦教育，帶領了很多人修持，通常有五百人跟他學。而他每天要走幾十里路來回，揹米，挑米，古代交通不便，米挑來給學生們吃，給徒弟們吃。

所以看了這樣的精神，我們曉得眞正的學佛，要在行爲上注意。一般學佛的人觀念錯誤，認爲學佛可以偷懶，可以躲避，以爲在學佛，萬事不管。這完全是錯誤的態度，不但不夠小乘，就是基本做人的行爲都算錯誤的。這是因爲我們看到金剛經上提出來，菩薩以滿恆河沙等七寶持用布施，而談到大乘菩薩們的發心。

一切法無我

菩薩們用充滿恆河沙那麼多珍寶財富布施，這個功德當然很大，而他自己本來已經是菩薩了，還要去做功德。假使有一個人所做的比這個菩薩所做的功德還要大，那是什麼呢？「若復有人，知一切法無我，得成於忍，此菩薩勝前菩薩所得功德」。一個眞正果位的菩薩，知道做到，一切法本身無我，這是由般若經講唯識「一切法無自性」而來的，這一點需特別注意。尤其一般青年同學們研究法相，聽過唯識的，特別注意。

後代講唯識學常有一個很大的錯誤，就是把唯識學的一切法無自性的「性」字，同禪宗明心見性的「性」，當作是一回事，把觀念拉在一起。這可以說是毀謗，也可以說是愚蠢無知。這些人由於對見「性」一字的誤解，因而大罵華嚴宗、天台宗、禪宗等性宗的理論，認爲明心見性可以成佛屬於外道，算是眞常唯心論，認爲是有個東西；佛法本來講空，怎麼有個東西呢？

我們先要知道，佛經常有心與性兩個字，是要特別小心注意的。譬如金剛經說過去心不可得，現在心不可得，未來心不可得，這個「心」字是借用的，是講我們意識思想活動的第六意識的這個心，也是心理作用這個心。

有時候講的心純屬一個代號，代表了本體，實相般若那個境界。形而上那個體，有時用心來做代號，有時用性做代號。這是因爲過去我們翻譯的工具上，遭遇用字困難的問題，必須要瞭解。而唯識所講的一切法無自性，是指一切世間出世間事物及一切的理，它單獨的本身，沒有永遠存在的性能，也沒有單獨存在永遠不變的一個性質。

譬如我們剛才講天氣很悶熱，過一會下雨了。但是每一滴雨無自性，雨下來，碰到土地就流失了。千千萬萬點雨下到大海，下到大地，凝結起來又返本還原，所以它無單獨存在的自性。那麼你說，雨沒有單獨存在的自性，最後歸到一個水性對不對？也錯了。因為地、水、火、風也是一切法無自性，非空非有，不斷不常；所以佛法的最高處就在這個地方。我們一般研究佛學的教義教理，都容易走上或錯解取義，或斷章取義的岐路。這一點要特別小心注意。

我們現在提出來，唯識宗所講一切法無自性，也就是般若宗金剛經這裡所講，「一切法無我」的道理，這兩個是同一道理，只是不同表達的方法而已。所謂一切法，包括了世間的一切，及出世間的一切。甚至證得羅漢境界、菩薩境界，乃至於成了佛，證得無為涅槃之果，也都屬於一切之內。一切包含了一切。知道了一切法本身無我，并沒有告訴你無我以後是空，只有告訴你無我。至於無我以外有沒有眞我？那是你的事了。

我們研究金剛經從開始到這裡，它只有遮法，是教育的方法，就是把你的方法擋起來，否定了你，但是他沒有告訴你一個肯定的，沒有說什麼才是對。他沒有承認你，或肯定你那一個才是對，要怎麼樣來肯定，一切法無我，到了這個境界，懸崖撒手，自肯承當，要你自悟、自證、自肯。

關於自肯自證的問題，我們要談到玄奘法師到印度留學的事。印度當時還是聯邦政府，幾十個國家，外加多種的外道，為了爭辯一個佛法哲學的問題，吵得不可開交，大家立了契約，失敗的一方，就不能存在了。法師們已經沒法辯論時，剛好碰到玄奘法師去了，聽說這個中國和尚學生智慧很高，就請他做評判。玄奘那時還很年輕，就上高臺主持，最後的問題是，既然證到了佛法，最後到達無我相，有一個相也不對，有一個知也不對，那麼如何叫做證得呢？怎麼可以證明已經得道了呢？玄奘法師就講了一句名言：「如人飲水，冷暖自知。」這個事情就此做了結論，也保持住了印度當時的佛教。

所以這個自證的部分，等於人喝水一樣，是涼是熱，只有你自己知道；告訴你，你也不知道。這個問題回答得很妙，不過如果現在再做科學論辯的話，這個問題還有問題，這裡暫時不多作討論。所以一個人知道一切法無我後，遮住了以後，既沒有說無我就是空，也沒有說無我以後有個眞我，我們不要隨便給它加上。像這種地方，般若智慧的成就是要自己參的。

定與忍

知道了一切法無我，「得成於忍」，這句話更嚴重，怎麼樣叫忍？這個忍在佛法修持裡是一個大境界。我們曉得所謂講得定，是以小乘的範圍來講；修大小乘之果，都是以定來作基礎，學佛沒有進入定的境界，是沒有基礎的。不管在家出家，道理是一樣的，沒有基礎就只是一個普通學的人而已，但是定本身並不一定就是佛法。至於大乘的佛法，則必須「得成於忍」。得忍與得定不同，所以說菩薩要得無生法忍，才進入大乘的境界。無生法忍不能當作定來解釋，如果把無生法忍當成是定，那乾脆說無生法定該多好呢！所以這個忍字，要再加研究才是。

再看金剛經的本身，六度成就中講過布施成就，但持戒成就不提，實際上布施的成就之中就有持戒的精神。全部經典都講般若成就，但是卻不提禪定成就，你眞正得了般若的成就，自然就是禪定。六度中間，布施、忍辱、般若，這三個成就到了，所謂持戒、精進、禪定自然都到了。關於這一點，我們研究金剛經要反覆去讀，去深思，去參究，慢慢的你就可以眞懂了。

講到得成於忍，前面佛自己說，過去修忍辱波羅密的時候，被歌利王割截身體，沒有動過怨恨的心，只有慈悲的念，因此他沒有覺得痛苦。這是什麼境界？大家要研究啊！這是定，這是無生法忍，這也是般若，也就是悟的境界。大家現在學禪，或者讀了些書，看了一首詩，不然聽到青蛙叫，狗兒跳，嗯，我悟了，我們也拿一把刀，也學歌利王割你一刀試試看，看你得成於忍還是得成於恨？你悟了嘛！悟了應該有這個境界啊！所以說，此事不要隨便談，禪學可以隨便講，眞正的佛法是要求證的，金剛經的榜樣都擺在這裡。

眞正知道了一切法無我的時候，達到了無我的境界，自然達到了無生法忍的境界。

當然，到達了無生法忍，還只是大乘菩薩初步！只是這個菩薩超過前面所譬喻的菩薩。也就是說，拿無量無數的七寶來布施，有相物質的布施，功德不如無相布施功德的萬分之一。

金剛經講到二十八品，差不多點題了，非常重要。勉強把無生法忍的境界研究研究看，先不談求證，先在理論上找找看。佛沒有告訴我們這是一個什麼境界，其實佛說過了，只是大家看過去忘記了。佛開頭就說善護念，應無所住而生其心，一切無著無相。由於善護，無著，無相，就可以知道一切法無我，得成於忍。金剛經開頭佛就已經跟我們講了，他在傳法呀！他不是在講經啊！後世所謂講經與說法是不同的。

像這裡佛說的，教你怎麼樣修，你有問題問他，他答覆你，那是說法。像我們現在講經，是根據佛菩薩們所說的加以討論，這個是講經，所以講經是講經，說法是說法。過去在大陸大叢林、廟子裡，有說法堂，有講經堂，各處不同的。說法堂裡大和尚上堂，不帶書本，一個字都不用，就憑自己所證悟的、功夫的、智慧的經驗，隨便討論，這個叫說法。

金剛經開始就告訴我們修持的方法，是善護念，無住，由此而得成於忍，無生法忍。說到這裡我們再舉一個禪宗公案來說明。

張拙的故事

唐末五代的時候，禪宗鼎盛，有一位在家人叫張拙，去見一個禪師問道，禪師問他叫什麼名字？他說我叫張拙。這個禪師說，找個巧都找不到，那裡來個拙呀！他就悟道了！就那麼快，言下頓悟，這一句話就悟道了。我們現在找找看他悟個什麼？他悟得一切法無我了嘛！得成於忍，對不對？拿教理說暫時懂了吧？所以他就作了一首偈子：

光明寂照遍河沙　凡聖含靈共一家
一念不生全體現　六根纔動被雲遮
斷除煩惱重增病　趣向真如亦是邪
隨順世緣無罣礙　涅槃生死等空花

「光明寂照遍河沙」，這是講體，一切衆生同一本性，這個自性之體是光明清淨，無相。寂照不是眞常唯心，那是形容詞。遍河沙，無所不在。「凡聖含靈共一家」，一切衆生與佛無差別，心、佛、衆生三無差別。「一念不生全體現」，注意啊！一念不生是無生法忍初步的境界，怎麼說是初步的境界呢？眞正無生法忍，萬念皆生還是無生法忍，那是菩薩成果，初步的境界是一念不生。還有我們學佛修持的人不要搞錯了，以爲一念不生了，以爲念頭、思想都不動了，那不是一念不生，那是昏沈。什麼是一念不生呢？善護念，無住，一切無住，過去心不可得，現在心不可得，未來心不可得，不可得亦不可得，就是一念不生，生而不生。所以「六根纔動被雲遮」，這都是初步的無生法忍，到了最後六根全動也沒有被遮住，所以剛才講，佛說的無相無住。

但是這中間也分兩層，就是根本智與後得智的不同，不能以聲色來悟道，去掉聲色以外，一念不生全體現，六根纔動被雲遮，這還是只得根本智的這一面，沒有得到後得智。

「斷除煩惱重增病」，爲什麼不必斷除煩惱和妄念呢？你打起坐來，一天到晚斷除煩惱，把煩惱空了，妄念空了，那個就是妄念啊！那個就是煩惱啊！所以你不能得定，反而成心理的病相，所以說斷除煩惱只是再重增一層病。「趣向眞如亦是邪」，你心理只想抓個道的境界，這也是邪見！不對的。一切法無自性，所以你不能抓一個眞如道的境界，有個道的境界，就正是妄念的境界，就是煩惱，那就不是一切法無我的道理。因此這位居士後來并沒有出家，在家菩薩後來就成道。下面兩句話你看他大徹大悟的話，也無所謂在家出家。

「隨順世緣無罣礙」，活到這個世間，隨順世緣，就是所謂禪宗祖師講，眞正悟了道的人，是怎麼樣修行呢？兩句話，「隨緣消舊業，更不造新殃。」就是還債而已，隨緣消舊業，不再去造新的壞業力。當然新的善業還不斷在做啦！隨緣消舊業，不再造新殃。這個就是隨順世緣無罣礙的道理。最後他的氣派更大，所謂瞭解金剛經的全部。

「涅槃生死等空花」，不但生死等於空花，學佛證到涅槃，涅槃也沒有什麼了不起，涅槃也是空花夢幻，空中的花果，不實在的，所以涅槃生死等空花。我們拿這個張拙的公案，來說明金剛經所講，「知一切法無我，得成於忍」的道理。

有求就有住嗎

何以故。須菩提。以諸菩薩不受福德故。須菩提白佛言。世尊。云何菩薩不受福德。須菩提。菩薩所作福德。不應貪著。是故說不受福德。

「以諸菩薩不受福德故」，這句話又點題了，因為眞正行大乘菩薩道的人們，他做善事不想求福德的果報。所謂做一切善事，義所當為，應該做的啊！假使我們行善救世救人，認為我在培福報，又錯了，那是凡夫的境界，不是菩薩的心性。所以一切菩薩不受福德，他不求果報。須菩提聽到這裡又懷疑了，他說，為什麼說菩薩不受福德呢？剛才我們說過，菩薩並不以求福德之心去行善，是做應該做的事，本份的事，做了就做了，不住、不著，這個還有什麼問題啊！難道須菩提比我們還要笨，還要問一下，為什麼菩薩不受福德呢？

你說須菩提問這個話對不對？當然對，問得很高明。對，菩薩做善事，並不是為了求福德，但是既然無住無著，求求又何妨啊？換句話說，求也是不住啊！菩薩難道沒有這個氣派嗎？他問的是這個道理。你不要小看這個問題，須菩提問得非常嚴重。啊！既然是菩薩，此心無住，行一切善，此心無所求，這是無住。有所求就有住嗎？那這個菩薩還沒有徹悟吧？還沒有對吧！他問的是這個道理。所以佛也幾乎被他問倒了，又趕快說：

「須菩提，菩薩所作福德，不應貪著，是故說不受福德」。諸佛菩薩都在行功德，當然不應該貪著，因此說，雖然有福德，自己並不貪著，有好處，自己並不領受，而迴向給世界一切衆生，願這個世界一切衆生受這個好處，自己不想要。所謂大布施，所謂布施法門，布施波羅密多，就是這個道理。所以有一個結論，眞正證道悟得般若的人，沒有自私的，不會走小乘的路子，是布施第一。布施是法布施、財布施、無畏布施，一切的布施，菩薩道都在其中了。這一品我們結論的偈子：

第二十八品偈頌

默然無語是真聞　情到無心意已薰
撒手大千無一物　莫憑世味論功勳

「默然無語是眞聞」，這是講眞正學佛智慧與功德，眞正的佛法，一切無我無自性。那麼佛說的法也是方便，眞正的佛法也說不出來。所以，佛曾經有一次在摩羯陀國，對學生不講話了，在摩羯陀國閉關三個月，不說話。這表示佛法沒得可說的，要你自己去證，所以默然無語，說無可說，這是眞聞。

「情到無心意已薰」，眞修行到了無心之地，一切行，一切處，都是無心。一切情意識都自清淨了。什麼是無心呢？就是過去心不可得，現在心不可得，未來心不可得，到無心之處，這個第六意識完全轉了，才呈現智慧的境界；所謂轉成妙觀察智，般若的境界。

「撒手大千無一物」，怎麼樣修持才能夠達到這個無心之處呢？懸崖撒手還不夠，三千大千世界的一切，都可以拿來布施，一切都可以放下，眞正的放下；就是六祖說本來無一物。所以，學佛法就是兩條路，要求福德的成就，諸惡莫作，衆善奉行，是提得起；要想智慧的成就就是放得下。

提得起，放得下，才有資格學佛；提得起，放得下，自然就可以成佛。說般若境界，一切萬緣放下，諸惡莫作，衆善奉行，修一切善法。做到了一切提得起，修一切福德，福德不是世間上的福報喔！一個人要悟道成佛是要大福報的！眞正的智慧也是需要大福報的，不是世間的福報所能成的。

第廿九品 威儀寂淨分

須菩提。若有人言。如來若來若去。若坐若臥。是人不解我所說義。何以故。如來者。無所從來。亦無所去。故名如來。

無來亦無去

須菩提。若有人言。如來若來若去。若坐若臥。是人不解我所說義。何以故。如來者。無所從來。亦無所去。故名如來。

這本經典是講智慧的成就，般若波羅密多大智慧的成就，而成佛的方法及路線，由須菩提提出來問，佛說明了一個入門的方法—善護念，就是金剛經的要點。眞正的修養，不管在家出家，只有三個字，「善護念」。任何人成了佛的時候，都有十個名號，譬如佛、世尊、如來、善逝、無上士，等等，都是他的名號之一。「如來」是個通稱，任何一個成了佛都稱如來。佛教到了中國以後，我們一般的觀念就把它加起來稱，叫做如來佛。如來本來就是佛，佛就是如來，不同的名稱而已。

爲什麼成了道的要稱如來呢？如果我們先拿中國文字來研究，「如」是好像，「來」是來了，好像來了。他實際上不來也不去。以人世間來去的現象，說明本體道體的作用，就是好像來了，沒有來。

譬如電燈，電風扇，把開關一打開，這個電來了，但是看不見電，只感覺到光，感覺有風，電來了沒有？來過了，好像沒有來，它又消散了。電去了沒有？去了，好像沒有去，再發動它又來了，它是不來也不去，不生也不死。如來是衆生本體自性，道體的一個現象。譬如我們人有喜怒哀樂，有思想有妄念，我們在座的人至少有二十年以上的人生經驗，甚至有六七十年的人生經驗。我們一生都經過太多的悲歡苦樂，得意與失意，痛苦與煩惱。但是，當我們此刻坐在這裡的時候，那些煩惱，那些一切，都整個沒有了，再也沒有了。去年的事沒有影子，不要說去年，昨天的事情已經沒有影子了。可是有沒有昨天的事？有沒有十幾歲時的事呢？都有，好像來過了，「如來若來若去」，你說沒有來過，的確來過，幾十年人生所做過的事，你說做過沒有？若來！好像來過；可是現在都沒有了，昨天的事，做夢一樣過去了。昨天的事走了沒有？若去！好像走了，好像又沒有走，一想，又在眼前。

如來這個名號，也就是說明心性本來的那個現象，這個現象就是佛經所講的相，也就是心相，心性起作用的一種現象。我們再縮小一點來說，第一分鐘一個人開始講話，我們大家聽到沒有？若來，好像來過了，每一句話聽過了，又過去了，若去，好像走掉了，他再說，又來了，但這個本體如如不動。所以佛經說的是形容，當我們證到修養到那個境界，幾乎近於清淨空相的時候，如如不動。好像不動，沒有眞不動，假使眞不動的，那就是個死東西了。

自性本身，也就是說眞如本身是活潑潑的，只能形容是如如不動。這個如字，在佛法裡經常看到，像「如夢如幻」，「眞如」文字倒轉來就是「如眞」，好像是眞的。你如果執著了一個眞的，那就落在執著上，執著就是妄念，又是錯誤。所以「眞如」好像是眞的；「如來」是對佛法身的稱呼。

一切衆生與佛，都有法報化三身，法身是自性的本體，等於剛才我們的一個比方，虛空中都有電，是宇宙間的能量變化，你手碰虛空并不會觸電，待因緣成就，一磨擦就發電，它本來在虛空中存在。如來若來若去，法身是不生也不滅，所謂不生不滅也就是不來也不去，不死也不生，它是永恆，好像永遠是常在，這是說法身。

報身，就是我們現在父母所生之身，也可以說是化身。我們大家學佛修道的，有些人開悟了，有些人得定，有些人燒出舍利子了，那充其量不過是法身成就，報身沒有轉。得到了報身成就，轉成圓滿報身時，不但可以無病無痛，更完全變成色界天人之身。但是圓滿報身的修持，還不是一般打打坐修修法就可以的，要悟後再起修，這是另一條路線。修成了圓滿報身以後，就有千百萬億化身，現在這個肉身，就可以化很多身出去了。其實，三身只是一身。

菩薩的化身有千百類，很多菩薩化身異類衆生。所以我經常說，吃牛肉小心啊！說不定吃了一個牛菩薩，因爲菩薩要去教化牛，所以化身成牛。

如來的境界

法身怎麼來的呢？你們大家在參話頭，這個思想那裡來？那裡去？無所從來，亦無所去，是名如來。你爲什麼去管思想？它來的時候，貿然而來，去的時候，貿然而去，所以大家打坐的時候，拚命想把妄想空了，你看，多傻啊！傻得像顆金剛一樣，顛撲不破的傻。人家金剛般若波羅密，我們傻得呀像般若波羅密的金剛，笨得要命，你爲什麼除妄想？妄想本來空的呀！「無所從來，亦無所去，是名如來」，留也留它不住，哪個人把思想留住了？你說我覺得痛苦煩惱，你不是說傻話嗎？昨天的日子早過去了，昨天的煩惱早沒有影子了，現在坐在這裡不煩惱嘛！你現在很煩惱，等一下不煩惱嘛！不可能永遠煩惱，煩惱並不停留；換句話說，清淨境界，也並不停留。所以有些人做功夫，偶然坐一堂清淨，然後下了坐，兩腿一放，唉唷，清淨跑了。清淨怎麼跑得了呢？無所從來，亦無所去，是名如來，清淨根本沒有跑，是你理解見地不夠清楚，所以覺得功夫跑掉了。有的人說，功夫來找我，什麼叫功夫啊？無所從來，亦無所去，是名如來。你如此懂了，無一刻不在清淨中，由此起修，慢慢到達三身成就。

關於三身，前面也曾說過，法身就是如來，報身就是世尊，化身就是佛。拿理論的道理說，法身是體，報身是相，千百億化身是用，就是體、相、用。萬事萬物都有它的體相用，我們要曉得這個道理。現在大家說修行，學佛，要找名師呀，拜師傳一個密法呀……不必要的啊！佛沒有保留的都說了啊！一個成道的人如果有保留，要你鈔票送得多，頭磕得夠了才傳給你祕密，那你千萬不要去碰，至少我是不會去碰，因爲他做人的道德還不夠嘛！眞正的道，是天下之公道，沒有什麼祕密，什麼上天有忌諱啊，不能妄傳啊！都是胡說。

道是天下人的東西，有人認爲，壞人不應該度，光度好人，好人何必要你度呢？他本來就是好人嘛！佛來度佛幹什麼？佛是到苦難的地方去度化衆生，去教化難度的衆生。所以佛把道都告訴你了，修持的方法，金剛經上都有。現在，我們加上許多囉囉嗦嗦的說明，是說明心理狀況，不要著相。

有許多人學了佛，受了宗教儀式的困擾，看了經上這一句，「若有人言，如來若來若去」，不免有時會夢到佛，那個佛啊，是躺著的臥佛。還有人問：老師啊，眞的假的？我說眞的呀，當然眞的嘛，因爲你夢到嘛！你現在還在說夢話，對不對？你在說夢話，我是清醒的人。

有人來說昨天他夜裡看到佛，我說當然眞的嘛！因爲他還在說夢話嘛！所以我們清醒人答覆他，是對付他那個說夢話的樣子。這個是什麼呢？要研究唯識才知道這是意識境界的影像。世上人做夢，隨便你做什麼夢，都是你一輩子做過、聽過、想過、看過的經驗，不會超出這個範圍。如果超越了這個範圍的夢，另當別論，那個道理就很深了；有時是你前生阿賴耶識那個影像，不是這個世界上的，是偶然帶過來的。

有人認爲如來來了，昨天來看我，又是佛光普照我，現在沒有了。「若坐若臥」，有些看到是坐像，有些看到是臥像。佛說啊，你不要搞錯了，如果有人學佛這樣著相的話，「是人不解我所說義」，這個人根本不懂佛法，不理解佛所說的道理。

什麼理由呢？眞的佛，法身之體，悟了道，證得法身之體，無所從來，亦無所去，不來也不去，不生也不死，不坐也不臥。你說那是個什麼境界？不要被文字騙過去了，那是個非常平凡的境界。什麼境界？就是你現在這個樣子。你現在這個樣，不坐也不臥，不來也不去，現身就是佛，既沒有動壞念頭，也沒有生好念頭，此心平平靜靜，不起分別，當下就在如來的境界裡！你不要把佛的境界假想得那麼高遠，其實是非常平凡的。如果我們拿金剛經的這一段，用中國儒家中庸這一本書來講，就是：「極高明而道中庸」。「天命之謂性。率性之謂道。修道之謂教。道也者。不可須臾離也。可離非道也。」

道是怎麼樣呢？極高明而道中庸，最平常，不來也不去，就在這兒。我們現在瞭解了這個道理，再來看一個眞正學佛修持的人，要怎麼用功才對呢？不用功即用功，你加一個功去用，就是著相。我們經常觀察自己的煩惱，心行，不來也不去，不坐也不臥，不生也不滅。前一個念頭沒有了叫做滅，後面一個念頭來了叫做生，生出來的東西一定有滅亡，滅了以後就沒有了嗎？不是斷滅相，它又會生。生生滅滅，如水上的波浪一樣，波浪儘管在動，動了以後那個波浪又一個個散掉了。儘管波浪看不見，全體的波浪是水變的呀，水沒有動過，還是那麼多，不多也不少，永遠在那裡。

我們用各種方法修持，都是拚命要弄平自己心中那個波浪，想盡辦法要讓那個波浪變平，變平了又怎麼樣？變平了還是水！不平呢？不平也是水。所以說，拚命去弄平，這不是自找麻煩嗎？對不對？是不是這個道理？我想是這個道理！你仔細想想看。你的想也是無所從來亦無所去，它本身就在如來清淨的境界。這個是般若的眼睛，所以我們給它的結論是這樣的：

第二十九品偈頌

安排擺佈祇為他　身外無心不著磨
若向畫眉深淺看　迷人豈止髻堆螺

「安排擺佈祇爲他」，修道的人用各種方法修持，盤腿打坐，唸佛，各種的安排。想修道就是做安排。不修道的人呢？則是任由煩惱痛苦隨時指揮擺佈。念頭、思想安排擺佈祇爲他。

「身外無心不著磨」，如果我們曉得這個身體是假的，暫時借來用的一個工具，向爸媽借來用幾十年。眞到了無心之處，什麼叫無心呢？一切妄念來不理，它本來是水上的波紋，又何必理它呢？不理就不受這個虛妄心理之磨障，這都是假的，這個威儀自然寂淨。如果我們不瞭解自己心性的本來，不瞭解思想、感情都像水上的波紋一樣是假的，就會被水上的波紋騙去了，而忘記了自己水的本性。

「若向畫眉深淺看」，一般人都被深淺騙住了，畫眉深淺，迷人髻堆螺，這是唐人的詩，畫眉深淺入時無。一個新娘子第二天對鏡梳妝，問新郎官，我這個眉毛畫得好不好呀？顏色是淺一點呢？短一點呢？翹一點還是低一點？合不合時代？現在的畫眉有些是翹的，有的還塗上咖啡色、紅色的，燈下一看，哈！羅刹國來的那個樣子，眞是紅眉毛綠眼睛的那麼搞。唐朝的人喜歡印黃，額頭裡弄一塊黃顏色，現在一看都是黃膽症，唐人以這個爲時髦。等於印度女人喜歡眉間額上挖一個洞，從小就挖，然後嵌一顆珠子，世界上各種怪樣子都有。畫眉深淺入時無，這些詩看起來像黃色，其實蠻老實，是說個讀書人一輩子找不到工作，因爲不合時宜，最後是聽人家勸告，學著跟時代走。所以說你看看！我現在合時不合時？就是畫眉深淺入時無這句的本意。

其實啊，什麼叫做美，不是男女之間的色相就叫做美啊，這些境界就把你騙住了，物理世界的一切慾望就騙住了你，所以說「迷人豈止髻堆螺」。古人梳長頭髮，盤到頭頂上一個髻子，堆起來像顆螺絲一樣，很好看，也有像捏饅頭一樣，堆在一堆高高的，很多人看了這個頭髮，傻了，著迷了。世界上沒有那一樣東西不迷你的，都在騙你，都在受騙。爲什麼？因爲認不得自己自性如來，只看見那個水上波紋，被波紋騙走了。認清楚了波紋，就知道感情、思想都是不去也不來，此心本來清淨的，你也就少上當，你就金剛般若波羅密了。

第三十品 一合理相分

須菩提。若善男子。善女人。以三千大千世界。碎為微塵。於意云何。是微塵衆。寧為多不。須菩提言。甚多。世尊。何以故。若是微塵衆實有者。佛即不說是微塵衆。所以者何。佛說微塵衆。即非微塵衆。是名微塵衆。世尊。如來所說三千大千世界。即非世界。是名世界。何以故。若世界實有者。即是一合相。如來說一合相。即非一合相。是名一合相。須菩提。一合相者。即是不可說。但凡夫之人。貪著其事。

說到如來自性之相，下面重要的問題來了，講到如來法身本體，讓我們先瞭解一件事情。

碎為微塵之後

須菩提。若善男子。善女人。以三千大千世界。碎為微塵。於意云何。是微塵眾。寧為多不。

現在佛又提出一個物理世界的問題了，他對須菩提講，假使有一個人，不管男人女人，把這個佛世界，這個三千大千世界，整個的宇宙打碎了，變成灰塵，你想想看，這樣的灰塵，數量多不多？

須菩提言。甚多。世尊。何以故。若是微塵眾實有者。佛即不說是微塵眾。

須菩提回答說，那多得很。佛說，什麼理由呢？佛說我告訴你，假使這些灰塵，這些物質世界的分子，乃至電子、核子，這些物質東西是眞實永恆存在的話，那我不會告訴你世界上有灰塵。這些灰塵累積起來就變成大地、山河，變成物質世界。佛這個話是轉一個彎說的，實際上就是說，物質世界的物質，如果經過一個自然科學家來處理，把它分析到最後，變成核子、電子、原子等等，最後是空的。是空的力量形成了這樣大的威力，但最後是空的。眞正高等物理科學家，瞭解這個東西，所謂原子，分析到最後最後，空了。這個空並不是沒有，那個力量大得很，原子炸彈爆炸起來，空的威力發起來有那麼大的力量！所以佛在這裡講，「若是微塵衆實有者」，如果你認爲眞的有個微塵，我不會講微塵衆，因爲根本沒有塵，一切都是由空所形成。

所以者何。佛說微塵衆。即非微塵衆。是名微塵衆。

又來了，又是三段的講。所謂物理世界那些電子呀，原子呀，那是假名，是那個作用構成了這麼一個物理的東西。但是微塵最微小、最基本那個東西，還不是它的究竟；它的究竟分析、研究到最後，沒有東西，是空的。這個物質世界的外層，虛空的這個空間，比太陽的面積，地球的面積，以及虛空任何的面積還要大！是空的力量凝結，而變成了物理世界。

世尊。如來所說三千大千世界。即非世界。是名世界。

須菩提說：那麼我懂了。你剛才問的問題，佛啊，你的意思是說，這一個三千大千世界，也是個假名，是偶然的暫時存在，實際上沒有一個永恆的實質存在，物質世界也會要變，也會滅掉。

等於我們現在這個樓上，勉強把它湊起來，擺了些椅子，坐了些人，裝了些電燈、冷氣機，湊攏來叫做講堂。所謂講堂者，即非講堂，是名講堂。這是偶然暫時湊合的，這是不究竟，不實在的；因爲明天可以把它變成電影院，所謂電影院者，即非電影院，是名電影院，就是這麼一回事。一切物質世界，都是這樣假有的湊合。

所以大家不要被世界呀、家庭呀，這些苦惱困住了。所謂家庭者，即非家庭，是名家庭；所謂人生者，即非人生，是名人生，同一個道理。

下面一步一步，佛緊接著來講了。

什麼是合相

何以故。若世界實有者。即是一合相。

什麼理由呢？佛說你說的對呀！但是什麼理由呢？我告訴你，假定眞有一個世界存在，永恆不變存在的話，就是一合相，是兩樣東西合攏來不變了。

這個問題大了！佛沒有說錯一句話，鳩摩羅什翻譯「一合相」這一下子完了，後世佛法裡，裝模作樣，牽強附會的人多了。有些密宗的修法，要修一合相；還有些人主張，不一定要出家，要陰陽合一的一合相，才能修得成功。認爲金剛般若波羅密經中，是佛說的一合相。所以研究金剛經，這句話是一個大問題。到底什麼是一合相呢？

你到海鮮店去吃飯，那個大蚌，兩殼合攏來，也是一合相；兩個金屬品化合了分不開，也是一合相；我們身上的衣服，三分塑膠，七分棉紗合起來織成的，也是一合相；人的血、骨頭、肉，凝合起來，也是一合相。這個一合相只是物質世界的現象。

事實上，物質世界是不停的在變。譬如這個山，看起來好像不動，風一吹，灰塵都吹到山上，它慢慢會長大，只是我們的眼睛看不見而已。當然也不會有人那麼傻，一歲的時候去量一下，六十歲的時候再去量，看這個山長多大了。如果眞有這麼一個科學家，眞去量一下，那就是傻人，但他曉得這個山，二十年來也大了幾寸或幾尺。山在變動，也在長大，也在毀滅。

所以這個一合相的世界，假使眞有的話，幾千萬億年以後，也變成空，由空再變成有。所以他說：

如來說一合相，即非一合相，是名一合相。

一合相是假有，這是一句話，一個名辭，沒有不變的東西，不變只是個理念。

但是有沒有一個一合相？你說這個世界空的嗎？現在天氣熱了，你硬是感覺到天氣熱，冷氣一開，硬是涼快。人經常說人生如夢，好像夢就是沒有，這個觀念、思想是錯誤的。夢不是沒有，夢是有，偶然的，暫時的，片面的。心理學研究顯示，最長的夢沒有超過五秒鐘的。人睡著做了一個夢，夢見從小長大，經過了多少事，直到最後自己死了，醒來眼淚流濕了枕頭，夢中經過幾十年光陰，實際上只有三秒鐘。

夢中的時間、空間是相對的，愛因斯坦也了解到時空是相對的。我們在地球上過半個月，月亮上只是一夜，這個世界上一年，太陽裡只有一晝夜。還有其它世界，我們過一百年，他們才過了一晝夜，我們人的一晝夜，卻是許多小生物的萬世萬生，死了又生，生了又死，千百億化生不曉得過了多少時間；所以宇宙間任何星球，時空都是相對的。

須菩提。一合相者。即是不可說。但凡夫之人。貪著其事。

他說有沒有一個世界眞是一合相呢？有，但是佛說那是不可說，沒有辦法讓你理解的。因爲你們不懂，也沒有辦法懂，而且也說不得，一說之後，一切凡夫就貪著這個事情。所以啊，密宗、道家，許多都把這個一合相用邪門外道的眼光去看，去解釋了。

實際上是什麼道理呢？是眞空可以修成妙有的道理。

第八識和種性

講到這裡，我們就要研究般若，要研究般若就要研究唯識，不然對於專門講性空道理的性宗，就迷糊了。性空的道理一搞迷糊，學佛落入錯誤的知見，那是一個斷滅見的空，把空當成什麼都沒有，那是邪見。空是一個境界，心性之學，般若，在金剛經中只用一個心，就代表了一切。唯識宗法相宗把這個心分析來講，變成八個識，叫做八識。

八識中的第六識是意識。意識，我們容易懂，就是我們心理上思想所起的作用，也就是意識狀態。作夢也是意識背面的一部分，心理學叫做下意識。在唯識學上夢是屬於獨影意識的作用，獨影意識還有其他很多的作用。第八部分阿賴耶識包括了現在、過去、未來的時間與空間，也包括了過去的因、種子和未來的種性，這就是三世因果的學理基礎。

同一個父母生下來的兄弟姊妹，每個人個性不一樣，因為父母的遺傳只是一小部分，還有什麼呢？自己帶來的前生的種性、習氣、習慣。這個重要的部分是第八阿賴耶識最重要的種子帶來的。這個種性作用叫做阿陀那識，關於這一點，佛在解深密經上有一首偈子：

阿陀那識甚深細　一切種子如暴流
我於凡愚不開演　恐彼分別執為我

佛法的很多經典都是講空，尤其是般若經。而在法相、唯識的部分，卻不從空來講，而從現有的現象來說明。教育方法路線也不相同，因此在解深密經說到心的本來，心的第八部分——阿陀那識的作用時，他說，你要研究起來，非常難懂，非常深，非常細密，它像那個瀑布，或者像長江裡的流水，看起來千年萬年，水始終在流，實際上大的浪頭流過去了，就不會回來。

我們剛剛看到前面的這個浪頭，馬上流過了！未來的浪頭又接上來，過去心不可得，現在心不可得，未來心不可得。物理世界同我們心理世界是差不多的。

你看流水一個一個浪頭，乍看像固定存在，實際上沒有固定存在，每一個浪頭是每一個水分子點滴構攏來的。假使把這個浪頭水分切開，它也就沒有水了，連帶的瀑布也不能形成了。可憐我們沒有辦法看到，所能看到的，永遠是浪頭。也像電燈打開開關，第一個電源一來，磨擦發了光，又馬上消散了，接著第二個又上來，我們看到永遠是一個亮光，實際上，過去電不可得，現在電不可得，未來電不可得，不可得也不可得；可是它有電，所謂電者，即是非電，是名為電。

心念如暴流

我們的心理狀況也是這樣，一個念頭接一個念頭，活了幾十年，一切種子如瀑布一樣在流。實際上當我們一出娘胎的時候，第一個念頭已經死亡了，第二個念頭又死亡了……你看八點鐘開始，每一分，每一秒，每一個觀念都在過去。過去不可得，未來怎麼講，我還沒有想它呢！也是不可得。剛說現在，現在不可得，現在就沒有。但是你說沒有嗎？它那股力量硬是存在。一切種子包括了過去、現在、未來，聰明愚笨，善與惡。善人把善的種子引發了，慢慢再把惡的種子轉變成善的，成為至善之人。這就是修一切善法，得阿耨多羅三藐三菩提。

如果你把惡的心念發展下去，善心被它感染了，善心也變成不善的心了。所以說，一切種子如暴流，像瀑布一樣在流。瀑布並不是沒有啊，是有的，「滾滾長江東逝水，浪花淘盡英雄」，它永遠在流。所以佛說我於凡愚不開演，因為智慧不夠的人，不敢對他講這個東西。

你說無我，有一個眞我，這個眞我沒有辦法加一個名辭，如果加一個恆常不變，就曲解了恆常存在的意義。所以我於凡愚不開演，怕一切衆生智慧不夠，他用分別心，用世間法的觀念來看這個如暴流的種性，他抓住了，以為生命有個眞的我，那反而錯了。

生命的無我之相，是破除衆生抓住小我之相的錯誤。小我之相就是每一個浪花，每一個水分子。能夠把小我之相修持到純淨、空相，才可以找到生命的本來，那是無所從來亦無所去；然後它可以起一合相的作用。什麼一合相呢？眞空可以生出一個妙有。

真空如何生妙有

首先要把身心兩方面轉化，光修心性也不行，因爲我們的色身也是阿賴耶識的一部分，就是「心」的一部分。修一切善法，把它統統轉化了，可以產生一合相。所以佛菩薩的眞正成就，是三身成就，清淨法身，圓滿報身，千百億化身，三身是一合相，就是體、相、用三位一體。

但是，你如果眞執著了這件事，也錯了，因爲著相了。四大本來皆空，但是四大并不是壞東西，它也是自性本體功能所變的。四大皆空是講它的存在不永固，你如果證到了法身，到了三身成就，也可以使這個假有的四大、偶然的四大，延長其存在。

所以佛說「一合相者，即是不可說，但凡夫之人貪著其事。」就像他說阿賴耶識，我於凡愚不開演，恐彼分別執爲我的道理一樣。

佛經的翻譯，凡夫就是平凡的人，也就是指我們一般人。一般人的習慣都要抓東西，活著的時候總要抓住東西。道家所講的握固，說明小孩子生下來都是抓得很牢捏住拳頭，活的時候手都是彎彎的，到死的時候才完全放開。所以說，凡夫之人都是天生的貪著其事，都要抓，抓得很牢，因此佛說不可說。我們給它的結論偈子：

◘第三十品偈頌◘

塵沙聚會偶然成　蝶亂蜂忙無限情
同是劫灰過往客　枉從得失計輸贏

「塵沙聚會偶然成」，這個世界是一顆顆沙子堆攏來，偶然成功的世界。人生也是這樣，他是你的父母、你的丈夫、你的太太、你的兒女，也是塵沙聚會偶然而成。

「蝶亂蜂忙無限情」，這個塵沙堆攏的世界一形成，很好看的，那麼多的花朵，構成了自然的美。蝶亂蜂忙，人們就像蜜蜂蝴蝶一樣，在那裡亂飛亂鑽亂忙。前面我們也提過，唐末的羅隱有一首詩，形容人生的癡，像蜜蜂一樣。

不論平地與山尖　無限風光儘被占
採得百花釀蜜後　為誰辛苦為誰甜

蜜蜂一天到晚忙碌採花釀蜜，爲誰辛苦爲誰甜。如果喜歡吃蜂蜜的話，拿起那一瓢蜜就要唸一下，然後說，爲我忙！咕嚕把它吞下去；那就對了，有了答案了。可是蜜蜂自己沒有答案，採得百花釀蜜後，爲誰辛苦爲誰甜，人生都是如此，忙了一輩子，爲兒女呀，爲家庭呀，忙到老死，最後嘛，眼睛一閉像那個蜜蜂一樣，爲誰辛苦爲誰忙，不知道，找不出答案。

所以我們說，蝶亂蜂忙，明知道人生是空，個個都看得清楚，可是還是捨不得呀！還有無限情，自己無限的感情。有時候看這個世界上的人眞好玩，很多人反對打牌，但是自己一輩子就坐在牌桌上而不自知。不過打牌人人不同，有些人把寫文章當牌，一天勾著頭，脖子都歪了，像打麻將一樣的寫文章，他也在賭啊！寫詩的，作文章的都一樣，都是在賭。這個世界就是一個大賭場，誰賭贏了？誰賭輸了呢？只有當東家的老闆賺了錢，其他的人都輸光了。贏的也輸，輸的也輸，這個世界就是這麼一回事。所以我們瞭解了人生，一合相即非一合相。

「同是劫灰過往客」，我們的這個世界是個劫灰，前一劫燒成灰了，這一劫重新再來，所以叫劫灰。人生在這個世界上，像是住旅館一樣，過往之客，有生就有死，有死再有生，同爲劫灰過往客。

「枉從得失計輸贏」，人生在世，誰對誰錯？誰贏誰輸？都差不多，最後都是沒有結論的走了。假使以佛法來看人生，都是沒有目的的來，沒有結論的回去。無所從來，亦無所去，是名如來。

第卅一品 知見不生分

須菩提。若人言。佛說我見人見衆生見壽者見。須菩提。於意云何。是人解我所說義不。不也。世尊。是人不解如來所說義。何以故。世尊說我見人見衆生見壽者見。即非我見人見衆生見壽者見。是名我見人見衆生見壽者見。須菩提。發阿耨多羅三藐三菩提心者。於一切法。應如是知。如是見。如是信解。不生法相。須菩提。所言法相者。如來說。即非法相。是名法相。

見不是見

須菩提。若人言。佛說我見人見眾生見壽者見。須菩提。於意云何。是人解我所說義不。

佛講到這裡，先問須菩提，假使有一個人說，佛說的，人見、我見、眾生見、壽者見，對不對？佛經上都講四相，這裡又轉一個方向，提出來的不是「相」，而是「見」。「相」就是現象。「見」是自己的思想見解，是屬於精神領域。所謂見解，就是現在新觀念所謂的觀點，都屬於見。所以禪宗的悟道叫做見道，要見到道，不是眼睛看見啊！

楞嚴經上講見道之見，有四句話：

「見見之時，見非是見。見猶離見，見不能及。」

你看這個佛經，討厭吧！都是什麼見呀見的。第一個見，我們眼睛看見的見，心與眼看見。第二個是見道的見，換句話說，第一個見是所見之見，第二個是能見之見。我們眼睛看東西，這是所見，這是現象。所見回過來，自己能夠見道，明心見性那個見，不是所見之見，不是眼睛能夠看見一個現象，或者看見一個境界，那不是道啊！

所以「見見之時」，自己回轉來看到見道之見，明心見性那個見的時候，「見非是見」。這個能見，見道的見，不是眼睛看東西所見的見，故說「見非是見」。那麼能見道的見，難道還有一個境界嗎？「見猶離見」。當眼睛不看，耳朵也不聽，一切皆空以後，說我見道了，有一個見存在，還是所見，這個見還是要拿掉，見猶離見，還要拿掉，空還要空下來。「見不能及」，眞正明心見性的見，不是眼睛看見的見，不是心眼上有個所及，能見的見。說了一大堆的見，多麼難懂啊！

告訴我們明心見性之見，可不是看山不是山，看水不是水，青蛙撲咚一聲跳進水……要一切見無所見，一切山河大地，宇宙萬有，都虛空粉碎，大地平沈，那可以談禪宗了，明心見性有點影子了，記著！還只是一點影子啊！

楞嚴經上也有幾句很重要的話：「知見立知，即無明本，知見無見，斯即涅槃。」知與見，後來是佛學一個專有名稱，知就是知道，把佛經道理都懂了的這個知。見，也看到過這個現象、境界，就是知見。道理懂了，你去修行打坐，坐起來一切皆空，可是有知性，也知道自己坐在那裡很清淨。但是有一個清淨在就不對了，「知見立知，即無明本」，就是無明的根本。有一個清淨就會有一個不清淨的力量含藏在裡面，就有煩惱的力量在了，所以知見立知，即無明本。要「知見無見」，最後見到空，「斯即涅槃」，可以達到見的邊緣了。

知即無明本

從前有好幾位大法師就是看經典走禪宗的路線，後來就悟道了。所以學禪不一定是打坐參禪，不一定要打坐參公案、參話頭。宋朝溫州瑞鹿寺有一位遇安禪師，天天看佛經唸佛。他看到前面這一段，忽然心血來潮，把原來的句子「知見立知。即無明本。知見無見。斯即涅槃。」改了標點，變成「知見立。知即無明本。知見無。見斯即涅槃。」自己因而大徹大悟。後來他自稱「破楞嚴」，改了圈點破開來讀以後，自己忽然開悟了，大徹大悟，明心見性。「知見立」，有知有見，有個清淨有個覺性，「知即無明本」，這一知，本身就是無明本，就是煩惱。「知見無」，一切皆空，理也空，念也空，空也空，「見斯即涅槃」，見到這個就是悟道了。這是他悟了道，自己把楞嚴破句，就懂進去了。

現在我們說明了這個道理，說了半天，不要把話轉開了，說我見、人見、眾生見、壽者見；金剛經前面都提四相，我相、人相、眾生相、壽者相，中間也提過，以色見我，以音聲求我，是人行邪道，不能見如來。到這裡，忽然一轉，提出「見」，不提出相。相是相，茶杯是現象，毛巾是現象，書本也是現象，我也是現象，他也是現象，你也是現象，山河大地一切房子都是現象，連虛空也是現象，清淨也是現象，睡覺也是相，作夢也是相，醒了也是相，一切現象都是生滅變化。

所以有些人天天打坐，問他好嗎？好啊！好清淨。著相！著清淨之相。相不是道，道不在相中。知見立，知即無明本，知見無，見斯即涅槃。你要立一個清淨是道，再加上背上督脈通了，前面任脈通了，拿水管水龍頭一開灌進去，都通了，那不是成道，那都是著相。一著相，知見立，知即無明本；要知見無，見斯即涅槃。

所以現在告訴你知見之見是什麼？他告訴須菩提，假使有人說，我提出我見、人見、衆生見、壽者見，你說說看，那人瞭解我所說的意思沒有？他這個人還算眞正學佛，懂了佛法嗎？

須菩提說，那不對的，這個人雖然學佛，根本不通啊，不懂佛法的道理。

不也。世尊。是人不解如來所說義。

何以故。世尊。說我見人見衆生見壽者見。即非我見人見衆生見壽者見。是名我見人見衆生見壽者見。

那麼佛也跟著說，你現在提出來一個假定的問題問我，我見、人見、衆生見、壽者見，見道之見，這只是一個講話上的方便；假設有這麼一個見處，一個明心見性，見道之見，那也只是一個表達的方法而已，一個揭穿眞義的名辭而已。實際上啊，明，無可明處；見，無可見處，所以叫做我見、人見、衆生見、壽者見。

如是知見

須菩提。發阿耨多羅三藐三菩提心者。於一切法。應如是知。如是見。如是信解。不生法相。

佛告訴須菩提最後的結論，你要注意啊！眞正學大乘佛法，發阿耨多羅三藐三菩提，想求得大徹大悟的人，於一切法，包括世間法，出世間法，應「如是知」，要瞭解知道金剛經這些一層一層的道理。「如是見」，要有這樣一個見解，所以有知有見。

知見兩個字，再加一個說明，一切大小乘的佛法，尤其是小乘的佛法，是戒、定、慧、解脫、解脫知見，五個次序。按次序來修行，先守戒，再修定，再由定發慧悟道。眞的悟道了，解脫一切苦厄，但是解脫的最高程度，仍是物質世間一切的束縛。當這些欲界、色界一切的煩惱、情感都解脫光了以後，還有個東西就是心性的所知所見，這個知與見仍要解脫，最後要徹底的空。剛才舉出來知見立，知即無明本，知見無，見斯即涅槃；這裡也講，發大乘心，想由凡夫修道而成佛，應該對一切法，「如是知，如是見」。

如是怎麼知？怎麼見呢？所謂佛法者，即非佛法，是名佛法；那麼所謂外道者，即非外道，是名外道；所謂魔鬼者，即非魔鬼，是名魔鬼；所謂我者即非我，是名我。就是這一套！「一切」，整個歸納起來，空有都不住，無住、無著，所以一切法應如是知，如是見。

你理解了，也見到了這個道理，「如是信解」，理性上清楚了，才是不迷信。如果佛法的教理都沒有弄清楚，情緒化跑來學佛參禪，全體是迷信！所以把知見搞清楚了，如是信，才是正信。如是解，正信以後，由這樣去理解它，這才是理性的。學佛修道是理性的，不是情感的，不是盲目的迷信，是理性的如是信解。

我們自己的法相

爲什麼說「不生法相」？爲什麼不說不「用」法相，或者不「住」法相，不「著」法相，不「落」法相呢？這些字都不用，而用不「生」法相，這是有區別的。

首先我們要瞭解什麼叫法相？一切的現象、觀念都是現象，是意識思想構成的一個形態。每個人意識裡都有自己一個構想，幻想；幻想久了，變成牢不可破的一個典型，自己就把它抓得牢牢的。這個就是意識思想境界裡的形態，在佛學名辭裡叫做法。法包括了一切事，一切理，一切物，一切思想觀念。

譬如大家認爲大徹大悟，一片光明，都在清淨光明中，在一般人心目中，下意識已經構成一個形態，認爲悟了道打起坐來，大概內外一片光，連電力公司的發電機都可以不要了。把光明看成電燈光、太陽光、月亮光那樣，下意識的構成法相，構成一個形態在那裡。

又譬如說，悟道以後，大概什麼都不要，什麼也都不相干，一切一切都不管，跑到古廟深山，孤零零的坐在那裡，就以爲成佛了。如果成了這樣的佛的話，世上多成一千個佛對我們也沒有關係；山裡早有的是佛，許多石頭、泥巴擺在那裡，從開天闢地到現在，都可以叫做佛。反正它們對一切事物，一切出世入世的一概不理。換句話說，那是絕對的自我，看起來很解脫，一切事物不著，實際上是自我，爲了自我而已！認爲我要這樣，因爲他下意識的意識形態有了這個法相。

一般人打坐入定什麼都不知道了，那不是佛法，那是你的意識形態，是你造作了這個法相。乃至於說一切空了就是佛，空也是個法相，是個現象。有些人任督二脈打通了，奇經八脈打通了，河車大轉，也都是法相。我經常問：你轉河車，轉到什麼時候啊？不要把自己轉昏了頭。你轉轉……總有不轉的時候吧？轉到什麼時候才不轉呢？任督二脈打通了，通到那裡去呢？通到陰溝裡去嗎？還是通到電力公司？還是通到上帝菩薩那裡？你都要搞清楚啊！可是我們許多人，不知不覺的都落在自我的法相裡了。自我意識形成一個道的觀念，一個道的樣子，一個道的模型。

由此我們就明白，爲什麼世界上的宗教，因民族不同國家不同，所畫的天堂也都不同。我們的天堂是穿大袍子古代帝王相的人，一切房子都是中國古時候的。西方人的天堂是洋房，他的神和上帝也是高鼻子藍眼睛；阿拉伯人畫的另有不同。所以說，天堂是根據自己的心理形態構成的，誰能去證明呢？這些都是自己心理下意識構成的法相。

佛法唯識宗也稱爲法相宗，法相宗是先從現象界開始分析研究，現象界也就是世間一切事，所謂的一切法；最後研究到心理狀態，研究到心性的本來，以至於證到整個宇宙。也就是說，法相宗從現有的人生，現有的世界的相，加以分析，歸之於心，然後反回到形而上的本體。如果套一句佛學的名辭來講，這是從自己的身心入手，進而打破了身心，證到形而上的本體。

華嚴宗不同於法相宗，是先從形而上的宇宙觀開始，從大而無比的宇宙，慢慢收縮，最後會之於心，是使你由本體而瞭解自己。普通的佛學，是由你自己而瞭解了本體，這是兩個不同的教育方法，我們必須要弄清楚。這些不同的路線不同的方法，佛學的名辭就叫做法相，一切法相。

現在金剛經快要結束了，告訴我們一個道理，非常嚴重的道理，佛告訴須菩提，你想證得無上菩提大徹大悟而成佛，你應該這個樣子知道，應該這樣去看清楚，理解清楚，應該這樣子相信，這樣去理解。怎麼理解呢？一句話，「不生法相」，你心裡不要造作一個東西，你的下意識中，不要生出來一個佛的樣子。每個人心裡所理解的佛，所理解的道，所理解清淨涅槃的境界，都各不相同，爲什麼不同呢？是你唯心所造，你自己生出來的，是此心所生。

所以你不要自生法相，不要再去找，不要構成一個自我意識的觀念。譬如我們上同樣一個課，一百個同學中，各人理解的深淺程度都不相同，因爲每人心裡自生法相，自己構成一個現象，都非究竟。這就是佛經上說，衆盲摸象，各執一端的道理。儘管瞎子摸象，各執一端，可是摸的那一端，也都是象的部分，並沒有錯。只能夠說，每人抓到一點，合起來才是整個的象。要想完全瞭解整個大象的話，佛告訴我們的是「不生法相」，一切不著。下面，佛又推翻了。

我要過去　你過來

須菩提。所言法相者。如來說。即非法相。是名法相。

佛經所說的法相，根本就不是法相，所以叫做法相。這個話在金剛經上常說。道理在那裡?那些都是教育上的方法。等於過河的船,目的是使你過河,已經過了河就不要把船揹著走,要趕緊把船丟下,走自己的路。佛經三藏十二部,各種各樣的說法,有時候說空,有時候說有,有時候說非空非有,有時候又說即空即有,究竟那一樣對呢?那一樣都對都不對,要你自己不生法相。

講一個法相,包括了各種現象,譬如唯識宗,除了把心的部分分成八個識來講外,再把心理活動的現象,綱領原則性加以歸納,成為一百個法。如果詳細分析起來,當然不止一百個;可是後世一般人研究唯識,就鑽進去爬不出來了。這些人鑽到什麼境界裡頭了呢?鑽到「有」,鑽到一切法「勝義有」的法相裡去了。就像龍樹菩薩講般若拿空來比方,與法相唯識宗的教育方法不同,可是一般人研究般若,又落到「空」的法相裡去了。所以說,任何法相都不能住,都不是。

佛最後告訴我們,所謂法相,「即非法相」,那只是講話的方便,機會的方便,教育上的方便,目的是使你懂得。如果這樣不懂,他換另一個方法,總是想辦法使我們懂得。可是後世的人,把他的教育方法記錄下來以後,死死抓住他說過的那個空,或拚命抓個有,永遠搞不清楚。事實上佛交代得很清楚,一切不落法相。不落法相以後,大家反而都說金剛經是說空的,前面我們已經說過,金剛經沒有任何重點是教我們觀空,金剛經都是遮法,擋住你不正確的說法,至於正確的是個什麼東西,要你自己去找。

記得金剛經開始的時候，我曾經提到過禪宗的兩個公案，一個是兒子跟父親學小偷，對不對？還有一個是坐牢的那個公案，現在再說一個禪宗故事。有一個年輕人出家學佛求道，想要開悟，跟著師父幾十年。這位師父總是對他非常嚴厲，生活、行爲都管得非常嚴。但是一問到佛法，師父總不肯說。這個人就像我們現在青年人學佛一樣，好像找到一位老師，馬上就有妙訣告訴他，傳你一個咒子囉，或者傳你一個方法，今天一打坐，明天就會飛了，就成佛了；自己意識中構成了這樣一個法相。這個人的心理也是如此。可是這個師父呢，問到他眞正佛法時，就說：你自己參去！自己研究去！

他自己暗想，十二三歲出家，天天求佛道，搞了幾十年，這個老師嘛！是天下有名的大老師，是有道之士，跟著他卻辛苦的要命，佛法也沒有傳給他一點，心中眞煩惱。有一天他想了一個辦法，帶了一把小刀上山，師父快要走這一條小路回來了，小路只能走一個人，他就站在路口等師父回來。那天下雨，山上路滑難走，他看見師父低著頭，慢慢走到了。其實他師父大概早知道這傢伙在那裡，他以爲師父不知道，看到師父過來了，就一把抓住師父說：「師父啊，我告訴你，我幾十年求法，你不肯告訴我，今天我不要命了。」說著就把刀拿出來，「你再不告訴我佛法的話，師父啊，我要殺了你。」這個師父很從容，手裡還拿把雨傘，看他這個樣子，就用手一把抓住他拿刀的手說：「喂，路很窄，我要過去，你過來。」師父把他拉過來，自己就過去了。他聽到「我要過去，你過來」就忽然大徹大悟了。

我們大家參參看，「我要過去，你過來」，這一句話他就悟道了，這個理由在什麼地方？這個就是所謂禪宗公案。現在大家很難找出答案，我說的也不是眞的答案，只能打個比方給你聽：我們大家學佛最困難，心中的煩惱，身體上的感覺，坐起來腿發麻，不坐時心裡煩惱不斷；很想求到清淨，清淨永遠求不到。煩惱不斷，自己問自己怎麼辦？你自己裡面的師父一定告訴你：「我要過去，你過來！」煩惱跑過了就是清淨，過去心不可得，現在心不可得，未來心不可得；不生法相，應無所住而生其心，就那麼簡單。所以說，我要過去，你過來，這一條路根本是通的，煩惱即是菩提，那裡有個煩惱永遠停留在心中呢！你要是去想辦法把煩惱空掉，求個清淨，你不就是那個師父跟徒弟永遠堵在路上，走不過來了嗎？

你看人家的教育法很簡單，我要過去，你過來，也不理刀，也不理徒弟，這個徒弟就清楚了，就悟道了。可見他平常都在自生法相，都是著了一個佛的觀念，著了一個道的觀念。人生最怕是著魔，實際上，你學了佛法，學了道，把道跟佛法綑起來，你正是著魔了；著了佛魔，著了道魔，著了功夫魔，著了清淨魔。

清淨也是魔啊！所以禪宗祖師有幾句話：「起心動念是天魔」，什麼是天魔？是你的起心動念而已，你自己生的法相。「不起心動念是陰魔」，大家注意啊！很多人都落在這個魔境，光想打起坐來什麼都不知道，以為什麼都不知道是入定，那個是不起心動念，不起心動念落在五陰境界，是陰魔。「倒起不起是煩惱魔」，有時候好像很清淨，你覺得很清淨嗎？有時候覺得心裡頭好像有一點游絲雜念，可是也不要緊，可是也迷迷糊糊，這個就是倒起不起煩惱魔，無明之魔。說什麼走火入魔！魔從那裡來？魔完全是自心所造，沒有其它的東西。「起心動念是天魔。不起心動念是陰魔。倒起不起是煩惱魔。」如此而已。

佛學把魔境分析得很清楚，禪宗的大師們是用歸納的方法，非常簡單扼要告訴你。實際上，這些心理的狀況，這些境界，都是自生法相。由此更進一步說，我們佛學越學多了，唯識研究到最後，佛經三藏十二部都學了，你越學得多，越被法相的繩子綑得緊，都是著了法相。所以在快要作結論的時候，佛告訴我們，不生法相才是最究竟。我們給它的結論偈子：

◘第三十一品偈頌◘

九霄鶴唳響無痕　泣血杜鵑落盡魂

譜到獅絃聲斷續　為誰辛苦唱荒村

這是一個感想，在座的人，要是到過西北和中國的高山，或到過青城山、峨嵋山，可能會聽到白鶴的叫聲。中國文字很妙，雞叫是啼，鳥叫是鳴，虎叫是嘯，表示不同的聲音形態；白鶴叫稱爲鶴唳。白鶴是在高空叫的，聲音像打鑼一樣，傳得很遠，所以這個鳥與其他的鳥特別不同。

「九霄鶴唳響無痕」，就是說，佛的說法像九重天上的白鶴，叫聲響徹雲霄，要叫醒世界上所有人的迷夢。但是，我們有沒有被他叫醒呢？世界上許多人是叫不醒的，想一想眞夠傷心。結果千里迢迢去學佛，不論在家出家，都變成杜鵑鳥一樣。

「泣血杜鵑落盡魂」，據說杜鵑是上古一個因亡國而傷心到極點的帝子，因爲天天哭，後來他的精魂變成杜鵑鳥，還在哭，哭到最後眼睛流血，滴在泥土上變成現在的杜鵑花。杜鵑另有很多的名字，也叫杜宇，也叫帝子，就是蜀國皇帝的兒子。我們後世學佛學道的都是杜鵑，拋家棄子專心學佛，學到最後，道的影子都沒有看到，只怪自己沒有遇到明師，沒有碰到佛，沒有得到法。其實佛法是最平凡，最簡單，佛在金剛經上都說完了。

「譜到獅絃聲斷續」，金剛經等於獅子之絃，用獅子身上的筋作絃的琴，它發出的琴聲，百獸聽到都會頭痛，再重一點，百獸聽到腦子都裂了，因爲獅子是百獸之王。佛說的法是哲學裡的哲學，經典裡的經典，世界上眞正形而上的道法，直截了當，全部都告訴我們了，但是我們不知道。這個琴譜彈到獅子之絃，這個聲音彈的金剛經也好，法華經也好，華嚴經也好，斷斷續續，都彈給我們聽了，高明的歌曲統統唱給我們聽了，我們還是不懂。等於一個叫化子沿門唱蓮花落一樣，唱了半天沒有人理，人不覺得好聽，「爲誰辛苦唱荒村」啊！這是對釋迦牟尼佛幽默一下。實際上，我眞爲釋迦牟尼佛一灑同情之淚，他講到三十一品了，快講完了，有誰懂得他呢？他又何必在那裡講呢？爲誰辛苦唱荒村啊？再唱一遍也沒有用，因爲知音難遇啊，永遠不懂。實際上，他說的最親切，最平凡。

我們現在再一次回過頭來看，金剛經最開始，第一個重點是三個字——善護念。凡夫也好，成佛也好，只有一個法門，就是善護念。護什麼念？無所住。怎麼無所住？很簡單，不生法相。成了佛的人怎麼樣呢？也是一樣，吃飯穿衣，飯吃飽了，洗腳打坐，就是那麼平凡。沒有什麼頭上放光啦！心窩子放光啦！六種神通啦！都不來。吃飯穿衣敷座而坐。然後你問話，他答覆，就是那麼簡單。金剛經就是平凡裡頭的眞實，平凡裡頭的超脫。

第卅二品 應化非眞分

須菩提。若有人以滿無量阿僧祇世界七寶。持用布施。若有善男子。善女人。發菩提心者持於此經。乃至四句偈等。受持讀誦。為人演說。其福勝彼。云何為人演說。不取於相。如如不動。何以故。一切有為法。如夢幻泡影。如露亦如電。應作如是觀。佛說是經已。長老須菩提。及諸比丘。比丘尼。優婆塞。優婆夷。一切世間天人阿修羅。聞佛所說。皆大歡喜。信受奉行。

應化非真

昭明太子把最後一品標題「應化非眞」。佛說法四十九年，但在金剛經上卻說沒有說一個字。這個法不可說，說的都不是，因爲說的都會住於法相，開口就不對。這個道理我們大家都曉得，大家閉起眼睛一想就懂，可是自己心裡的思想，所想的東西，或一做事，開口一講出來，就變成兩回事了。譬如上街想買隻手錶，如果人家問你要什麼手錶？自己連畫出來都不對，與你心裡所想的完全兩樣。因此我們曉得，爲什麼許多人文章寫不好？儘管你思想很美麗，一下筆寫文章，就不是你原來那個美麗的思想了，結果自己越看越不對。文章是文章，思想是思想，反正不對！

其次，思想筆桿與說話速度不配合，思想來得快，尤其是聰明的人，思想來得更快，一秒鐘同時好幾件事情已經瞭解了，叫我們寫出來的話，一秒鐘思想寫出來，起碼要五六分鐘。這五六分鐘裡有多少秒，又加上多少思想，最後都搞亂了。所以佛說的，他那個眞正的佛法，他說他沒有說，不可說，說的就不是，一開口就不是它了。那麼不開口怎麼懂它呢？所以只好拈花微笑。這一笑比說話好得多了，你看，兩個朋友要說笑話，要恥笑另外一個人，只要彼此看一眼就懂了，比說話快得多啦，對不對？尤其年輕人眉目傳情，當著父母面前，兩個人眼睛動都不動，只要對看一眼，他倆個就通了，可見心裡的思想與言語是兩條路。所以佛說，一生說法，沒有說一個字；換句話說，佛辛辛苦苦投生到這個世界來，爲世人說法，來應化教化這個世界，譜到獅絃聲斷續，他老人家辛辛苦苦在那裡唱歌，宣傳了四十九年，爲誰辛苦唱荒村？流傳了兩千多年，只看到處處的冷廟孤僧，一個廟子一個庵，凄凄涼涼的香火，木魚在嘟啊嘟的敲，看到一個兩個和尙啊，面有菜色，如此而已。我所以幽默他，爲誰辛苦唱荒村。雖然幽默他，自己也有同感。

內聖外王菩提心

須菩提。若有人以滿無量阿僧祇世界七寶。持用布施。若有善男子。善女人。發菩提心者持於此經。乃至四句偈等。受持讀誦。為人演說。其福勝彼。

他說假使世界上有人，用無量無數充滿宇宙那麼多的寶物布施，這個人當然功勞大，福德大。金剛經的文字是古樸，而不講細緻的。不論文章也好，一幅畫也好，其他藝術品也好，越精緻完美，那就完了。像那個殷商的古董，一塊泥巴，但是你擺在那裡越看越有趣，因爲它是一塊很古樸的東西。這樣想也對，那樣想也對，隨你去想吧！現在的東西啊，精緻完美，但是看了三天，就不要看了，討厭了，再沒得可看了。也等於我們現在穿衣服，爲了表示曲線，肉也露出來，腰也露出來，看慣了以後，將來就不要看了。所以我說將來要剝皮才行，剝完了皮以後，又沒得玩的了，一定又是多穿些衣服蓋起來。佛經的文學是樸實寬鬆而不是精細的型態。有時它文字上沒有作轉折，但是一看就懂了。其實「若」字就是轉折，若就是假使，假使有一個「善男子善女人，發菩提心者，持於此經，乃至四句偈等，受持讀誦，爲人演說，其福勝彼」。

所以我們可以說，滿座都是有福人。但是，佛說的有個先決的條件，就是發菩提心。這可是很嚴重的了，什麼叫菩提心？前面我們已經說過，現在再不厭其詳的說說，加深大家的印象。菩提就是覺悟，不是我們中文講的覺悟，是大徹大悟，般若波羅密多這個覺悟；是能超脫三界的這個覺悟。悟道就是菩提心的體，菩提心的相與用是大悲心，大慈大悲。眞發了菩提心悟了道的人，你不必勸他發大慈大悲心，他已經自然發出大慈悲心了。有許多朋友說：我啊，什麼都信，就是有一點，發不起菩提心。我說：你觀念不要搞錯了，以爲看見花掉下來，眼淚直流，看到一點點可憐事而心軟，那個叫發菩提心嗎？那是提善心，不是菩提心。那是婦人之仁，是你神經不健全，肝氣不充足，或者腎虧，所以容易悲觀，容易掉眼淚，就是如此而已。眞正發菩提心的人，菩薩低眉，金剛怒目，大慈悲，武王一怒而安天下，這些才是菩提心，大悲心。用仙家的道理來說，菩提心是內聖外王。體是內聖之學，用是外王之學。以佛家的道理來講，菩提心的體，大徹大悟而成道，阿耨多羅三藐三菩提，般若波羅密多，形而上道，證道。菩提心的用是大慈大悲，愛一切衆生，度一切衆生，不是躲在冷廟的孤僧，或自命清高的隱士。所以說，發菩提心的人，重點是在這個地方受持金剛經的。

有人說唸金剛經幾十年了，自己也不曉得發的什麼心！只想唸經求福報，或求其他的什麼，而且也有感應呀！不錯，那有另外的解釋，但是如果沒有感應的話，你就要注意自己有沒有發心立志了。金剛經上說「若有善男子善女人，發菩提心者，持於此經」，意思是依教奉行，依他所教育的，老老實實的去體會，去修持。在行爲上，做人上，打坐做功夫上，乃至做事上去修持。

學佛的懶人

有些人學佛以後，第一個毛病就是懶。學佛修道的人都很懶，看起來是萬緣皆空的樣子，實際上你研究他的心理行爲，那是絕對的懶，空是假的，懶是眞的。你說他空了，躺在那裡，或坐在那裡，妄想多得很，一點都沒有空。可見他很忙啊！他願意躺在那裡坐在那裡忙，叫他起而行之，他說學佛的人不來這個；實際上是懶。叫他發菩提心來利世利人，阿彌陀佛，我不是菩薩啊，要有菩薩心的人做啊，他自己懶，自私。你叫他起來做點小事，他就懶起來了，拿空來擋。根據我的經驗，學佛修道的人，廢物多，懶的多。佛叫你精進，你做不到，叫你諸惡莫作，衆善奉行，你做不到。姑且不論諸惡莫作，一善都不行是眞的，因爲他懶嘛！這是我們要自我檢討的，非常嚴重的問題。金剛經最後叫你受持，你精進之心沒有，利他之心沒有，那是金剛經持你，不是你持金剛經。

「持於此經，乃至四句偈等」，依此修持，「受持讀誦，爲人演說」。演說不是指現在的講演，而是解釋發揮這個道理，說給人家，使人瞭解。「其福勝彼」，他說那比你用三千大千世界珍寶布施還要厲害，因爲這個是法布施。佛學認爲法布施比財布施更重要。什麼是法布施呢？就是精神的布施，爲人類的智慧生命，文化全部的功德而作的布施。所以他說這個福德勝過財布施。

現在我們在座的人研究金剛經又講金剛經，那福氣不是好得很嗎？那當然好啊！坐在那裡萬事都不做，冷氣吹著，又可以瞎想一頓，這兩個鐘頭蠻舒服的嘛！這就是有福氣了。什麼是福？平安就是福，呂純陽有一首詩描寫福氣：

一日清閒自在仙　六神和合報平安

丹田有寶休尋道　對境無心莫問禪

「一日清閒自在仙」，一個人有人間的清閒，就是神仙的境界，這一天當中不生病也沒有痛苦，「六神和合報平安」就是福。「丹田有寶休尋道」，是指心田，心裡清淨就是修行，不必再去尋個什麼。「對境無心莫問禪」，對境無心就是禪嘛！何必再問禪呢！所以啊，我們曉得平安就是福，六神和合報平安就是福。千萬不要認爲要給人家講經唸經才有福，那你又生法相了。下面所以告訴你：

云何為人演說。不取於相。如如不動。何以故。

不要著相，儘管在說佛法，始終沒有一點佛味，不像那些佛油子，而是很平凡，很平靜；儘管在講金剛經，沒有一點金剛鑽的味道，如如不動。

什麼是如如不動呢？不生法相，善護念，無所住。

怎麼樣叫做不取於相，如如不動呢？

離經的四句偈

一切有為法。如夢幻泡影。如露亦如電。應作如是觀。

這是金剛經最後一個四句偈。金剛經有好幾個四句的偈，「若以色見我。以音聲求我。是人行邪道。不能見如來。」等等，共有兩三處地方。所以有人提出來，金剛經中所說的四句偈，究竟指的是那個四句偈？

那四句都不是！這四句偈，離經而說是指空、有、非空非有、亦空亦有。假如一定要以偈子來講，非要把它確定是那四句不可的話，你就要注意金剛經所說的：不生法相，無所住。非要認定一個四句偈不可，就是自己生了法相！所以說都不是。這才是「不取於相，如如不動」，才能講四句偈。

有爲法與無爲相對，無爲就是涅槃道體，形而上道體。實相般若就是無爲法，證到道的那個是無爲，如如不動；有爲的是形而下萬有，有所作爲。一切有爲法如夢一樣，如幻影一樣，電影就是幻。泡是水上的泡沫，影指燈影、人影、樹影等。佛經上譬喻很多，夢幻泡影，水月鏡花，海市蜃樓，芭蕉，又如犍達婆城，就是海市蜃樓，如陽燄，太陽裡的幻影等。

年輕的時候學佛，經常拿芭蕉來比，我說芭蕉怎麼樣？「雨打芭蕉，早也瀟瀟，晚也瀟瀟」，這是古人的一首詩，描寫一個教書的人，追求一位小姐，這位小姐窗前種了芭蕉，這個教書的就在芭蕉葉上提詩說：「是誰多事種芭蕉，早也瀟瀟，晚也瀟瀟」。風吹芭蕉葉的聲音，颯颯颯，吵得他睡不著，實際上，他是在想那位小姐。那位小姐懂了，拿起筆也在芭蕉葉上答覆他：「是君心緒太無聊，種了芭蕉，又怨芭蕉。」

是你自己心裡作鬼太無聊，這個答覆是對不住，拒絕往來。我們說芭蕉，難道佛也曉得這個故事嗎？不是的，這是中國後來的文學，砍了一顆芭蕉，發現芭蕉的中心是空的，杭州話，空心大老倌，外表看起來很好看，中間沒有東西。所以這十個譬喻夢幻泡影等都是講空，佛告訴我們，世間一切事都像作夢一樣，是幻影。

夢幻中如如不動

二十年前的事，現在我們回想一下，像一場夢一樣，對不對？對！夢有沒有啊？不是沒有，不過如作夢一樣。當你在作夢的時候，夢是眞的；等到夢醒了，眼睛張開，唉呀，作了一場夢！你要曉得，我們現在就在作夢啊！現在我們大家作聽金剛經的夢！眞的啊！你眼睛一閉，前面這個境界，這個夢境界就過了，究竟這個樣子是醒還是夢？誰敢下結論？沒有人可以下結論。你一下結論就錯了，就著相了。

幻也不是沒有，當幻存在的時候，幻就是眞，這個世界也是這樣。這個物理世界地球也是假的，它不過是存在幾十萬億年而已！幾千萬億年與一分一秒比起來，是覺得很長，如果拿宇宙時間來比，幾千萬億年彈指就過去了，算不算長呢？也是幻呀！水上的泡泡是假的眞的？有些泡泡還存在好幾天呢！這個世界就是大海上面的水泡啊！我們這個地球也是水泡，你說它是假的嗎？它還有原子、汽油從地下挖出來呢！那都是眞的呀！你說它是眞的嗎？它又不眞實永恆的存在！它仍是幻的。你說影子是眞是假？電影就是影子，那個明星林黛已經死了，它再放出來一樣的會唱歌會跳舞，李小龍一樣打得劈哩啪啦的。所以金剛經沒有說世界是空的，可是它也沒有告訴你是有的，空與有都是法相。

所以你研究了佛經，說金剛經是說空的，你早就錯得一蹋糊塗了，它沒有告訴你一點是空的，它只告訴你「一切有爲法，如夢幻泡影」。夢幻泡影是叫你不要執著，不住，並沒有叫你空不空。你如果說空是沒有，金剛經說：「於法不說斷滅相」，說一個空就是斷滅相，同唯物的斷見思想是一樣的，那是錯的。當夢幻來的時候，夢幻是眞，當夢幻過去了，夢幻是不存在的；但是夢幻再來的時候，它又儼然是眞的一樣。只要認識清楚，現在都在夢幻中，此心不住，要在夢幻中不取於相，如如不動，重點在這裡。

當你在夢中時要不著夢之相；當你做官的時候，不要被官相困住了；當你做生意的時候，不要被鈔票困住了；當你要兒女的時候，這個叫爸爸，那個叫媽媽，不要被兒女騙住了；要不住於相，如如不動，一切如夢幻泡影。下面，「如露亦如電」，早晨的露水也是很短暫的，很偶然的湊合在一起，是因緣聚會，緣起性空。因爲性空，才能生緣起，所以說如露也如電。你說閃電是沒有嗎？最好不要碰，碰到它會觸電，但是它閃一下就沒有了。

很多人唸完金剛經，木魚一放，嘆口氣：唉！一切都是空的。告訴你吧！一切是有；不過「一切有爲法，如夢幻泡影，如露亦如電，應作如是觀」。這是方法，你應該這樣去認識清楚，認識清楚以後怎麼樣呢？「不住於相，如如不動」。這才是眞正學佛。所以，有許多年輕人打坐，有些境界發生，以爲著魔了。沒有什麼魔不魔！都是你唯心作用，自生法相。你能不取於相，魔也是佛；著相了，佛也是魔。所以，一切有爲法，如夢幻泡影，如露亦如電，應作如是觀，這就是最好的說明，佛講到這裡，金剛經全部圓滿。

佛說是經已。長老須菩提。及諸比丘。比丘尼。優婆塞。優婆夷。一切世間天人阿修羅。聞佛所說。皆大歡喜。信受奉行。

金剛經中對須菩提有三處不同稱法，「善現須菩提」「慧命須菩提」及「長老須菩提」。讀書要留意，這三處是三個不同程序，指其所理解的，所悟到的程度不同，稱呼也就不同。這時，長老須菩提及出家的男女兩衆，在家的男女兩衆，共稱四衆弟子，及一切世間的人，及天上的神，阿修羅等，聞佛所說，皆大歡喜。相信了、接受了；依照這個方法，金剛般若波羅密去修行。本經圓滿。我們的結論偈子：

◆第三十二品偈頌◆

衡陽歸雁一聲聲　聖域賢關幾度更
簑笠橫挑煙雨散　蒼茫雲水漫閒行

「衡陽歸雁一聲聲」，到了秋天，雁由北方回來，到衡陽為止。就是說明人要找回自己生命的本來，所謂找回自己的明心見性，找自己父母未生以前的本來。「聖域賢關幾度更」，聖人悟道成了佛，凡人沒有什麼，我要過去，你就過來；你要過去，我就過來；聖人、凡夫、一切眾生等無差別。佛說了金剛經，許多人眞悟到了這個道，反而出家了，偷懶去了。「簑笠橫挑煙雨散」，眞悟道了，解脫了，把頭剃光，穿個和尚衣服，穿個簑笠戴個斗篷。橫挑，拿個扁擔挑個行李，橫起來走，那個表示解脫了，無天無地，世界都可以橫行。簑笠橫挑煙雨散，雨過天晴，瞭解了佛法如此，自己也成道了。

成道了怎麼樣？做個小乘人嗎？「蒼茫雲水漫閒行」，再來到這個世界，菩薩再來，再來又怎麼樣？遊戲人間，玩玩就走了，如此而已。此所謂解脫，一切皆是遊戲，成了佛來說法四十九年，他老人家遊戲了一場，遊戲了四十多年，兩眼一閉說再見，所作已辦，他也走了。金剛經所告訴我們的是如此，這是全部金剛經，這一個課程今天就是圓滿的結束了。

總結論

現在給大家再作一個總結，把金剛經的重點重複說一遍，希望大家注意！善現啓請第二分，重點在善護念，由凡夫到成道之路，聖人與凡夫同一個修持的方法，善護念，要善於護念。怎麼護念？應無所住，不生法相，如如不動，不取於相，就是內心平靜的這一念。

護個什麼念？第三品大乘正宗分已經給我們說出來了，學佛就是證道，釋迦牟尼佛及一切佛所證的，那個最高的境界叫涅槃。涅槃不是死亡，涅槃是圓滿，不生也不死，不來也不去，永遠是清淨。縱然在動亂中，也在清淨，如如不動。所以得道境界就叫做涅槃。第三品告訴我們，沒有一個方法可使一切衆生皆入涅槃中，因爲自性自度，佛也不能度你。神仙與佛，不過是自度的過來人；一切明師只是把整個經過的經驗告訴你。人畢竟要自度，一切衆生皆要自度，所以涅槃無法。

曉得涅槃無法，那叫我怎麼修行呢？善護念。不要忘記了，眞正善護念，不住於相，就到達涅槃，此外別無他法。

第五品如理實見是見如來；怎麼見呢？佛告訴大家，不要有一個身相，學佛最困難的就是離不開身相這個肉體，所有的功夫都在肉體上轉，都是著相。所以說凡所有相，皆是虛妄，若見諸相非相，即見如來。首先要去身相，身相不去，就是我相不去；我相不去，有我就有你，有他就有人，人相不能去；人相不能去，壽者相不能去，衆生相不能去。我們大家學佛就要反省反省，不要說四相，連一相都去不了！恐怕四相還會變八相，八相變十六相，相相皆全，然後變成衆盲摸象！所以啊，要見如來先去身相，身相滅去了，即可見如來。

因此第六品告訴我們，身相去掉，然後再去心相。有心相就有法相，觀念一搞不清楚，不管你打坐也好，做其他功夫也好，統統在心相上造一個法相，大家都在那裡欺騙自己，以爲在修道，做功夫，其實自己只不過都在心中製造意識法相而已！所以佛告訴我們，汝等比丘，知我說法如筏喻者，法尙應捨，何況非法。一切法皆不是法，我說的法就像過河的船，過了河，船要丟掉，還抓住一個佛法當作是正法，就是法不能捨。

接著第九品一相無相分，告訴我們眞正的佛法，要能夠去掉身相心相，不生法相，自己心裡不製造出來一個法相，不造妖揑怪；像禪宗祖師罵人的話，自己畫一個怪相，以爲是道是佛。或者像丹經道書上說，得嬰兒了，裡頭畫一個小孩，等一下從頂上出來，一天到晚還要十月懷胎，多辛苦啊！或者是一顆明珠一顆丹，圓陀陀光爍爍，那是醫院裡胃鏡下去了，再不然就是得癌症啦！裡頭眞有顆丹還得了嗎？這些說法只不過是表達一個意思罷了，你千萬不要著相。得道，得個什麼？無所得！最難就是無所得，一切無所得，不住法相。

到了第十四品，離相寂滅分，眞正的學佛是高度的智慧，第一波羅密，至高無上的智慧。什麼叫第一波羅密？眞智慧無智慧，就是老子說的大智若愚，有個智慧的境界，那就糟了。眞正的智慧也就是中庸：「上天之載，無聲無臭。」沒有思想，沒有憂慮，既無煩惱亦無悲，覺性清淨，這是第一波羅密，眞正第一等成就的最高智慧。智慧是成佛的方法，成佛的工具，金剛經所講的，就是第一波羅密，成佛的工具。

然後到了十七品究竟無我，到了究竟無我這一分，他告訴我們眞正成佛的工具是什麼，世界上做任何一個東西，都要具備工具，我們要想成佛，工具是什麼？智慧！第一波羅密，即非波羅密，是名波羅密。你說，我智慧很高，自恃聰明，那你就是第一等笨人。怎麼樣才是第一等智慧呢？言語道斷，心行處滅，到這個境界無思無慮，是第一波羅密。以這個方法來求佛，學佛，成佛，就對了。

佛開始已經告訴我們應無所住，到了第十七品，佛再次提起來，第二種說法，又說無住無相。空，無住，無相，是般若的三法印，也就是空，無相，無願，三個大要點。但是金剛經一字也不提空，既然無住無相了，自然空。空與不空，都是落兩邊的話，所以不提；只說無住無相。那麼到了無住，再重複吩咐我們，人生修道，證道，爲什麼不能成佛？因爲首先身見去不掉，總覺得有我，有這個身體，把身體看得很牢。去身見，去世間之見，把物質世界，空間的觀念，身體，佛土觀念，統統去掉。連西方極樂阿彌陀佛國土，東方藥師如來國土，以及世間法構成的世間國土觀念，統統去掉。換句話說，把所有時空的觀念，身心的觀念，統統放下，要這樣來修持才行。

第十八品一體同觀，三心不可得。第二種方法當中告訴我們，你要從自己心理上檢查，過去心不可得，現在心不可得，未來心不可得，不可得的也不可得，是名不可得，不可得就是不可得！

過去的已經過去，未來的還沒有來，我們剛說現在心，我們心裡想現在，已經沒有了，過去了，如夢如幻；所以說，我們衆生的煩惱，就是因爲三心認不清楚。三心兩意的，就像剛才我說在理髮店那兩個老頭子，七十幾歲，七七八八的，喔唷，我還只二十幾歲，那早過去了。過去心不可得，他還要回想！

碰到老年人我是最怕的，只好靜靜的做聽衆。他說當年怎麼樣，過去怎麼樣怎麼樣，都是這樣。越老越想起當年事，我當年怎麼樣威風，怎麼漂亮，怎麼了不起。今天說一遍，過幾天來了他以爲自己沒有說過，說的又是這一套。所以年輕人碰到老年人，天呀，實在受不了啊！我都受不了，何況年輕人。

老年人要有自處之道，老年人最大的毛病，思想上困在一個法相，只想當年，因爲他不敢想明天，明天靠不住嘛！年輕人決不想當年，只想明天，明天又想明天。所以老年人跟年輕人坐在一起，一個光想過去，一個光想未來，怎麼能合得攏呢！所以我們修道的老年朋友們，年紀到了光想明天好了，明天沒有地方去，就去西方極樂世界嘛！永遠有明天，不要想過去，過去心不可得。

年輕人也要注意，未來心也不可得啊！你將來如何如何，你將來怎麼樣！你將來跟我一樣，也是老頭子！你將來難道不變成老頭子嗎？那你就很慘了，短命而去對不對？你要活久一點就一樣變成老頭子，一樣老太太。那個未來心不可得，不要去想它啦！所以眞正的佛法最現實，只有現在，現實，現在心不可得，心安理得，此心清淨得很，這就是佛法。三心不可得，隨時研究清楚，過去已過去，未來且莫算，剛說現在，現在已沒有了，那就很好嘛！

你們諸位打坐，說坐不下來，那才奇怪；兩腿沒有盤以前過去了，兩腿盤了以後，管它氣脈通不通，未來心不可得，現在就是盤腿，現在心不可得就好了，不就安下來了嗎？可是大家打坐修道，貪心大得很哪！專想那個未來不可得的，硬想得到它！想自己的臉要像阿彌陀佛那樣面如滿月，頭頂放光，這裡長個眼睛，三千大千世界都看得到，都是在那裡幻想！這不是自找麻煩嗎？

青年同學注意！我一聽到你們年輕人學佛，我頭就大了，先學做人，能把儒家四書五經做人之理通達了，成功了，學佛一定成功。像蓋房子一樣，先把基礎打好。人都沒有做好，你要學佛，你成了佛，我成什麼？要注意啊！要先學做人，人成了，就是成佛。佛法告訴你的就是這個道理，我所說的，可沒有違背金剛經任何要點。

三心不可得方法講清楚了，到了第二十二品無法可得分，無法可得，又對你重複說一道，不住一切法相，你有法可得，住於法相，已經不是道了。是無法無得！

二十六品法身非相，告訴你色相空，佛說一個偈子，若以色見我，以音聲求我，是人行邪道，不能見如來。他嚴重的指出來，一般學佛修道的大毛病，不是以色求道，就是以音聲求道。佛告訴你這種觀念，這種方法都是邪道，不能見如來，永遠不能成就。

接著就是第二十七品無斷無滅分，佛法沒有說空，也沒有說斷滅見的空，所以，空觀與斷滅見都不是。發阿耨多羅三藐三菩提，於法不說斷滅相。

然後最重要的到了，就是三十品一合理相分，如來本體，體相用，成佛之道，法身、報身、化身的道理，一合相的道理。佛固然並不說斷滅相的空，但是，他也不說世間相的有，有是幻有，空是眞空。眞空不是沒有，因其眞空，所以能起幻有世界，是偶然暫時存在的世界。一切有是暫時的，並不是沒有，但不是畢竟，而是「畢竟空，勝義有」，並沒有說畢竟有，勝義空。空是一個境界，一個作用。

佛開始就講，一個人學佛發願，使一切衆生皆入涅槃，度一切衆生，實在沒有一個衆生可度的。爲什麼？衆生自性自度，所以，一切有爲法，如夢幻泡影，如露亦如電，應作如是觀。如如不動，不住法相。他爲什麼說衆生沒有一個是所度，都是靠自性自度的呢？你教書久了就瞭解，教千千萬萬個學生，那一個學生將來學問好，都是他自性自度的，你教他不過是刺激他一下，使他自己的智慧打開而已。千萬不要以爲是老師那裡傳了一個咒子，就像針灸的那一針，穴道扎對，就不痛了。他不痛不是你那個針多麼靈光，而是他的氣血走通了，他自己的氣血。所以，那是智慧的傳授，佛說沒有度人；度盡一切衆生，他說沒有一個衆生是他度的，自性自度，個個都是佛，只要你平實的去做。

怎麼樣平實的去做呢？金剛經開始就告訴你，怎麼樣叫修行？不要忘記了開頭，第一品穿衣、吃飯、洗腳、睡覺，就是規規矩矩做人，老老實實做事，諸惡莫作，衆善奉行，都說完了。他開頭自己擺一個榜樣給你看，他自己穿上衣服，化緣、吃飯，吃完了，洗了泥巴腳，敷座而坐。也沒有一個學生把他位置鋪好，是他自己來安置，弄弄好，敷坐，把位置拍拍平，然後自己上去坐。剛剛弄好，吃飽了想休息，那個學生須菩提不讓他休息，就來問問題了。他肚子還沒有消化，只好開始說法，說到今天晚上，總算說完了，這一本金剛經就圓滿了。

後記

有機緣整理懷師所講的金剛經，是我一生中最大的幸事，自己獲益之多，眞是不可說，不可說。

很多年前，在一個十多人的社會賢達聚會場合，懷師也講過金剛經；當時由李淑君同學記錄整理，發表於人文世界，後來又集印出版，書名是《金剛經別講》。

這本《金剛經別講》出版後，懷師曾囑老古公司的負責人，不可再印；但是由於此書頗受青年人的歡迎，所以又一直印了不少次。那時，懷師人在國外（由此也看出作老師的無奈）。

嚴格說來，這本別講不能算是懷師的講經記錄，應該說是李淑君同學聽懷師講金剛經的心得著述。改一下書名，改一下作者的名字，一切就對了。

爲了這個原因，重新整理懷師的金剛經講記，成爲近年來推動的計劃。要整理出懷師所講的才對，沒有他人的意見。

袁居士，王居士等，先後曾有整理的心願，他們文筆都好，又是懷師二十多年的常隨衆，結果都因故而作罷。當時古國治同學正在忙於圓覺經的整理，周勳男同學忙著宗鏡錄及其他幾本書；還有些同修同學們，也各自忙著，無法抽暇；最後，只好由我濫竽充數了。

那段時間，爲了老古公司文字的事，我經常來往於海峽兩岸；也從一年多前，行囊中就開始帶著這些稿子，旅途倒也頗不寂寞。客次夜深人靜時，燈下翻閱，眞是一服清涼劑，洗刷了白天事務上的煩擾；那個滋味是很難描述的，境界卻是充滿了歡喜讚嘆的！

今年的三月，終於完工了；整理告一段落，行囊也輕了。四月初我再往北京，在港停留的機緣，我就將此事稟報懷師。當時我不停的說著整理這本講記的感受，自己又是多麼的受益等……我更不斷的讚嘆著講得多麼好！多麼好！多麼好！

我之所以不停的嘮叨，是原因的；因爲懷師對於出版他的講演記錄，一向并不積極；有時甚至還打破鑼！關於這個情況，接近懷師周圍的人都很知道。懷師常說，三藏十二部佛都講完了，還說什麼？都是多餘！既說了也就過去了，還出什麼書！

大概我來來去去不斷嘮叨這件事，使懷師心有不忍；也許是他對我的嚕嚕嚕嚕心生憐憫；總之，這一次懷師聽到我的嚕嚕，忽然很意外的提出來一個書名《金剛經說甚麼》！

啊！懷師終於答應出版了！我當時差一點喜極而泣！

接著，一件極不平常的事發生了，使我親身體驗了金剛經的力量。四月廿七日下午三點多鐘，我從北京搭機到了香港，由停機坪坐巴士到機場大樓，再乘扶手電梯預備入境通關。正當電梯行進時，上面突然有人大喊：「下去下去，人太多了！」於是人群開始往下走，剎那間，我被人群擠倒了。

當我明白過來的時候，發現自己坐在已經靜止的電梯台階上。我閉著眼，渾身并無痛楚，想著我大概是死了吧！也好！死了就死了，心中好像也沒有什麼。

這時忽然聽到有人說：「她在流血呢！」同時我也感到手帕在我胸前擦拭。

我微睜了一下眼，看見血從頭上流到胸前；我又閉上了眼，不去理睬，空掉這一切的事，空掉身體。我爲什麼要這樣？自己并不知道，好像只是順應自然而已。

那時，我心中清清楚楚，平平靜靜，「善護念」在腦海中閃了一下，就這樣護持著吧！管它是不是護持著呢！我照樣回答他們的問題，告訴他們香港素美的電話……有人用輪椅推我出關，取行李，去醫務室包紮，再到伊莉莎白醫院急救……我隨意護持著心念不動，不去想任何事，或任何問題，既無歡喜也無悲，平平淡淡……

難怪血流如注！原來頭破了，幸未傷及頭骨，醫生說要縫五針，又說頭上不能打麻藥針，就是這樣縫！

一針扎到頭皮傷口上，我突然痛得大叫起來，心中刮起了狂風巨浪，原來我是一個不折不扣的凡夫，原來眞刀眞槍時，我是一個眞凡夫！

「醫生啊！」我喊道：「你的針一定生鏽了，請你先把針磨一磨吧！」

縫我的人不理我的話，站在我前面的一位男護士，扶著我的頭，用廣東國語說：「你現在還開玩笑啊！我們的針很好呢！縫針的小姐手術也高明哩！你不去想就不痛了嘛！」

一句話點醒了我，想起來金剛經中佛被歌利王割截身體的時候，無我相，無人相……佛對害他的人尚且如此慈悲，現在縫我的人是救我啊！也不過是針扎而已啊！快丟掉一切相吧！

我不知道自己丟掉了多少，反正，後來縫的四針就沒有那麼痛了，也許是……那個針已經磨得光滑鋒利了吧！

這件事過去一個多月了，不管它是否已完全過去，反正人的一生都是大苦不斷，小苦連連，人生的苦，也許只有在苦中解脫；古來禪師們所說，必定要大死一番才行，大約也是從苦中才能明白的意思。所以，沒有苦又怎麼去解脫苦？沒有苦又怎麼能離苦得樂呢？

懷師在書中說：不苦就是樂。

劉雨虹記

一九九二年六月三日台北

老古文化事業股份有限公司

圖書訂購單（信用卡專用）

台北市 106 信義路三段 21 號

讀者服務專線：(02)2703-5592　　24 小時傳真：(02)2707-8217

訂購日期：＿＿＿年＿＿＿月＿＿＿日

姓　　名：＿＿＿＿＿＿＿＿　電話：(公司)＿＿＿＿＿＿　(住宅)＿＿＿＿＿＿

地　　址：＿＿＿＿＿＿＿＿＿＿＿＿＿＿＿＿＿＿＿＿＿＿＿＿＿＿

發票種類：□二聯　□三聯　發票抬頭：＿＿＿＿＿＿　統一編號：＿＿＿＿＿

編號	書　　名	數量	定價	小計

◎ 訂購老古出版書籍一律九折優惠。

◎ 目錄上之定價已含 5%加值營業稅。

◎ 國內掛號郵資統一爲 NT$ 50。

◎ 國外訂購價格(含郵資)，一律以水陸方式寄書，書款合計 ×1.6 。

◎ **讀者服務專線：(02)2703-5592**
24 小時傳真：(02)2707-8217

（一律 9 折優惠）	□九折
書款合計	NT$
國內外郵資計算方式 □國內郵資　（書款合計+NT$50） □國外郵資　（書款合計 ╳ 1.6）	
總　計	NT$

信用卡基本資料：商店代號：＿＿＿＿＿　授權碼：＿＿＿＿＿＿

信用卡別：□VISA　□MASTER　□JCB　□聯合信用卡　發卡銀行：＿＿＿＿＿＿

信用卡號：□□□□ □□□□ □□□□ □□□□

信用卡有效期限：西元＿＿＿年＿＿＿月止 (請務必塡寫)

身分證字號：＿＿＿＿＿＿＿＿＿＿

持卡人簽名：

(持卡人同意依照信用卡使用約定，一經使用訂購商品，均應按所示之全部金額，付款予發卡銀行，並同意以傳真或影印方式訂購產品，所塡之影本及傳真內容具有法律效用。)

＊ 請放大影印塡寫

南懷瑾先生著作系列

書號	書名	定價(NT$)
Q7101AP	論語別裁（上冊、平裝本）	300
Q7101BP	論語別裁（下冊、平裝本）	300
Q7102	論語別裁（精裝合訂本）內頁採用聖經紙	530
Q7103-P	孟子旁通（平裝本）	280
Q7104-P	老子他說（平裝本）	320
Q7105	易經雜說	260
Q7106	易經繫傳別講（上傳）	300
Q7107	易經繫傳別講（下傳）	200
Q7108C	原本大學微言（上）	280
Q7108D	原本大學微言（下）	250
Q7201	新舊的一代	150
Q7202-A	歷史的經驗（一）	250
Q7204-A	中國佛教發展史略述	250
Q7205	中國道教發展史略述	220
Q7206	中國文化泛言（序集）	220
Q7207	金粟軒詩詞楹聯詩話合編	160
Q7208	金粟軒紀年詩初集	200
Q7301AP	楞嚴大義今釋（平裝本）	400
Q7302AP	楞伽大義今釋（平裝本）	320
Q7303	金剛經說甚麼（2000年新訂版）	300
Q7304-A	圓覺經略說（2000年新訂版）	300
Q7305-A	藥師經的濟世觀（2000年新訂版）	280
Q7401-P	禪海蠡測（平裝本）	270
Q7402-A	禪話	220
Q7403-P	禪與道概論（平裝本）	280
Q7404	禪宗叢林制度與中國社會	100
Q7405	道家密宗與東方神秘學	270
Q7501-P	摩精舍叢書（平裝本）	320
Q7502	如何修證佛法	360
Q7503	靜坐修道與長生不老	250
Q7505-A	一個學佛者的基本信念	220
Q7506-A	定慧初修	200
Q7508-P	習禪錄影（平裝本）	320
Q7510	禪觀正脈研究	220

南懷瑾先生附記		
Q0216	南懷瑾談歷史與人生（練性乾編）	250
Q0217	南懷瑾與金溫鐵路（侯承業編記）	280
Q0702	懷師—我們的南老師（編輯部）	240
Q0703	禪門內外—南懷瑾先生側記（劉雨虹著）	480
Q7406	佛法禪修參行、神仙道學旨要(合刊)南懷瑾選輯、王鳳嶠恭書	200
Q7507-A	觀音菩薩與觀音法門	240
Q7511-A	參禪日記初集（金滿慈著、南懷瑾批）	260
Q7512-A	參禪日記續集（金滿慈著、南懷瑾批）	260
Q0220	南懷瑾詩話	480
兒童智慧開發		
Q7201	新舊的一代	150
S1811	兒童中國文化導讀（注音誦讀本）	每本 60
S1812	兒童中國文化導讀（羅馬拼音誦讀本）	每本 60
S1813	西方文化導讀　(英文誦讀本內含 CD)	每本 220
S1814	南老師的話	20
Q3101	幫孩子找到心靈寧靜的角落	260
新書介紹		
Q4101	讓生命活得寧靜又熱情	180
Q0704	我的努力與反省（梁漱溟 著）	300
Q3102	兒童與經典導讀（ICI 香港國際文教基金會編著）	160
Q7601	筆記書一覽	180
Q0705	我是怎樣學起佛來（周夢蝶等著）	280
S18151	西方文化導讀 一 (內附 CD，並附中文譯文)	250
Q1010	崇禎十七年 社會動盪與文化變奏（余同元著）	380
Q7306	布施學 昆耶娑問經一附錄南懷瑾先生選講	200
Q7801	不老古系列一南懷瑾談生活與生存（南懷瑾著）	200
Q3104	你有「禮」嗎？一兒童與禮儀	260
Q0222	人心與人生(梁漱溟 著)	300
S18152	西方文化導讀 二 (內附 CD，並附中文譯文)	250

圖書售出後除缺頁裝訂錯誤外概不退還

本目錄價格如有變動概以新價格爲準